Grande admiratrice de Jane Austen et des sœurs Brontë, **Hazel Gaynor** s'est mise à écrire très jeune. Ses romans, traduits dans de nombreux pays, ont été récompensés par de prestigieux prix littéraires, et ils apparaissent régulièrement dans les meilleures ventes du *New York Times* et de *USA Today*. Elle vit actuellement en Irlande avec son mari et ses deux enfants. *La Légende de Grace Darling* est son premier roman traduit en France.

Ce livre est également disponible
au format numérique

www.milady.fr

Hazel Gaynor

LA LÉGENDE DE GRACE DARLING

Traduit de l'anglais (Grande-Bretagne) par Fabienne Vidallet

Milady

Milady est un label des éditions Bragelonne

Titre original : *The Lighthouse Keeper's Daughter*

ISBN : 978-2-8112-2817-0

Bragelonne – Milady
60-62, rue d'Hauteville – 75010 Paris

E-mail : info@milady.fr
Site Internet : www.milady.fr

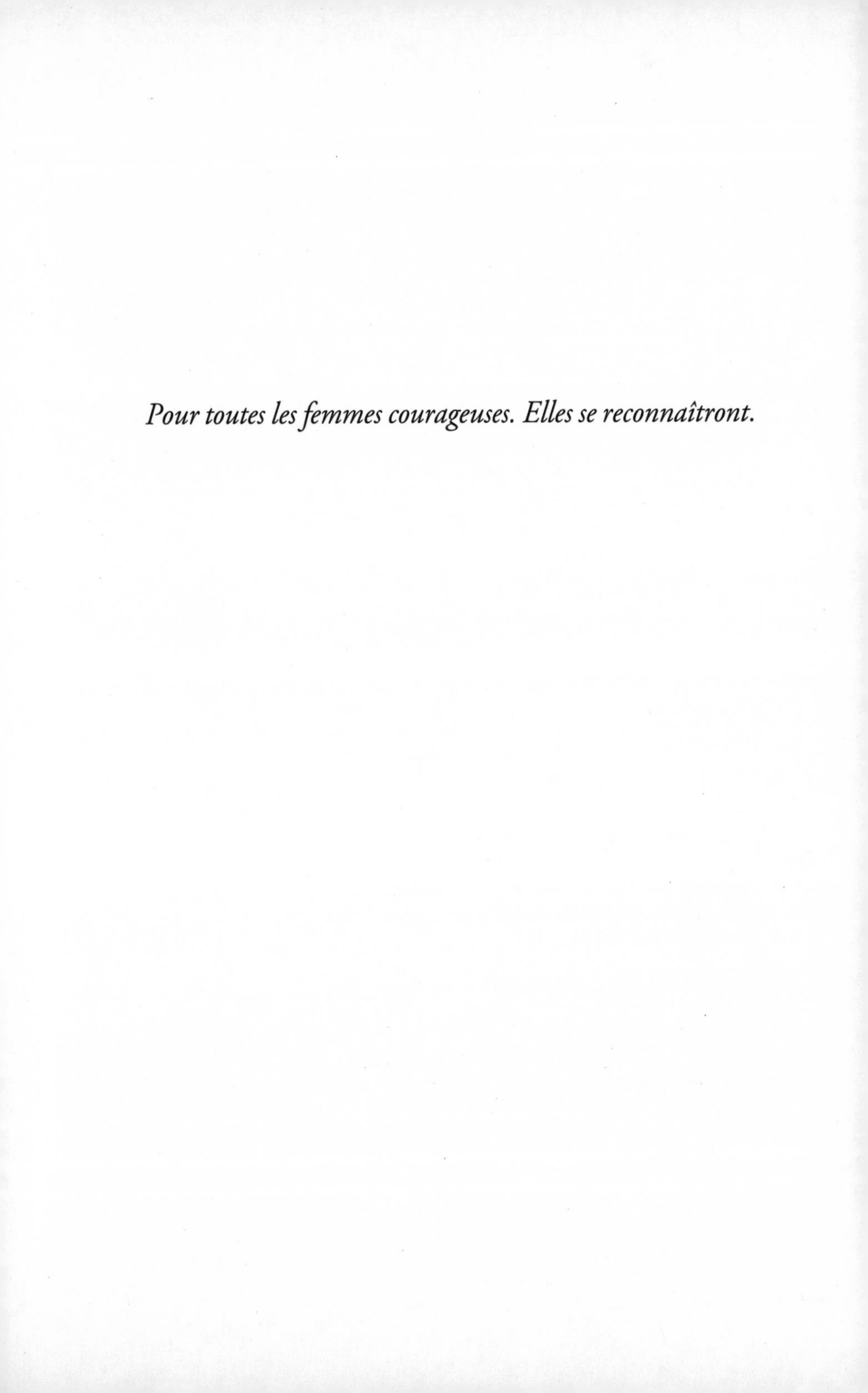

Pour toutes les femmes courageuses. Elles se reconnaîtront.

« Je n’ai pas peur des tempêtes
parce que j’apprends à gouverner mon navire. »

Louisa May Alcott

« Il y a deux manières de répandre la lumière ;
en étant la bougie ou le miroir qui la reflète. »

Edith Wharton

Prologue

Matilda

Cobh, Irlande. Mai 1938.

On l'appelle la jetée des Cœurs-Brisés, l'endroit d'où je vais quitter l'Irlande. Ce lieu a été témoin de bien des adieux.

Du balcon supérieur de la billetterie, je contemple les passagers de troisième classe en contrebas : ils sanglotent, cramponnés à ceux qu'ils aiment, et échangent des souvenirs et des promesses de s'écrire. Leur effusion de cœur forme un contraste saisissant avec le silence qui s'est abattu entre ma mère et Mrs O'Driscoll, mon chaperon pour le voyage. Je n'ai plus de larmes à verser. Je suis à bout de supplications et de protestations. Je ne ressens plus qu'une résignation maussade pour le destin, quel qu'il soit, qui m'attend de l'autre côté de l'Atlantique. Tout m'est égal à présent.

Fatiguée d'attendre que les pleureurs embarquent, je sors mon ticket de mon sac à main afin de lire pour la énième fois les détails soigneusement dactylographiés. « Matilda Sarah Emmerson. 19 ans. Deuxième classe. Départ : Cobh. Arrivée : New York. *T.S.S. California.* » C'est drôle comme ça en révèle beaucoup sur moi et en même temps comme cela n'en dit rien. Je tripote le billet, tire sur les boutons de mes gants, vérifie l'heure au cadran de ma montre et joue avec le médaillon que je porte autour du cou.

— Cesse de t'agiter, Matilda, me réprimande sèchement ma mère, dont les lèvres forment une fine ligne mauve pâle dans l'air froid du printemps. Tu me rends nerveuse.

Je fais de nouveau tourner mon pendentif.

— Et toi, tu m'envoies en Amérique.

Elle me lance un regard noir et la colère colore son cou de rouge. Elle serre les dents pour ravaler une réplique acerbe.

— Je pourrai m'agiter tout mon soûl quand je serai là-bas, ajouté-je pour la provoquer. Tu ignoreras ce que je fais. Ou avec lequel.

— Avec « qui », corrige-t-elle en détournant le visage avec un reniflement théâtral.

Elle ravale son exaspération et pose le regard sur les infortunés en contrebas. La fragrance écœurante de l'eau de violette suinte de la peau fine de ses poignets. Elle me donne la migraine.

Je pose derechef les doigts sur mon médaillon d'un air de défi. C'est un bijou de famille qui a jadis appartenu à mon arrière-arrière-grand-mère, Sarah. Enfant, j'ai passé de nombreuses heures à ouvrir et fermer le délicat fermoir en filigrane, et à me raconter des histoires sur les gens minuscules peints à l'intérieur : une jeune femme séduisante debout près d'un phare et un beau jeune homme, que l'on pense être un artiste victorien, George Emmerson, un parent très éloigné. Pour une fillette livrée à elle-même dans les pièces pleines de courants d'air de notre immense manoir, ces silhouettes offraient un aperçu attrayant d'une époque où je m'imaginais que tout le monde était heureux à jamais. Maintenant que je porte sur eux le regard plus cynique d'une adulte, je présume que les vies de ces personnes étaient aussi mornes et limitées que la mienne. Ou du moins aussi mornes et limitées que la mienne avant qu'une demi-bouteille de whiskey et une soirée de flirt irréfléchi avec un soldat britannique de la garnison locale ne changent tout. Si j'avais eu l'intention d'attirer l'attention de ma mère, j'y étais parvenue.

Le médecin affirme que j'en suis à mon quatrième mois. Je vais passer les cinq restants chez une parente solitaire, Harriet Flaherty, qui est gardienne de phare à Newport, Rhode Island. L'endroit idéal pour cacher une demoiselle dans mon état, et la solution parfaite pour résoudre le problème posé par la fille enceinte et célibataire du politicien local.

À 13 heures précises, les stewards nous conduisent vers les barques qui nous mèneront au *California*, qui mouille de l'autre côté de Spike Island pour éviter les bancs de vase de Cork Harbor. Lorsque je m'avance, Mère s'empare de ma main d'un geste mélodramatique tout en pressant un mouchoir en dentelle sur ses joues parcheminées.

— Écris-moi dès ton arrivée, ma chérie. Promets-le moi. (C'est une effusion soigneusement mise en scène et jouée pour le bénéfice de nos voisins qui ne doivent pas se douter de ce que cachent ces vacances américaines.) Et prends soin de toi.

Je me dégage sèchement et lui dis « au revoir » : je n'ai jamais mis une telle sincérité dans ces paroles. Elle s'est montrée parfaitement claire. Quel que soit le sort qui me sera réservé de l'autre côté de l'Atlantique, je devrai l'affronter seule. J'enserre le médaillon dans ma main et me concentre sur les mots gravés au dos : « Même les plus courageux ont eu peur un jour. »

Mais bien que je le dissimule, je suis terrifiée.

Volume I

sombrer : *(verbe)*
être submergé, couler

« Je ne songeai à rien d'autre qu'à déployer tous mes efforts, mon esprit étant tellement impressionné par cet événement terrible que je vois toujours la mer s'abattre sur le vaisseau. »

Grace Darling

I

Sarah

S.S. Forfarshire. 6 septembre 1838.

Sarah Dawson attire ses enfants dans les replis de sa jupe tandis que le bateau à vapeur passe loin du phare. Ses pensées s'attardent dans les interstices sombres entre les éclats lumineux. James s'extasie devant la beauté du phare. Matilda demande comment ça fonctionne.

— Je l'ignore, ma chérie, répond Sarah en examinant le visage impatient de sa fille. (*Comment ai-je réussi à produire quelque chose d'aussi parfait?* songe-t-elle.) Beaucoup de chandelles et d'huile, je suppose.

Sarah ne s'est jamais interrogée sur le fonctionnement des phares. C'était toujours John qui répondait aux questions de Matilda.

— Et du verre, je pense. Pour réfléchir la lumière.

Cette réponse ne satisfait pas Matilda, qui tire avec impatience sur la jupe de sa mère.

—Mais comment il fait pour tourner, maman ? Le gardien tourne une poignée ? Et comment on fait monter l'huile tout en haut ? Et s'il s'éteint en plein milieu de la nuit ?

Sarah réprime un soupir las et s'accroupit pour être à la hauteur de sa fille.

—Et si on posait toutes ces questions à oncle George quand on sera arrivés en Écosse ? Il est très calé en phares. Et tu pourras aussi lui parler de la fusée de Mr Stephenson.

Les traits de la fillette s'éclairent à l'idée de discuter de la célèbre locomotive à vapeur.

—Et des pinceaux, ajoute James dont la petite voix flûtée emplit le cœur de Sarah de tant d'amour qu'il manque d'éclater. Tu as promis que je pourrais utiliser le chevalet et les pinceaux d'oncle George.

Sarah essuie la fine couche d'écume qui macule les pommettes parsemées de taches de rousseur de James. Ses mains s'attardent pour le réchauffer.

—Absolument, mon chaton. Tu auras tout le temps de peindre en Écosse.

Elle tourne les yeux vers l'horizon en imaginant les nombreux kilomètres et les ports qui les attendent. Elle aimerait que les heures passent vite durant leur voyage de Hull à Dundee. En tant que femme de marin de la marine marchande, Sarah n'a jamais fait confiance à la mer, consciente de son humeur imprévisible même quand John prétendait qu'il ne se sentait jamais aussi vivant que sur un bateau. Penser à lui fait naître le désir profond de sentir ses mains rassurantes sur les siennes. Elle l'imagine debout, dans l'encadrement de la porte de derrière, en train d'enfiler son manteau, prêt à s'embarquer de nouveau. « Courage, Sarah, disait-il en se penchant pour déposer un baiser sur sa joue. Je serai de retour à l'aube. » Il ne précisait jamais de quelle aube il s'agissait. Et elle ne demandait jamais.

Tandis que le phare s'éloigne, une rafale de vent arrache la poupée de chiffon des mains de Matilda et l'envoie glisser sur le pont. Sarah s'élance à sa poursuite sur les planches rendues glissantes par la pluie. *Un mois en Écosse, loin de chez eux, sera assez déstabilisant comme ça pour les enfants. Un mois en Écosse sans son jouet préféré serait insupportable pour sa fille.* Une fois la poupée ramassée et rendue à une Matilda reconnaissante, toute question concernant les phares et la peinture momentanément oubliée, Sarah guide ses enfants vers l'intérieur, attentive aux inquiétudes de sa mère concernant les ravages de l'air marin sur les poumons.

Une fois dans la cabine, Sarah fredonne des berceuses jusqu'à ce que les petits s'assoupissent, bercés par le bourdonnement des machines, le roulis et l'excitation fatigante née de la perspective de passer un mois en Écosse avec leur oncle préféré. Elle essaie de se détendre en jouant machinalement avec le médaillon gravé suspendu à son cou tandis que ses pensées se dirigent prudemment vers les boucles de cheveux de bébé conservées à l'intérieur – une aussi pâle que l'orge estivale, l'autre aussi sombre que le charbon. Elle songe à la troisième mèche qui devrait les accompagner ; elle ressent l'absence obsédante de l'enfant qu'elle devrait tenir dans ses bras avec James et Matilda. L'image du nourrisson bleu et silencieux auquel elle a donné naissance cet été la consume avec une telle intensité qu'elle est certaine de se noyer dans le désespoir.

Matilda s'agite un peu. James aussi. Mais le sommeil les submerge de nouveau. Sarah est heureuse de les voir aussi innocents, elle est contente qu'ils ne devinent pas la mélancolie qui l'imprègne depuis qu'elle a perdu le bébé puis son mari quelques semaines plus tard. Le médecin lui a diagnostiqué une maladie des nerfs mais elle sait bien que ce n'est que le chagrin. Comme les potions et les pilules n'ont eu aucun effet, en dernier recours, son frère lui a prescrit un mois en Écosse.

Tandis que les enfants dorment, Sarah sort une lettre de la poche de son manteau. Elle relit les phrases de George tout en imaginant, le sourire aux lèvres, ses boucles noisette, ses yeux sombres comme de la bière et son sourire aussi large que l'estuaire du Forth. *Cher George.* La perspective de le voir la ravigote déjà.

Dundee, juillet 1838

Chère Sarah,

Je t'écris ces quelques lignes pour te dire que je suis dévoré par l'impatience de vous voir, toi et ces chers James et Matilda – même si je me doute qu'ils ne sont pas aussi petits que dans mon souvenir et que je vais regretter de leur avoir promis de leur faire traverser les jardins sur mon dos ! Je sais que le voyage t'inquiète, de même que l'idée d'être loin de chez toi, mais des vacances en Écosse te feront le plus grand bien. J'en suis certain. Essaie de ne pas te faire de souci. Détends–toi et profite de l'océan–si ton estomac te le permet. J'ai entendu dire que le Forfarshire était un excellent navire. Il me tarde de le voir quand il sera à quai.

Je n'ai aucune nouvelle à t'apprendre hormis le fait que j'ai croisé Henry Herbert et ses sœurs il y a peu à Dustanburgh. Ils se portent tous bien, et m'ont demandé des nouvelles de toi et des enfants. Henry était aussi ennuyeux que d'habitude, le pauvre. Heureusement, la présence de Miss Darling, qui les accompagnait, m'a fourni une agréable distraction–c'est la fille du gardien du phare de Longstone sur les îles Farne. Comme tu peux t'en rendre compte en observant les marges de ce courrier, j'ai développé un goût pour le dessin de phares. Je t'en dirai davantage de vive voix. Je dois me hâter pour attraper la poste.

Je vous souhaite un agréable voyage et point trop de mal de mer, mes chéris !

Ton frère dévoué,
George

P.-S. : Eliza est très impatiente de te voir. Sa mère et elle viendront nous rendre visite pendant ton séjour. Elles voudraient discuter du mariage.

Sarah admire les phares miniatures que George a esquissés dans les marges puis elle replie proprement la lettre et la glisse de nouveau dans sa poche. Elle espère qu'Eliza Cavendish ne prévoit pas de passer le mois entier avec eux. Elle n'apprécie pas beaucoup leur petite-cousine passionnée ni sa mère autoritaire mais elle s'est résignée à les tolérer maintenant que les fiançailles sont confirmées. Eliza sera une épouse parfaitement satisfaisante pour George, pourtant Sarah ne peut s'empêcher de penser qu'il mérite beaucoup mieux. Si seulement il daignait lever les yeux de ses toiles de temps en temps, elle est sûre qu'il poserait le regard sur une femme qui lui correspondrait davantage. Mais George sera toujours George et même avec un mois devant elle, Sarah doute fort que ce temps lui suffise pour le faire changer d'avis. Mais cela ne l'empêchera pas d'essayer.

La nuit tombe derrière le hublot tandis que le navire avance vers Dundee. *Encore une nuit à bord*, songe Sarah en refusant de prêter attention aux inquiétudes qui tourbillonnent dans sa tête. Encore une nuit, et ils seront de nouveau sains et saufs sur la terre ferme. Elle presse le pendentif sur sa poitrine en se rappelant les mots que John a fait graver au dos. « Même les plus courageux ont eu peur un jour. »

Courage, Sarah, s'enjoint-elle. *Courage.*

2

Grace

Phare de Longstone. 6 septembre 1838.

L'aube se lève sur les îles Farne et les nuages roses forment des traînées tendres. De ma fenêtre étroite, j'admire le spectacle sans lui faire totalement confiance. Les insulaires savent mieux que quiconque avec quelle rapidité le temps peut changer et la forme de ces nuages ne me dit rien qui vaille.

Après avoir été de quart au petit matin, je suis contente de pouvoir étirer les bras au-dessus de ma tête en savourant le relâchement de la tension dans mon cou et mes épaules avant de gravir les marches qui mènent à la salle de la lanterne. Une autre nuit sans incident provoque toujours en moi une gratitude silencieuse, et je marmonne mon habituelle prière de remerciements en éteignant les lampes d'Argand, dont la mission reprendra au coucher du soleil. La routine est tellement familière que je l'accomplis presque sans réfléchir : tailler les mèches, polir les lentilles des réflecteurs paraboliques pour ôter toute trace de suie puis couvrir les lentilles avec des housses en lin pour les protéger de l'éclat du soleil. Des besognes routinières et nécessaires que je m'enorgueillis d'accomplir au mieux, désireuse de prouver que je suis aussi compétente que mes frères et de faire plaisir à mon père.

Un chant de marin me monte aux lèvres tandis que je travaille mais malgré mes efforts pour me concentrer sur mes tâches, mes pensées – comme elles le font depuis quelques semaines – se tournent, têtues, vers Mr George Emmerson. Je ne comprends pas pourquoi je persiste à songer à lui. Nous ne nous sommes pas parlé longtemps – vingt minutes tout au plus – mais quelque chose dans la cadence de son accent écossais, dans sa façon particulière de rouler les « r », sa manière d'incliner la tête pour observer le paysage et son intérêt pour les fossiles de Mary Anning s'est collé sur moi comme des bernacles sur un rocher. « Dites-moi, Miss Darling, que pensez-vous des "prrrétendus drrragons" de mer de Miss Anning ? » En l'imitant, je sens monter un sourire espiègle et je recouvre le dernier réflecteur, dissimulant momentanément mes inintéressantes pensées concernant de beaux Écossais.

Une fois que je me suis occupée des lampes, je fais le tour de la lanterne pour m'imprégner pleinement de la beauté du lever de soleil. La première fois que j'ai grimpé l'escalier en colimaçon du phare, à l'âge de sept ans, il était là, tout en haut de la tour, qui est l'endroit que je préfère, là où on peut presque toucher les nuages, en sécurité dans le phare de vingt-sept mètres. La vue qui se déploie sur les îles Farne et la côte de Northumbrie ressemble à un tableau exposé dans une galerie privée qui ne serait visible que par moi et malgré les protestations de mon estomac, je ne suis pas pressée de descendre prendre mon petit déjeuner. Je m'empare du télescope de mon père, posé sur une étagère et je suis une nuée de sternes qui passe au sud avant de l'abaisser pour observer les mouettes qui flottent sur la mer en attendant le retour des pêcheurs de harengs. Les motifs de la lumière sur la surface de l'eau me rappellent le chatoiement de la robe en soie de Mary Herbert en train de danser le quadrille lors du bal des moissons de l'année dernière.

Chère Mary. Malgré notre amitié, sa sœur, Ellen, et elle m'ont toujours prise pour une créature étrange ; elles ne comprennent pas comment on peut préférer l'isolement battu par les vents d'un phare au joyeux brouhaha d'un bal. « Viendras-tu au bal cette année, Grace ? Henry brûle de le savoir. » Leur dévouement pour me trouver un époux convenable – de préférence leur frère – est impressionnant mais le mariage n'occupe pas mes pensées contrairement aux autres femmes de mon âge, qui ne pensent qu'à ça. Même mes sœurs, qui habitent sur le continent à présent, affirment sans arrêt pour me taquiner que j'ai épousé le phare. « Tu ne trouveras jamais d'époux si tu te caches dans ta tour, Grace. Ne compte pas sur la marée pour t'en livrer un. » Je leur ai expliqué un nombre incalculable de fois que même si je me mariais, je ne ferais que troquer une vie de fille obéissante contre une vie d'épouse obéissante et mes observations ne m'ont pas du tout convaincue que l'institution du mariage vaille la peine que je fasse l'échange. C'est un argument intelligent qu'elles ont du mal à contredire.

Alors que je viens de gagner la salle de veille, qui se trouve juste sous celle de la lanterne, la voix de mon père me parvient et je m'immobilise.

— Tu descends, Gracie ? Mam a fait du pain frais. Elle insiste pour qu'on le mange avant les souris.

Son bonnet aux couleurs de Trinity House, le service britannique des phares, surgit au-dessus de la dernière marche, suivi par ses sourcils broussailleux aussi blancs que les murs blanchis à la chaux du phare. Je glisse mon bras sous le sien pour l'aider à gravir les marches restantes.

— Tu es censé te reposer, le réprimandé-je.

Son souffle est court. Ses joues – déjà rougies par des décennies de vent et de soleil – sont écarlates à cause de l'effort que lui a demandé l'ascension des quatre-vingt-treize marches.

— Je sais, mon poussin. Mais Mam se tracasse quand je me repose. Je me suis dit qu'il valait mieux que je le fasse loin d'elle. (Il m'adresse un clin d'œil en s'affalant dans son fauteuil préféré avant de me prendre la longue-vue des mains et de la porter à son œil.) Quelque chose à signaler ?

— La nuit a été très calme, réponds-je en ajoutant quelques lignes sur le temps et l'état de la mer dans le journal de bord avant d'enregistrer les marées. Quelques bateaux à vapeur et de pêche. Les phoques sont de retour sur Harker's Rock.

Père étudie l'horizon pour vérifier que rien d'inhabituel ne se produit, interprétant la forme particulière de la houle, des vagues et de leurs creux. Sa vue a décliné, ce qui l'irrite, et il est heureux que je puisse lui servir d'yeux. Nous formons une bonne équipe ; c'est un professeur patient et moi, je suis une élève avide de connaissances.

— Les phoques sur Harker's Rock, ah. Les pêcheurs du coin diraient que c'est un signe de tempête imminente. Mam se fait déjà du mauvais sang pour ton frère.

Il pointe alors la lunette sur les nuages à la recherche d'un indice annonciateur d'un grain, de brouillard ou de quelque chose suggérant un changement météorologique imminent. Mon père décrypte les nuages et le vol des oiseaux comme d'autres lisent les indications fournies par une boussole, comprenant les informations qu'ils délivrent sur le temps, la neige proche ou l'arrivée du vent du nord. En partie grâce à ses enseignements, en partie grâce à l'instinct inhérent des insulaires dont j'ai hérité il y a plus de vingt-deux ans, j'ai absorbé une partie de ce savoir. Mais même le marin le plus expérimenté peut parfois se tromper.

Père se frotte le menton comme il a l'habitude de le faire quand il réfléchit.

— Ce ciel ne m'inspire rien de bon, Gracie. Tu sais ce qu'on dit sur les aubes rouges.

— L'avertissement du marin, rétorqué-je. Mais le ciel est rose, Père, pas rouge. Et il est bien trop beau pour être de mauvais augure.

Mon optimisme le fait glousser. Il pose le télescope sur ses genoux et ferme les yeux, appréciant la tiédeur du soleil sur son visage.

Il a beaucoup vieilli ces derniers mois, ce qui me perturbe. Il n'est plus aussi vigoureux que par le passé. Mais malgré les ordres du médecin, qui lui a demandé de lever le pied, il insiste pour assurer les fonctions de gardien de phare. Son entêtement, à la hauteur de son humilité, rend toute protestation inutile. Gardien de phare n'est pas seulement un métier pour lui – c'est sa vie, sa passion. Je pourrais aussi bien lui dire de cesser de respirer que d'arrêter les gestes routiniers auxquels il se livre fidèlement depuis des décennies.

— Tu as l'air fatigué, Père. Tu n'as pas bien dormi ?

Il balaie mes inquiétudes d'un revers de main, amusé par ma façon d'endosser le rôle de parent, ce que je fais de plus en plus souvent ces derniers temps.

— Mam a recommencé à ronfler. Je pensais que c'étaient des canons qui tiraient de Bamburgh pour annoncer un naufrage. (Il ouvre un œil.) Ne lui dis pas que je t'ai raconté ça.

Je ris et promets de tenir ma langue.

Je lui reprends la longue-vue et pose le bord frais contre mon œil, traquant une barque de pêcheur qui va de North Sunderland vers l'extérieur de l'île. Avec un peu de chance, c'est un courrier postal avec un mot de Trinity House concernant notre inspection annuelle. L'attente de ce rapport emplit toujours Père de fébrilité, même si les précédents comptes-rendus ont noté avec régularité le respect exceptionnel des normes au phare de Longstone, classé parmi les mieux tenus d'Angleterre. « L'orgueil précède toujours la chute, a coutume d'affirmer mon père chaque fois que je le lui rappelle. Et l'esprit s'élève avant de tomber. Proverbes 16:18. » Il n'est pas du genre à s'endormir sur ses lauriers, il est plutôt de ceux qui travaillent encore plus dur. Parmi ses nombreuses qualités, celle que j'admire le plus est son humilité.

Il s'extirpe du fauteuil pour me rejoindre près de la fenêtre.

— J'ai la chair de poule, Grace. Le mauvais temps arrive, je le sens dans l'air. Et des oiseaux sont entrés par la fenêtre du bas.

— Encore ?

— Ta mère a failli avoir une crise cardiaque. Tu sais le lien qu'elle fait entre les oiseaux qui viennent à l'intérieur et les gens qui meurent.

— Je préfère voir les oiseaux rentrer plutôt qu'ils s'assomment contre la vitre.

Trop d'oiseaux s'écrasent contre les fenêtres de la salle de la lanterne, aveuglés par le soleil qu'elles réfléchissent. J'ai souvent trouvé un guillemot ou un macareux raide en sortant pour nettoyer la vitre.

— Ça va tomber sur qui, d'après toi, Gracie ? Je t'avoue que je ne suis pas d'humeur à mourir aujourd'hui et j'espère que toi non plus. Ça ne laisse que ta pauvre vieille mère, que Dieu la garde.

— Père ! Tu es vilain.

Je repousse affectueusement son bras, ravie de voir de nouveau briller l'étincelle dans ses yeux, même si c'est aux dépens de Mam.

Les querelles de mes parents me sont aussi familières que l'alternance des marées mais malgré leurs piques et leurs soupirs entendus, je sais qu'ils tiennent profondément l'un à l'autre. Mam ne s'en sortirait jamais sans le pragmatisme et le bon sens de mon père, et ce dernier serait perdu sans l'inépuisable ingéniosité de ma mère. Comme le sel et l'eau de mer, ils sont bien assortis et j'admire leurs efforts pour que leur relation marche en dépit du fait que ma mère ait douze ans de plus que mon père, et que les conditions de vie soient souvent éprouvantes sur l'île.

Père feuillette le journal de bord et ajoute quelques remarques de son écriture soignée. « 6 septembre : état de la mer : calme. Vent : brise légère du sud-ouest. Vaisseau à vapeur au large à 2 heures du matin. Nuages se massant au sud. » Il s'empare de ma main et la presse fortement, comme quand je me promenais avec lui, enfant, sur les plages de Brownsman, notre première île. Les cals rugueux de ses paumes écorchent ma peau, ses doigts sont chauds et secs autour des miens ; il les enserre comme de la corde qui trouve naturellement sa place.

— Merci, Grace.

— Pour quoi ?

— Pour ta présence ici avec Mam et moi. Ce n'est pas facile pour toi de voir tes frères et sœurs se marier et s'établir sur le continent.

Je presse sa main en retour.

— Mais pourquoi voudrais-je me marier et aller vivre à l'intérieur des terres ? Ne suis-je pas bien ici avec Mam, toi, les lampes et les phoques ?

C'est une question sincère. Mes pensées ne s'égarent que rarement au-delà de la mer vers une vie imaginaire de couturière ou d'épouse de marchand de tissus à Alnwick, mais ce genre d'idées ne dure jamais. J'ai souvent vu des femmes se marier et rétrécir, comme des chutes de pâtisserie que l'on réutiliserait de manière différente et moins importante. En outre, je ne serais pas à ma place dans une ville animée aux rues bondées et aux usines bruyantes. J'appartiens à cette île, avec ses oiseaux et la mer, ses violents vents d'hiver et ses étés imprévisibles. Le bal des moissons enchante peut-être Mary et Ellen Herbert pour une soirée mais ce cher Longstone m'enchantera bien plus longtemps que ça.

— L'île me donne une liberté inouïe, Père. Je me sentirais prisonnière partout ailleurs.

Il acquiesce.

— Mais tu sais que si tu venais à changer d'avis, je ne t'en voudrais pas.

Je retire ma main de la sienne et lisse ma jupe.

— Bien sûr et tu serais le premier au courant !

Je le laisse là et descends l'escalier en colimaçon, suivie par l'écho des pas de mes frères et sœurs absents. Sans le tohu-bohu permanent provoqué par mes sept frères et sœurs, le phare est vide et même si j'apprécie l'espace supplémentaire procuré par leur absence, il m'arrive de me languir de leur retour bruyant.

Comme toujours, l'escalier parcouru de courants d'air est froid et je serre étroitement mon châle autour de mes épaules. Je me hâte vers ma chambre, située juste sous la salle de veille, dans laquelle une flaque de lumière vive illumine le sol et me réchauffe aussitôt. La pièce ne mesure pas plus d'une dizaine de pas d'un mur à l'autre. Je songe souvent que c'est une chance qu'aucun des enfants Darling ne soit grand ni large d'épaules, ce qui nous aurait obligés à nous courber en permanence. Mon lit en bois se dresse contre un mur, lit que je partageais jadis avec ma sœur Betsy. Une écritoire est placée au centre, une aiguière, une vasque et un bougeoir sont posés dessus.

Je m'accroupis près d'un petit coffre rangé sous la fenêtre, soulève le couvercle et fourrage à l'intérieur, à la recherche de ma vieille boîte de couturière à présent reconvertie en petit cabinet de curiosités : de fragiles œufs d'oiseaux protégés par du duvet d'oie ; des coquillages de toute forme et toute taille ; des fragments vert et bleu de verre marin lisse. J'espère que cette collection sera un jour assez impressionnante pour mériter d'être montrée aux amis de mon père, qui font partie de la Société d'histoire naturelle, mais je me contente pour l'instant de collectionner et d'admirer les trésors que la mer a rejetés, exactement comme une dame contemplerait les précieux joyaux rangés dans sa boîte à bijoux. De la même manière que je ne rêve ni d'un mari ni d'un emploi de couturière, je ne veux pas de bijoux coûteux.

Je tire un morceau de verre de mer émeraude de ma poche pour l'ajouter à ma collection. Mes pensées se tournent vers le fragment de verre indigo que j'ai donné à Mr Emmerson et vers le sourire généreux dont il m'a gratifiée en retour. « Il y a une individualité en tout, Mr Emmerson. Si vous observez de près les motifs des coquillages, vous verrez qu'ils ne se ressemblent pas du tout, mais qu'ils sont, en fait, tous uniques. » Il ne ressemblait pas à Henry Herbert ni aux autres hommes de ma connaissance, toujours impatients d'étaler leurs centres d'intérêt sans prêter attention au point de vue d'une femme, si tant est qu'elle ose en avoir un. Mr Emmerson s'est montré intéressé par ma connaissance des oiseaux de mer et des fleurs sauvages qui poussaient le long du rivage de Dunstanburgh. Quand nous nous sommes séparés, il a affirmé avoir trouvé notre discussion passionnante, compliment que j'ai estimé beaucoup plus flatteur que s'il m'avait trouvée jolie ou espiègle.

— Grace Horsley Darling. Tu t'égares.

Je me réprimande pour ma frivolité. Je ne vaux pas mieux qu'une débutante au carnet de bal vierge à m'attarder ainsi sur une conversation aussi insignifiante. Je referme le couvercle de la boîte dans un claquement sec avant de la ranger dans le coffre.

Je descends encore, dépasse la chambre du deuxième étage jadis occupée par mes sœurs Mary-Ann et Thomasin, qui dormaient dans des lits superposés, chuchotant et gloussant tard dans la nuit, et partageant cette intimité particulière propre aux jumelles, puis je passe devant la chambre de mon frère Brooks au premier étage. Ses bottes sont toujours à l'endroit où il les a laissées sous son bureau, et sa chemise de nuit est suspendue au dossier d'une chaise, attendant son retour.

Une fois au pied de l'escalier, je débouche sur la grande pièce circulaire où Mam est en train de pétrir sa mauvaise humeur et la pâte à pain devant la cuisinière à bois tout en marmonnant à propos des gens qui restent assis à ne rien faire comme des sacs de charbon et en pestant contre ses vieux os qui la font terriblement souffrir.

—Enfin ! Je pensais que tu ne descendrais jamais, souffle-t-elle en s'essuyant le front du dos de la main, le visage écarlate. Je suis vannée. Quand j'en aurai terminé avec cette pâte, il y aura assez de pain stottie pour construire un autre phare. Mais je ne peux pas la laisser sinon elle sera plate comme un carrelet. Tu as vu ton père ?

—Il est dans la salle de veille. Je lui ai promis de lui monter une boisson chaude.

—Va d'abord t'occuper des poules, tu veux bien ? Je dois finir de pétrir cette pâte.

J'attrape ma cape et mon bonnet suspendus à la patère derrière la porte, puis je sors et me dirige vers le poulailler où je ramasse quatre œufs bruns et un blanc avant de faire une courte balade le long des rochers, bien résolue à respirer un peu avant que le temps change et que la marée monte.

Je scrute les aquariums miniatures dans les flaques, foyers temporaires des anémones de mer, des algues, des pinnothères, des moules et des patelles. Le vent se lève et les premières gouttes de pluie mouchettent ma jupe. Je resserre les rubans de mon bonnet, ramène ma cape contre moi et me hâte vers le phare. Debout dans l'embrasure de la porte, Mam contemple les cieux qui s'assombrissent, sourcils froncés.

— Rentre, Grace. Tu vas attraper ta mort avec ce vent.

— Inutile de te tracasser, Mam. Je suis restée dehors à peine cinq minutes.

Sans tenir compte de ma réponse, elle enroule un second châle autour de mes épaules lorsque j'ôte mon manteau.

— Mieux vaut prévenir que guérir. J'espère que ton frère ne va pas essayer de rentrer, soupire-t-elle. Ce vent ne me dit rien qui vaille, mais tu sais comment il est quand il s'est mis quelque chose en tête. Comme ton père.

Et sa mère, songé-je. Je lui enjoins de ne pas s'inquiéter.

— Brooks doit être au *Olde Ship* à raconter des histoires aux autres. Il ne partira pas par ce temps. Il est têtu mais il n'est pas fou.

J'espère qu'il est vraiment de retour à North Sunderland avec les pêcheurs de harengs. À l'idée que mon frère ne sera pas en sécurité dans son lit, je sais que la nuit sera longue.

— Espérons que tu aies raison, Grace, parce qu'un oiseau a fait des siennes un peu plus tôt dans la journée. Ça m'incite à penser au pire.

— Uniquement si tu le veux, dis-je tandis que mon estomac grondant me rappelle que je n'ai pas encore mangé.

Je laisse ma mère battre violemment le tapis du foyer – et ses inquiétudes – contre les murs épais, je pose le panier contenant les œufs sur la table, étale du beurre sur une tranche de pain encore tiède et m'assieds près du feu de cheminée pour manger sans prêter attention au vent qui fait trembler les vitres comme un enfant impatient. Le phare, prêt à affronter le mauvais temps, nous enserre dans ses bras. Entre ses murs fiers, je me sens aussi protégée que les œufs fragiles nichés dans leur lit de plume à l'intérieur de ma boîte, mais mes pensées s'attardent sur ceux qui sont en mer et qui sont peut-être déjà en danger.

3

Sarah

Sur le S.S. Forfarshire. 6 septembre 1838.

Sarah Dawson et ses enfants dorment serrés les uns contre les autres, inconscients de la tempête qui se renforce derrière les hublots et du drame qui se joue sous le pont, tandis que le capitaine John Humble ordonne à son chef des machines de pousser la chaudière de tribord qui fuit. Des discussions enflammées se déroulent au sein de l'équipage mais au large du port de Tynemouth, Humble décide de ne pas mouiller pour réparer ; au contraire, il choisit de hâter sa course le long de la côte du Northumberland, bien résolu à parvenir à Dundee à temps, juste après l'aube, le lendemain.

Adossé à la porte à hublot, soumis au roulis de la houle grandissante, Humble sirote un whiskey chaud tout en étudiant ses cartes, concentré sur la route qu'il doit suivre pour éviter les écueils dangereux autour des îles Farne intérieures et extérieures, et sur les caractéristiques distinctes des phares qui le guideront. Il a déjà emprunté cet itinéraire plus d'une dizaine de fois et malgré la chaudière défaillante, il rassure son chef des machines : il n'y a pas de raison de s'alarmer. Le *S.S. Forfarshire* avance tant bien que mal tandis que la tempête se rapproche.

Dundee, Écosse.

Assis à une petite table près de la cheminée dans son appartement de Balfour Street, George Emmerson sirote un verre de bière, jette un coup d'œil à sa montre de gousset et s'empare d'un petit morceau de verre de mer indigo posé sur la table. Il songe trop souvent à la jeune femme qui le lui a donné comme souvenir de son voyage dans le Northumberland. Un trésor de la mer, comme elle l'avait souligné, en remarquant à quel point il était fascinant de voir qu'un objet aussi ordinaire qu'une fiole de médicament vide puisse devenir aussi beau avec le temps.

Il se rencogne dans son fauteuil en tenant devant lui une page d'esquisses au fusain. Il n'est pas satisfait de son travail, frustré par son incapacité à saisir l'image qu'il voit pourtant avec netteté dans son esprit : son visage gracieux, le léger pli de sa bouche, ses boucles d'un châtain lumineux rassemblées en tresse sur sa tête, son expression intriguée, comme si elle ne réussissait pas vraiment à prendre la mesure de George et qu'elle ait besoin de se concentrer pour y parvenir.

Grace Darling.

Son nom amène un sourire sur les lèvres de George.

Il imagine Eliza penchée sur lui, feignant un quelconque intérêt pour ses « images » tout en le pressant de lui dire quel tissu a sa préférence pour les nouveaux rideaux. La pensée de sa fiancée le déstabilise et le rouge de la culpabilité lui monte aux joues. Il froisse son dessin et le lance dans le feu avant de vérifier de nouveau l'heure. Sarah n'est plus très loin. Sa visite tombe à pic. Il a besoin maintenant plus que jamais des conseils avisés et des opinions pragmatiques de sa sœur. Alors que les pensées de George ont tendance à s'égarer sur des chemins romantiques, Sarah n'a pas le temps pour ce genre de billevesées et elle le remettra sur le droit chemin. Mais elle n'est pas encore là.

Il décide d'ignorer momentanément la question pour le moins problématique de l'étincelle qui couve en lui pour une certaine Miss Darling. Tandis que le vent forcit, fait trembler les vitraux et danser la flamme de la bougie, George se passe la main dans les cheveux, défait un peu l'épingle qui ferme son col et attire à lui une feuille vierge. Il referme la main sur le verre de mer indigo. De l'autre, il s'empare de son fusain et recommence, bien résolu à achever son dessin avant que la chandelle ne s'éteigne.

4

Grace

Phare de Longstone. 6 septembre 1838.

L'après-midi tire à sa fin et le ciel tourne au granit. En sécurité entre les murs couverts de suie du phare, chacun détourne son esprit à sa manière de la tempête qui grossit. Installée devant son rouet, Mam marmonne quelque chose sur les oiseaux qui volent dans les maisons. Penché sur la table, Père répare un filet de pêche abîmé. Je balaie mon inquiétude en même temps que la poussière que je jette au-dehors.

Quand nous ne sommes pas en train de nous occuper des lampes, de surveiller ou de nous affairer dans le hangar à bateaux, nous passons notre temps dans la salle commune. Nos vies s'étalent sur la moindre surface de la pièce d'une façon qui peut paraître aléatoire aux visiteurs mais qui est en réalité parfaitement organisée. Nous ne possédons pas grand-chose mais nous ne manquons de rien.

Des bonnets et des manteaux sont pendus aux patères près de la porte, prêts à être enfilés. Des casseroles et des poêles sont accrochées au mur au-dessus de l'âtre comme des pendus sur un gibet. La vieille bouilloire noire, suspendue en permanence au-dessus du feu est toujours prête à fournir aux mains froides une boisson chaude. Des chaussettes, des jupons et des tabliers humides sèchent sur un fil tiré au-dessus de nos têtes. Des coquillages de toute forme et de toute taille sont alignés sur le rebord des fenêtres et dans les interstices entre les dalles. Des guillemots et des mouettes à tête noire empaillés – des cadeaux faits à Père par le taxidermiste de Craster – montent la garde avec leurs yeux vitreux. Même l'odeur particulière de l'eau salée a sa place dans la pièce, de même que le vent qui soupire contre les vitres, impatient de s'engouffrer à l'intérieur.

Alors que les cieux s'assombrissent à l'approche du soir, je gravis les marches qui mènent à la salle de la lanterne où je remplis avec soin le réservoir d'huile avant d'allumer les mèches taillées avec ma lampe. J'attends une demi-heure que les flammes atteignent leur taille maximale avant de débloquer les poids qui enclenchent le mécanisme de l'horloge, activant la manivelle pour la première fois de la soirée. Les lampes se mettent à tourner lentement et le phare prend vie. Toutes les trente secondes, les bateaux qui passent au loin apercevront l'éclat du rayon lumineux. Une fois tout en ordre, j'ajoute un commentaire dans le journal de bord : « Le *S.S. Jupiter* est passé au large à 17 heures. Fort vent nord-nord-ouest. Pluie violente. »

Comme c'est mon père qui est de quart en premier, j'abandonne la lumière réconfortante des lampes et je pénètre dans l'obscurité de l'escalier. Ma sœur Thomasin disait toujours qu'elle imaginait l'escalier comme une longue veine courant à partir du cœur du phare. D'une manière ou d'une autre, nous avons tous prêté des qualités humaines à ces vieux murs de pierre qui sont devenus un membre de la famille à part entière–et pas juste un bâtiment. Je ressens l'absence de Thomasin avec davantage d'acuité en passant dans sa chambre. Une tempête fait toujours bouillonner le désir que chacun soit à l'abri entre les murs du phare, mais mes sœurs et mes frères sont à présent dispersés le long de la côte, comme des épaves ballottées par la marée et transportées ailleurs.

Les heures passent lentement tandis que la tempête gagne en intensité et l'horloge au-dessus de l'âtre égrène laborieusement les minutes tandis que Mam travaille derrière son rouet. Je lis un ouvrage que j'aime particulièrement, *Lettres sur l'amélioration de l'esprit à l'usage d'une lady*, mais je peine à me concentrer. J'attrape un petit recueil de poèmes de Robert Burns mais il ne me captive pas comme d'habitude ; ses mots ne servent qu'à amplifier le mauvais temps qui fait rage à l'extérieur : « À minuit, l'heure sans étoile / Lorsque l'hiver règne sans partage / Et que les tempêtes déchirent la forêt / Et que le tonnerre déchiquette l'air mugissant / J'écoute le rugissement qui redouble / Déferlant sur le rivage rocheux. » Je le repose, soupire, et m'agite en tripotant l'ourlet de ma jupe et en agaçant une cassure dans mon ongle jusqu'à ce que Mam m'intime de cesser de gigoter et de me concentrer sur quelque chose.

— Tu ressembles à une chatte qui vient de mettre bas, Grace. Je ne sais pas ce qui te prend ce soir.

C'est la tempête qui me prend. Le vent féroce me donne la chair de poule. Et quelque chose d'autre me tracasse parce que même la tourmente ne parvient pas à chasser Mr Emmerson de mon esprit.

Si je ressemblais davantage à Ellen et Mary Herbert, je chercherais à me distraire en lisant une des romances dont elles parlent avec enthousiasme, mais Père voit d'un mauvais œil l'idée de lire des romans ou de jouer aux cartes une fois la journée de travail achevée parce qu'il estime que c'est une perte de temps – il ignore combien de temps ma sœur Mary-Ann consacre à de telles choses – et nous ne possédons donc pas ce genre de livres. Je suis plutôt contente de cette censure et reconnaissante de l'éducation qu'il m'a donnée dans la salle de veille reconvertie en salle de classe. Je ne peux pas me plaindre de l'absence de lecture et pourtant mon esprit est incapable de s'intéresser à quoi que ce soit ce soir.

À mon troisième bâillement, Mam m'ordonne d'aller me coucher.

— Repose-toi avant ton quart, Grace. Tu as l'air aussi épuisée que moi.

Quand elle prononce ces mots, le vent prend une profonde inspiration avant de souffler une violente bourrasque. Les gouttes de pluie se fracassent contre les vitres comme des cailloux. Je serre plus étroitement mon châle autour de mes épaules et m'empare de ma lampe posée sur la table.

— Ça empire, pas vrai ?

L'inflexion de ma voix est celle d'une enfant qui veut être rassurée.

Mam appuie sur la pédale de son rouet au rythme du mouvement de ses mains ; le « clac-clac-clac » est très familier pour moi. Elle ne lève pas les yeux de sa tâche. Le mauvais temps fait partie de la vie à Longstone. Mam pense qu'il ne faut pas craindre les tempêtes mais les respecter. « Si tu montres ta peur, tu es déjà à moitié mort. » Elle n'est pas très éloquente mais elle a souvent raison.

— Dors bien, Grace.

Je lui souhaite « bonne nuit », pose un verre cloche sur ma bougie et entame l'ascension familière entre les murs du phare. *Soixante marches jusqu'à ma chambre. Soixante occasions de se remémorer des yeux de la couleur de la bière ambrée. Soixante occasions de voir une fine moustache étirée dans un sourire aussi large que la Tyne, un sourire qui a fait rosir mes joues et provoqué les gloussements d'Ellen et Mary Herbert. Soixante occasions de me réprimander de penser avec autant d'affection à quelqu'un avec qui je n'ai passé que quelques minutes, et pourtant ces quelques minutes ne cessent de me revenir avec persistance.*

Une fois dans la salle de veille, je reste debout en silence pendant un instant, répugnant à rompre la concentration de Père. Il est assis près de la fenêtre, le télescope prêt à bondir comme un chat, tous les sens en alerte.

— Tu me réveilleras, Père, chuchoté-je. N'est-ce pas ?

D'aussi loin que je me souvienne, je lui ai fait cette requête tous les soirs : me réveiller s'il a besoin d'aide avec la lumière ou pour un sauvetage.

La lueur de la chandelle vacille dans les verres de ses lunettes rondes juchées au bout de son nez quand il se tourne vers moi et hoche la tête.

— Bien sûr, chaton. Va te reposer. Elle s'éteindra toute seule au matin.

Durant les rares fois où il m'a demandé de m'occuper de la lumière en son absence, j'ai prouvé en être très capable. Je possède la patience de mon père et un œil aguerri, essentiel pour surveiller la mer. Je me demande parfois si ça l'attriste, juste un peu, que l'avenir du phare soit entre les mains de mon frère et non entre les miennes. Brooks lui succédera en tant que gardien parce que même si je suis enthousiaste et compétente, je suis – surtout et avant tout – une femme.

Un sourire s'étale sur le visage de Père tandis que je tourne les talons.

— Regarde-toi, Grace. Vingt-deux ans de croissance et de beauté bourgeonnante et un tempérament qui fait honneur à ton prénom. Quel contraste avec le chahut extérieur.

Je balaie le compliment d'un revers de main.

— Tu as encore bu de la bière ?

Je le taquine mais mon sourire trahit ma satisfaction.

Ma lampe en main, je me retire dans ma chambre. Une rafale de vent sifflante fait vaciller la flamme tandis qu'un grondement assourdissant ricoche sur les murs. Je jette un coup d'œil par la fenêtre, fascinée par les lames furieuses qui se fracassent contre les rochers en contrebas avant de rejaillir vers le ciel comme des étoiles filantes.

J'attrape ma bible, m'agenouille près de mon lit, et prie pour la sécurité de mon frère avant d'éteindre ma chandelle et de me glisser sous l'édredon. Mes pieds tressaillent au contact des draps froids et je cherche des orteils la brique chaude que j'y ai glissée un peu plus tôt. Je reste immobile dans le noir en imaginant les lampes qui tournent en rond au-dessus de ma tête comme un cœur régulier, leur faisceau s'étirant dans les ténèbres pour avertir ceux qui sont en mer et les prévenir qu'ils ne sont pas seuls dans l'obscurité. Quand les nuits sont moins agitées, je perçois le cliquètement du mécanisme d'horloge qui tourne. Mais ce soir, je n'entends que la tempête et les battements plus forts de mon cœur.

5

Sarah

Sur le S.S. Forfarshire. 7 septembre 1838.

QUAND ELLE SE TROUVE DANS UN ENDROIT ÉTRANGER, Sarah a le sommeil léger et elle se réveille soudain, frissonnante. Elle cherche dans l'obscurité ce qui a bien pu provoquer pareille réaction et elle se demande pourquoi les machines se sont tues. Sans leur bourdonnement rassurant, Sarah entend plus distinctement le hurlement du vent, et elle sent davantage le roulis de l'océan. Elle cherche machinalement des doigts son médaillon et se remémore sa surprise quand John le lui a offert, enveloppé dans un petit carré de soie pourpre noué par un ruban assorti. C'était le plus bel objet qu'elle ait jamais vu et les mèches de cheveux de ses enfants rangées à l'intérieur le rendaient encore plus précieux.

James et Matilda s'agitent sur ses genoux et frottent leurs yeux ensommeillés en lui demandant pourquoi le bateau s'est arrêté, s'ils sont arrivés en Écosse et quand ce sera le matin. Sarah leur caresse les cheveux en chuchotant qu'ils verront bientôt leur oncle George et qu'ils doivent se rendormir.

— Je vous réveillerai dès que l'aube pointera. On rejoindra les pêcheurs de harengs qui rentrent au port. Leurs femmes seront là avec leurs tonneaux de saumure. Les écailles des poissons brilleront comme des diamants sur les pavés...

Un rugissement à glacer le sang transperce le silence, suivi par le craquement effrayant de la coque et le grincement perçant du métal qui cède. Sarah se redresse aussitôt, le cœur battant à tout rompre et serre plus étroitement ses petits contre elle.

— Qu'est-ce qui se passe, maman ? crie Matilda. Qu'est-ce qu'il y a ?

James se met à pleurer. Matilda enfouit le visage contre l'épaule de sa mère tandis que le navire gîte lourdement à tribord. De l'eau glacée et sombre s'engouffre à l'intérieur avec tant de rapidité que Sarah n'a pas le temps de réagir avant que l'eau ne lui monte jusqu'à la taille. Elle soulève ses enfants, les cale contre ses hanches et avance. La terreur et la panique s'emparent d'elle, lui coupant le peu de souffle que lui laisse l'effort de porter ses enfants terrorisés. Elle les rassure et les apaise en leur affirmant que tout va s'arranger, qu'il ne faut pas avoir peur, qu'ils sont en sécurité avec elle. Elle se retrouve au-dehors elle ne sait comment. Le vent déchire son manteau, la pluie se déverse sur ses joues tandis que Matilda et James se cramponnent désespérément à elle. Pendant un bref instant, elle ressent une vague de soulagement. Ils ne sont pas piégés sous le pont. Ils sont en sécurité. Mais l'eau monte soudain jusqu'à sa poitrine et submerge le pont. Au moment où Sarah pivote pour chercher de l'aide, une chaloupe, quelque chose – n'importe quoi –, une lame gigantesque la renverse, la plongeant sous l'eau et tout devient obscurité.

6

Grace

Phare de Longstone. 7 septembre 1838.

Je dors par intervalles peu reposants ; la violence de la tempête est telle que je ne peux m'empêcher de ressentir de l'inquiétude malgré l'étreinte solide du phare. Étendue, je me souviens de sa construction et de ma fascination pour l'immense tour fuselée qui allait devenir mon foyer sur une île à cinq kilomètres des villes de Bamburgh et North Sunderland. « Un mètre cinquante d'épaisseur. Assez fort pour résister à tout ce que la nature nous fera subir. » Mon père tirait de la fierté du fait que le lieu de sa nouvelle affectation avait été construit sur un plan similaire à celui du phare de Robert Stevenson à Bell Rock. Cette tour a été ma forteresse pendant quinze heureuses années.

Père me réveille à minuit en me secouant gentiment par l'épaule.

Je m'habille rapidement, attrape ma lampe et nous descendons ensemble jusqu'au rez-de-chaussée, où nous enfilons nos manteaux avant de sortir affronter les éléments déchaînés pour attacher plus solidement la barque rangée dans le hangar car la marée sera dangereusement haute à 4 h 13. La mer se soulève et bouillonne. Je ne l'ai jamais vue aussi en colère. Une fois de retour dans le phare, Père va se coucher et je prends mon quart.

Je m'installe comme d'habitude près de l'étroite fenêtre, la longue-vue en main. Le ciel est envahi de nuages noirs tourmentés qui déversent des torrents de pluie contre la vitre. Le vent tire sur l'encadrement avec tant de force que je suis certaine qu'il va finir par l'arracher. Tous mes sens sont en alerte. Ni fatiguée ni effrayée, je me concentre uniquement sur la mer, à la recherche d'un signe indiquant un navire en détresse.

La nuit passe lentement et la pendule fixée au mur égrène les heures tandis qu'au-dessus de ma tête la lumière tourne en continu.

Aux alentours de cinq heures moins le quart, alors que la première lueur de l'aube éclaire faiblement le ciel, mon regard est attiré par une silhouette étrange au pied de Harker's Rock, où vivent des colonies de macareux et de fous de Bassan que j'aime observer en été. La visibilité est quasiment nulle à cause du rideau de pluie et de l'écume des vagues, mais je maintiens fermement la lunette jusqu'à ce que je distingue des formes sombres autour du rocher. *Des phoques, certainement, qui protègent leur progéniture des vagues battantes.* Mais un sentiment inconfortable prend naissance au creux de mon ventre.

Vers 7 heures, la luminosité s'améliore un peu et la marée descendante dévoile davantage Harker's Rock. Je reprends la longue-vue et mon cœur fait un bond quand j'aperçois un mât de misaine bien droit, clairement visible contre l'horizon. Mon intuition était bonne. Ce ne sont pas des phoques étendus sur le rocher mais ce sont des gens que j'ai aperçus. *Les survivants d'un naufrage.*

Je m'empare aussitôt de ma lampe et descends l'escalier à toute allure, poursuivie par le vent qui hurle contre les fenêtres, m'enjoignant de me hâter.

Je secoue brutalement mon père pour le réveiller.

— Un bateau a coulé, Père ! Il faut se dépêcher.

Il plonge son regard fatigué et dérouté dans le mien.

— Quelle heure est-il, Grace ? Quel est le problème ?

— Des survivants, Père. Un naufrage. Il y a des gens sur Harker's Rock. On doit faire vite.

J'entends le tremblement dans ma voix, et je sens le frisson qui agite mes mains et fait vaciller ma lampe.

Mam bouge, demande si Brooks est rentré et quelle est la raison de tout ce raffut.

Père tâtonne à la recherche de ses lunettes d'une main ensommeillée comme celle d'un aveugle tout en s'asseyant.

— Et la tempête, Grace ? La marée ?

— La marée est descendante. La tempête fait toujours rage.

Je m'attarde près de la fenêtre comme si ma présence pouvait faire comprendre à ces pauvres âmes qu'on ne va pas tarder à leur porter secours.

Père soupire et laisse ses mains retomber sur l'édredon.

—Alors, ce n'est pas la peine, Grace. Je coulerai aussi si j'essaie de sortir par ce temps. Et même si je parvenais à atteindre Harker's Rock, je ne pourrais pas ramer à contre-courant pour revenir. Je ne réussirais pas à traverser Carford's Gut avec le vent face à moi.

Il a raison, bien sûr. Je savais en me précipitant vers lui qu'il dirait exactement ça.

Je m'empare de ses mains et m'agenouille près de son lit.

—Mais si on rame tous les deux, Père? Si je viens avec toi, on pourra y arriver, n'est-ce pas? On prendra le chemin le plus long pour profiter de l'abri des îles. Et ceux qu'on sauvera pourront ramer aussi, s'ils en sont capables. (Je mets toute ma détermination dans ma voix, dans mes yeux, dans ses mains.) Viens à la fenêtre pour vérifier que mon esprit ne m'a pas joué de tour.

Je tire sur ses mains pour l'aider à se lever et lui tends la lunette tandis qu'une autre bourrasque violente fait trembler les volets et craquer les chevrons du plafond.

Mes suppositions sont confirmées rapidement. Un petit groupe de personnes est clairement visible à la base du rocher, et les restes démolis de leur bateau se balancent de manière précaire entre eux et la mer déchaînée.

—Tu les vois? demandé-je.

—Oui, Grace.

Je pose la main sur le bras de Père qui replie la longue-vue et s'appuie sur le rebord de la fenêtre.

— La chaloupe de North Sunderland ne peut pas sortir par ce temps, dis-je, lisant dans ses pensées. Nous sommes leur dernier espoir. Et le Seigneur nous protégera, ajouté-je autant pour rassurer mon père que moi-même.

Il comprend que je réagis à l'instinct d'aider, un instinct qui m'a été inculqué depuis qu'enfant j'ai entendu, assise sur ses genoux, les histoires de bateaux de pêche abîmés en mer et des hommes courageux qui secouraient les naufragés. Je sens qu'il baisse les épaules et je devine que mes efforts ont payé.

— Très bien. On va essayer. Mais une seule fois. Si on ne parvient pas à les atteindre…

— Je comprends. Mais il faut se hâter.

Une fois la décision prise, nous passons à l'action avec détermination. Nous nous habillons rapidement et nous précipitons vers le hangar. Le vent me coupe le souffle et manque de me déporter sur le côté quand je sors. Mes cheveux me fouettent le visage. Je faiblis un instant, regrettant que mon frère ne soit pas là, mais c'est comme ça. Nous devons faire ça seuls, Père et moi, ou pas du tout.

Mam nous aide à mettre la barque à l'eau : chacun de nous endosse son rôle comme nous l'avons déjà fait à de nombreuses reprises par le passé. Les mots sont inutiles, rejetés par le vent, tant et si bien que nul ne sait quelle question a été posée et quelle réponse a été donnée. Je lutte pour rester debout face aux rafales incessantes.

Le bateau est enfin à l'eau. J'embarque, m'empare d'une rame et m'assieds.

— Grace ! Qu'est-ce que tu fais ? (Ma mère se tourne vers mon père.) William ! Elle ne peut pas t'accompagner. C'est de la folie.

— Il ne peut pas y aller seul, Mam, répliqué-je en m'époumonant. Je pars avec lui.

Père embarque à son tour.

— Elle est comme la tempête, Thomasin. On ne peut pas la faire taire tant qu'elle n'a pas dit ce qu'elle avait à dire. Je veillerai sur elle.

Je presse ma mère de ne pas s'inquiéter.

— Prépare des vêtements secs et des couvertures. Et des boissons chaudes.

Elle acquiesce en silence et se met à détacher les cordes qui nous attachent au mur. Elle a un peu de mal parce que ses doigts sont mouillés et gourds. Elle dit quelque chose quand on s'éloigne mais le vent avale ses paroles. La tempête et la mer sont nos deux seuls interlocuteurs à présent.

Une fois quitté l'abri de l'île de Longstone, il devient évident que les conditions maritimes sont bien pires que je ne l'avais imaginé. La houle nous transporte très haut avant de nous faire plonger dans un immense creux la seconde suivante et un mur d'eau nous entoure de toutes parts. Nous sommes entièrement à la merci des éléments.

Père hurle dans ma direction pour couvrir le vent ; il m'explique que nous allons passer par Craford's Gut, le chenal qui sépare l'île de Longstone de Blue Caps. Je hoche la tête pour montrer que j'ai compris et je croise son regard tandis que nous ramons de toutes nos forces. Je puise du courage dans la lumière que déversent les lampes du phare tandis que Père m'ordonne de tirer à droite ou à gauche, nous permettant ainsi de maintenir le cap autour de la côte du petit amas d'îles qui nous défend un peu du vent. Tandis que nous contournons la pointe de la dernière île pour gagner la haute mer, je lis de la peur dans les yeux de Père. Notre petite barque, qui ne mesure que six mètres de long, est tout ce qui nous protège des éléments. Et face à des flots aussi déchaînés, nous savons tous les deux que ce n'est pas suffisant.

7

Sarah

Harker's Rock, îles Farne extérieures. 7 septembre 1838.

Lumière. Obscurité. Lumière. Obscurité.

Dans les ténèbres épaisses qui l'entourent, Sarah Dawson trouve le faisceau lumineux au loin particulièrement vif. Toutes les trente secondes, il tourne son œil pâle vers les silhouettes blotties sur le rocher. Sarah fixe les yeux sur sa source : un phare. Une lueur d'avertissement qui enjoint de rester au loin. Et son seul espoir d'être secourue.

Son corps se convulse violemment, comme s'il ne lui appartenait plus. Seuls ses bras, qui serrent étroitement James et Matilda contre sa poitrine, semblent être les siens. Elle ignore combien de temps s'est écoulé depuis que le bateau a sombré – *Quelques instants ? Des heures ?* – trop épuisée et ankylosée pour remarquer autre chose que les petits corps raides de ses enfants contre le sien et le hurlement ininterrompu du vent. Derrière elle, la proue détruite du *Forfarshire* craque et geint en s'écrasant contre les écueils ; elle rompt comme du petit bois sous la force des vagues et le mât principal surgit de la houle comme un monstre marin échappé d'un vieux conte de pêcheurs. L'autre moitié du navire a disparu en emportant tout et tout le monde avec elle. Sarah songe à George qui l'attend à Dundee. Elle pense à la lettre glissée dans sa poche, aux esquisses de phares. Elle contemple la lueur intermittente au loin. Pourquoi est-ce que personne ne vient à leur secours ?

Un homme gémit près d'elle. Elle n'a jamais entendu ce genre de bruit auparavant. Il a une vilaine blessure à la jambe et elle sait qu'elle devrait l'aider mais elle ne peut pas laisser ses enfants. Les grognements désespérés des autres survivants cramponnés au rocher glissant se mêlent aux hurlements du vent et des vagues. Elle aimerait que tout le monde se taise. Que le calme revienne.

La tempête continue à se déchaîner.

La pluie tombe sans relâche sur la tête de Sarah comme de petits cailloux douloureux. Elle berce James et Matilda en les protégeant du mieux possible, leur chantant une comptine où il est question de lavande bleue et de lavande verte.

— Ils seront bientôt là, mes amours. Regardez, le ciel s'éclaircit et les pêcheurs de harengs vont arriver. Vous vous souvenez des écailles qui ressemblent aux diamants sur les pavés. On cherchera des pierres précieuses ensemble quand le soleil sera levé.

Leur silence est insupportable.

Incapable de réprimer plus longtemps son angoisse, Sarah renverse la tête en arrière pour hurler à l'aide mais elle ne parvient qu'à émettre un pitoyable chuchotement qui se transforme en sanglots déchirants tandis qu'une autre vague furieuse se fracasse contre le rocher, emportant l'homme blessé avec elle.

Sarah tourne la tête et serre plus farouchement ses petits contre elle, elle les agrippe avec une force qu'elle ne se soupçonnait pas, bien résolue à ne pas les abandonner à la mer.

Lumière. Obscurité. Lumière. Obscurité.

Pourquoi est-ce que personne ne vient ?

Les minutes s'écoulent jusqu'à ce que le temps et la mer ne fassent plus qu'un. La lumière tourne, moqueuse, au loin. Et toujours personne.

La petite main de James est trop raide et glacée dans celle de Sarah. Le doux visage de Matilda est trop immobile et pâle, et ses mains sont vides : sa poupée de chiffon adorée a été emportée par les flots. Sarah caresse la joue de sa fille et lui dit combien elle est désolée de ne pas pouvoir lui expliquer comment fonctionne le phare. Elle lisse les cheveux de son fils en lui disant qu'elle est navrée de ne pas avoir pu les protéger.

Tandis qu'une aube hésitante éclaire l'horreur de ce qui s'est passé, Sarah sombre par intermittence dans l'inconscience. Peut-être voit-elle le frêle esquif qui se dirige vers eux, ballotté comme un jouet sur les flots écumants, mais il n'a pas l'air de s'approcher. Peut-être rêve-t-elle, ou peut-être est-ce la *fata morgana* dont lui parlait John : un mirage composé de villes perdues et de vaisseaux suspendus au-dessus de l'horizon. Tandis que les lames sombres submergent sans relâche le petit groupe désespéré de survivants, Sarah ferme les yeux, se repliant sur elle-même pour abriter ses enfants endormis, et tous trois ne forment plus qu'un amas de haillons trempés attendant d'être ramassés.

8

Grace

Phare de Longstone. 7 septembre 1838.

Nous avançons beaucoup trop lentement, et le kilomètre à parcourir est rallongé par le vent et les écueils périlleux sur lesquels nous pourrions nous échouer ou chavirer si nous ne les évitons pas. Nous devons nous hâter le plus possible tout en étant très prudents et en choisissant soigneusement notre route.

Après avoir ramé pendant ce qui me paraît être des heures, nous atteignons enfin la base de Harker's Rock, que la mer étrille sauvagement, menaçant de nous renverser à tout instant. Le danger est loin d'être derrière nous.

Père ramène ses avirons dans la barque et se tourne vers moi.

— Il faut que tu la maintiennes à flot, Grace.

Je hoche la tête, refusant de m'attarder sur la peur que je lis dans ses yeux et sur l'hésitation visible dont il fait preuve avant de sauter sur les rochers, m'abandonnant à contrecœur.

— Vas-y, crié-je. Et dépêche-toi.

Seule dans l'esquif je me bats contre les flots, tirant d'abord sur la rame de gauche, puis sur celle de droite, ramant en avant puis en arrière dans un effort désespéré pour empêcher que le bateau ne se fracasse contre le rocher tandis que Père évalue la situation des survivants. Les minutes s'étirent comme des heures, et des rouleaux glacés de plus en plus gros s'abattent sur moi. L'eau salée m'aveugle presque. Les paroles de ma mère me reviennent en mémoire. « Il faut respecter la tempête et ne pas la craindre. Si tu lui montres que tu as peur, tu es déjà à moitié mort. » Je hurle en direction du vent, affirmant que je n'ai pas peur, ignorant la brûlure dans les muscles de mes bras. Je ne me suis jamais sentie aussi seule ni aussi terrifiée mais je suis déterminée à persévérer.

Trois silhouettes voûtées finissent par émerger de l'obscurité. *Des hommes. Ensanglantés et blessés. Aux vêtements déchirés. Pieds nus. Débraillés. Ils ressemblent à peine à des êtres humains.* Je suis tellement choquée par leur apparence que je mets un instant à réagir, mais je rassemble suffisamment mes esprits pour manœuvrer la barque contre les rochers.

— Vite. Grimpez, crié-je sans cesser de tirer sur les rames pour maintenir le bateau aussi stable que possible.

Les hommes se hissent sur l'embarcation, l'un sans bruit, les deux autres en grimaçant de souffrance et la fluctuation de poids déséquilibre fortement la barque quand ils trébuchent en avant. Les deux hommes blessés sont trop abasourdis pour parler. L'autre me remercie en claquant des dents et prend une rame de mes mains glacées.

— Je vais vous aider à la maintenir à flot, mademoiselle.

Je le laisse faire à contrecœur. Je remarque soudain, à la douleur dans mes bras et mes poignets que je me cramponnais farouchement aux avirons.

— Combien d'autres ? demandé-je en essuyant l'eau salée de mes yeux.

— Six en vie, répond-il.

— Et les autres ?

Il secoue la tête.

— Certains ont réussi à s'échapper sur la chaloupe. Les autres… perdus.

De l'eau coule de ses manches en rubans épais et forme une flaque au fond du bateau où plusieurs centimètres d'eau de mer stagnent déjà.

Les bras et les jambes tremblant à cause des efforts que j'ai fournis, je gagne l'arrière de la barque pour soigner un des blessés. Il me dévisage, hébété, et marmonne, délirant, que je suis un ange envoyé du Paradis.

— Je ne suis pas un ange, monsieur. Je viens du phare de Longstone. Vous êtes en sécurité, à présent. N'essayez pas de parler.

L'esquif gîte violemment tandis que je m'occupe du naufragé, toutes mes pensées tournées vers le rocher. *Qu'est-ce qui peut bien retenir mon père ?*

À mon grand soulagement, il surgit sous la pluie un instant plus tard, trébuchant vers la barque avec une femme dans les bras, apparemment à peine vivante. Mais quand il tente d'embarquer, elle se débat pour se libérer et tombe sur les rochers. Elle s'éloigne de lui à quatre pattes en hurlant comme un animal piégé. Père la soulève de nouveau et m'appelle.

— Prends-la, Grace.

Mais elle glisse de mes bras et s'effondre sur le sol de l'embarcation comme un poisson qu'on vient de pêcher avant de se redresser maladroitement et de tenter de débarquer.

L'homme qui n'est pas blessé m'aide à la retenir.

— Vous devez rester dans la barque, Mrs Dawson, lui ordonne-t-il. Ne bougez pas.

— Vous êtes en sécurité, maintenant, affirmé-je tandis qu'elle se cramponne à ma jupe et à mon châle. On vous emmène au phare.

Je ne comprends pas ce qu'elle me répond. Seuls les mots « mes enfants » tourbillonnent autour de moi avant qu'elle pousse un gémissement éploré que le vent noie sous son propre hurlement.

Une fois dans le bateau, Père attrape ses avirons et nous éloigne du rocher.

— Et les autres ? demandé-je, horrifiée d'abandonner des survivants derrière nous.

— On ne peut pas prendre le risque d'embarquer plus de monde par ce temps, répond-il en hurlant. Je reviendrai les chercher.

— Et les enfants de cette femme ? On ne peut pas les laisser !

Il secoue la tête et c'est la seule explication dont j'aie besoin pour comprendre qu'il est trop tard pour eux. *Nous sommes arrivés trop tard pour eux.*

Tandis que nous ramons sur la mer déchaînée, les trois survivants restants se blottissent l'un contre l'autre sur le rocher en attendant le retour de Père. Mais ce n'est pas sur eux que se pose mon regard. Je contemple deux silhouettes beaucoup plus petites allongées à leur gauche, immobiles et sans vie. Des vagues furieuses lèchent leurs petites bottes. Je me souviens de mon frère Job, étendu après avoir été fauché par une fièvre soudaine. Je me rappelle avoir regardé ses bottes, encore couverte de la sciure de son apprentissage de menuisier, incapable de lever les yeux vers sa figure blême et inerte qui avait jadis été si rieuse. Je détourne le visage du rocher en priant pour que la mer épargne les corps de ces enfants et je reporte mon attention sur Mrs Dawson qui s'est évanouie. Tant mieux : ainsi lui sera épargné le calvaire de voir le rocher disparaître au loin tandis que nous nous éloignons de ses enfants.

Après une lutte terrible, le canot finit par quitter les eaux les plus dangereuses et par gagner le côté des îles sous le vent, qui est davantage abrité. Le vent ininterrompu et la pluie battante perdent en intensité, et un calme étrange s'abat sur le groupe échevelé, chacun de nous cherchant des réponses dans les nuages menaçants, tandis que Père et l'homme qui rame avec lui sont entièrement concentrés pour nous ramener sains et saufs à Longstone. Je détourne le regard, bouleversée par les vêtements déchirés, les peaux déchiquetées, les os cassés et les cœurs brisés. Je prie pour ne plus jamais assister à pareil spectacle.

Je m'occupe d'abord des deux hommes blessés. J'improvise un garrot avec mon châle avant de leur donner à chacun une gorgée d'eau-de-vie et une couverture, et de leur affirmer que nous ne sommes plus loin. Je me tourne ensuite vers Mrs Dawson, toujours vautrée au fond de la barque, la tête roulant sur le côté. Je la redresse et place une couverture sur elle. Elle se réveille brusquement, les yeux écarquillés et réclame ses enfants en gémissant, tout en se cramponnant si brutalement à mes mains que j'ai envie de hurler de douleur mais je ravale ma souffrance, qui n'est rien comparée à la sienne.

— Mes bébés, pleure-t-elle, encore et encore. Mes magnifiques bébés.

Elle s'évanouit de nouveau tandis que le bateau nous ballotte comme des poupées de chiffon. Je l'étreins contre moi, le cœur serré, car je ne peux rien faire d'autre qu'enlacer ses épaules tremblantes pour essayer de la calmer, même si je sais que ça ne suffira pas. Pendant une fraction de seconde, je me demande s'il n'aurait pas mieux valu pour elle de périr avec ses enfants que de vivre sans eux. Je ferme les yeux et je prie pour qu'elle trouve le courage de supporter cette horrible tragédie.

Et nous avec.

9

Sarah

Phare de Longstone. 7 septembre 1838.

Lorsque Sarah Dawson ouvre les yeux, le ciel est d'un gris crayeux au-dessus d'elle. Elle regarde l'inconnue appelée Grace dont le regard est aussi doux qu'une brise estivale et dont les mains sont cramponnées à ses épaules. Elle voit, hébétée, le bateau s'éloigner de nouveau vers les naufragés.

Ses bras sont vides. Où sont ses enfants ? Elle se débat, paniquée, et tombe à genoux.

— Ils ont peur du noir, mademoiselle, sanglote-t-elle en s'agrippant à la jupe trempée de la jeune femme et en déchirant le tissu de ses ongles comme pour fuir l'enfer dans lequel elle se trouve. Et ils vont avoir tellement froid. Je dois y retourner. Je le dois.

La jeune femme lui répond qu'elle est en sécurité à présent.

— Mon père ramènera vos enfants, Mrs Dawson. Il faut vous réchauffer et vous sécher maintenant.

Ces paroles la tourmentent. Pourquoi a-t-elle été épargnée et pas ses enfants? Comment pourra-t-elle supporter de les savoir seuls dans la tempête?

Son corps la trahit de nouveau tandis que le vacarme et la panique du navire en train de sombrer traversent son esprit. Elle sent encore la raideur de ses bras sous le poids de ses petits terrifiés, un sur chaque hanche, tandis qu'elle gravissait en trébuchant les marches qui menaient au pont supérieur, repoussant des passagers avec qui elle avait bavardé un peu plus tôt dans la soirée et dont elle ne se souciait pas, dans sa tentative désespérée d'échapper au vaisseau en train de couler. Elle se souvient du jour d'été où la sage-femme lui a annoncé qu'elle avait perdu son bébé. Elle revoit le petit paquet immobile et bleu au pied du lit. Et maintenant c'est au tour de James et de Matilda. Tous ses enfants sont morts. Elle essaie de parler mais ne peut rien émettre d'autre qu'un gémissement rauque et guttural.

Abandonnant toute lutte, elle se laisse à moitié porter, à moitié tirer par la jeune femme et sa mère. Elle a envie de hurler à chaque pas la rapprochant du phare: « Pourquoi vous n'êtes pas venus plus tôt? » Mais les mots ne sortent pas et son corps ne trouve pas la force de se tenir droit. Elle franchit les derniers mètres qui la séparent de la porte du phare en rampant presque et quand elle lève les yeux pour prier, elle aperçoit la lumière qui tourne au sommet.

Lumière. Obscurité. Lumière. Obscurité.

Matilda veut savoir comme il fonctionne.

James veut le peindre.

Trop épuisée et trop bouleversée pour lutter, elle ferme les paupières et laisse les ténèbres l'emporter vers un endroit plus lumineux où elle chante une comptine pleine de lavande bleue et de lavande verte à ses enfants, et où son cœur n'a pas volé en éclats, si irrémédiablement brisé que nul ne pourra jamais le réparer.

Dundee, Écosse.

Tard ce soir-là, George Emmerson attend, immobile, l'arrivée de sa sœur dans une taverne sur les quais tout en dessinant distraitement dans les marges du journal de la veille pour essayer de ne pas penser aux bateaux et aux tempêtes. Le vent violent qui hurle derrière les carreaux des fenêtres fait courir un courant d'air glacé sur sa nuque tandis que les bougies vacillent dans les chandeliers. Il plie le journal et consulte de nouveau l'heure à sa montre de gousset. *Où est-elle, bon sang?*

Les heures s'éternisent jusqu'à ce que la porte de la taverne s'ouvre en grinçant sur ses gonds pour laisser entrer Billy Stroud, le compagnon de chambre de George. Il ôte son imperméable et s'approche de la cheminée, de l'eau coulant du rebord de son chapeau. Il a l'air bouleversé.

George se raidit.

—Qu'y a-t-il?

—J'ai bien peur d'être porteur de mauvaises nouvelles, George, répond Stroud en posant une main ferme sur l'épaule de son ami. Le *Forfarshire* a coulé au petit matin. Au large des îles Farne.

George ne comprend pas, il peine à donner du sens aux paroles de Stroud.

— Coulé ? Comment ça ? Il y a des survivants ?

— Sept membres d'équipage. Ils ont réussi à s'échapper dans une chaloupe. Un bateau de pêche de Montrose les a secourus. Sacrés veinards. On les a emmenés à North Sunderland. Les nouvelles arrivent de là-bas.

Sans hésiter un seul instant, George enfile ses gants et son chapeau, renversant sa chaise tandis qu'il se précipite au-dehors dans la tempête, Stroud sur les talons.

— Où vas-tu ? C'est la folie dehors.

— À North Sunderland, répond George en maintenant son chapeau sur sa tête des deux mains. Le canot de sauvetage sera parti de là-bas.

La portée de ses propres mots le frappe soudain comme s'il avait reçu un coup en pleine poitrine et il commence à comprendre ce que ça signifie. Il pose la main sur l'épaule de son ami, s'appuyant sur lui pour résister au vent furieux. La pluie s'abat sur le visage de George, l'aveuglant momentanément.

— Prie pour eux, Stroud. Prie pour ma sœur et ses enfants.

Sachant ce qui est arrivé au navire qui transportait sa sœur, George jette à la hâte quelques vêtements dans un sac et quitte son logement, à la consternation de sa propriétaire, persuadée qu'il va attraper froid et que de toute façon, il ne trouvera jamais de coche par ce temps.

Comme il n'est pas du genre à se laisser décourager par des logeuses affolées ni par le mauvais temps, dans la demi-heure qui suit les funestes nouvelles, George a déniché un cocher acceptant de l'amener jusqu'à North Sunderland sur la côte du Northumberland. Le montant est exorbitant mais il n'est pas d'humeur à marchander et il permet à l'homme de profiter de l'urgence dans laquelle il se trouve. C'est un faible prix à payer pour rejoindre sa sœur et ses enfants. Il les imagine ayant trouvé refuge dans une taverne ou le cottage d'un pêcheur, le petit James décrivant la taille des vagues et racontant comment il a aidé à ramer pour ramener sa mère et sa sœur sur le rivage, courageux comme tout.

En partie pour éviter de penser et en partie par habitude, George dessine pendant le trajet. Ses doigts travaillent vite, capturant les images qui encombrent son esprit inquiet : des bateaux ballottés dans les flots, un canot mis à la mer, un phare, des tonneaux de harengs sur le quai, Miss Darling. Même en cet instant, son souvenir le tourmente. Se souvient-il bien d'elle ? Imagine-t-il la courbe de ses lèvres et l'humour de son regard ? Pourquoi est-il incapable de l'oublier ? Elle n'était pas spécialement jolie – moitié moins qu'Eliza s'il veut être honnête –, mais elle possédait quelque chose, quelque chose de plus que son apparence. Miss Darling avait paru à George totalement unique, aussi unique que les motifs sur les coquillages qu'elle lui avait montrés. En vérité, il n'avait jamais rencontré quelqu'un comme elle et c'était ça – cette différence – qui lui avait fait comprendre à quel point Eliza était banale. Tout le monde s'attendait depuis si longtemps à ce qu'il épouse sa cousine qu'il n'avait jamais remis cette idée en question. Jusqu'à maintenant. Miss Darling avait instillé le doute en lui. Il s'interrogeait. Réfléchissait. Eliza et sa mère envahissante ne lui avaient donné aucune raison de s'exécuter.

La pluie martèle sans relâche le toit du fiacre tandis que la nuit tombe et que les roues s'entrechoquent dans les ornières, ballottant George comme un marin ivre et agitant violemment les lanternes accrochées aux carreaux. Épuisé, il s'effondre sur un lit inconfortable dans la taverne miteuse dans laquelle cocher et chevaux se reposent quelques heures.

Perturbé par la tempête et son inquiétude pour Sarah, George songe à la cruauté du monde, à l'injustice qui sépare ceux qui sont sauvés de ceux qui périssent et à ce qu'il ferait s'il se trouvait en plein naufrage. Il ferme les yeux et prie pour que Dieu lui pardonne ses pensées peu charitables envers Eliza. Elle n'est pas mauvaise et il ne veut pas penser du mal d'elle. Mais sa prière la plus sincère va à sa sœur et à ses enfants.

— Courage, Sarah, chuchote-t-il dans l'obscurité. Sois courageuse.

Comme en réponse, le vent hurle derrière la fenêtre et secoue violemment les volets. Un dur rappel que ceux qui sont en mer auront besoin de plus que de simples prières. Il leur faudra un miracle.

10

GRACE

Phare de Longstone. 7 septembre 1838.

NOUS RENTRONS DANS UN FOYER DIFFÉRENT.

C'est la première fois que je suis aussi contente de voir la familière tour de Longstone émerger du brouillard mais je sais aussi que tout a changé, que « je » suis transformée par les événements qui viennent de se dérouler. Une partie de mon âme s'est modifiée, trop consciente du fait affreux que le monde peut arracher ses enfants à une mère aussi facilement qu'un pickpocket peut s'emparer du sac d'une femme. Mais c'est la vision de Mam – l'inébranlable et ingénieuse Mam – attendant fidèlement sur les marches du hangar à bateaux qui provoque en moi une forte réaction tandis que je redeviens une enfant qui n'a qu'une envie, se blottir dans les bras de sa mère.

Elle porte les mains à son cœur en voyant le canot.

— Oh, merci, mon Dieu ! Merci, mon Dieu ! s'écrie-t-elle tandis que nous atteignons les marches. J'ai cru vous avoir perdus tous les deux.

— Aide Mrs Dawson, Mam, hurlé-je pour me faire entendre par-dessus le vent. Père doit repartir.

— Comment ça ?

— Il y a d'autres survivants. On n'a pas réussi à tous les embarquer.

Mam demeure raide, figée par le soulagement de notre retour et le tourment d'apprendre que Père doit repartir. Je n'ai jamais levé la voix sur elle, mais j'ai besoin de son aide.

— Mam ! crié-je. Prends la femme !

Ma mère se ressaisit et offre son bras à Mrs Dawson. Trop bouleversée pour marcher, cette dernière s'effondre sur la première marche, à genoux, avant de pivoter comme pour sauter à l'eau. Je me rue vers elle et lui parle gentiment.

— Mrs Dawson, vous devez monter l'escalier. Vous êtes en état de choc. Il faut vous sécher et vous réchauffer.

Elle s'agrippe de nouveau désespérément aux plis de ma jupe trempée. Sa voix, dévorée par le chagrin, n'est qu'un murmure rauque.

— Aidez-les, mademoiselle. S'il vous plaît. Je vous supplie de les aider.

Je le lui promets, moitié en la portant, moitié en la tirant en haut des marches.

— Mon père est un homme bon. Il les ramènera. Mais il doit se hâter. On doit entrer pour qu'il puisse repartir.

Les deux hommes blessés boitent derrière nous tandis que le troisième refuse de se reposer et affirme qu'il n'a rien. Il accompagne mon père chercher les autres survivants. Je croise le regard de Père tandis qu'il s'empare des rames.

Je sais qu'il saisit sans que nous ayons besoin d'échanger un mot que je le supplie de revenir sain et sauf mais que je comprends qu'il doit y retourner. Je prie pour lui tout en aidant Mrs Dawson à gagner le phare.

Une fois que nous sommes à l'intérieur, tout devient aide urgente et action. Tandis que ma mère soigne les blessés du mieux qu'elle peut, je vais chercher davantage de bois pour le feu et je remplis plusieurs lampes à huile vu qu'il fait toujours sombre au-dehors. Je mets du bouillon à chauffer sur le feu et coupe d'épaisses tranches de pain, ravie que Mam en ait pétri autant la veille. Je distribue les couvertures et les vêtements secs aux malheureux regroupés autour de l'âtre, reconnaissants pour la lumière et la chaleur que le feu répand dans leurs membres gelés.

L'urgence passée, je reporte mon attention sur Mrs Dawson. J'installe un paravent pour préserver son intimité avant de l'aider à ôter ses habits trempés, les enlevant comme des couches de peau d'oignon avant de les entasser dans un panier en osier. Elle est là, chez nous, brisée et vulnérable sans rien sur elle. Elle frissonne, agitée de spasmes, la peau presque grise, l'extrémité de ses doigts et de ses orteils gravement fripée par l'eau de mer. Je la sèche aussi rapidement, doucement et respectueusement que possible avant de l'aider à enfiler une tenue sèche. Nos yeux ne se croisent qu'une fois durant ce long processus. Son regard me hantera longtemps.

— Depuis combien de temps votre père est parti ? demande-t-elle en jetant un coup d'œil anxieux en direction de la fenêtre.

— C'est un excellent rameur, assuré-je. Il ne va pas tarder.

Elle reste immobile, comme en transe, face à la collection de coquillages et de verre de mer alignés sur le rebord de la fenêtre.

— Matilda aimera ces galets de verre, murmure-t-elle en les caressant du bout du doigt. Et James admirera les motifs sur les coquillages. Il adore ce genre de choses. Il aime les motifs qui se répètent.

Je referme ses mains tremblantes sur une poignée de petits coquillages.

— Gardez-les.

Ses yeux sont vitreux et gonflés de larmes.

— Ils étaient trop froids, dit-elle entre deux sanglots désespérés. Je ne pouvais pas leur tenir chaud.

Je m'agenouille pour lacer à ses pieds une vieille paire de bottines et cligne des paupières pour réprimer mes larmes. *Je dois rester forte, je dois repousser mes craintes pour mon père, toujours dehors à la merci de la mer.*

Je sursaute lorsque Mrs Dawson pose une main douce sur mon épaule.

— J'ignore votre nom, mademoiselle. Je m'appelle Sarah.

— Grace, réponds-je en levant les yeux. Grace Darling.

Sarah Dawson sourit faiblement malgré son chagrin.

— Merci, Grace Darling. Je n'oublierai jamais votre courage et votre gentillesse.

— Inutile de me remercier, Mrs Dawson, déclaré-je en me relevant. Nous n'avons fait que notre devoir de gardiens de phare. Je rends grâce à Dieu de nous avoir permis de sauver quelques-uns d'entre vous. (Je baisse le regard sur mes bottines.) J'aurais aimé pouvoir en faire davantage.

Je vais chercher du bouillon et du pain, et je regarde Sarah Dawson manger, comme une mère regarderait son enfant, avalant chaque bouchée avec elle, sachant que chaque cuillerée lui rendra de la force et qu'elle trouvera le moyen de surmonter ce qui lui est arrivé. Tout en la dévisageant, je remarque le joli médaillon gravé qu'elle porte autour du cou. Ça me rappelle que quelqu'un doit l'attendre, qu'elle lui manque peut-être déjà.

—Avez-vous de la famille, Sarah? Un mari? Des sœurs?

—J'ai un frère, répond-elle comme si elle avait oublié. Pauvre George. Il doit être tellement inquiet. Il va m'attendre. Nous nous rendions en Écosse pour passer un mois avec… (Elle n'achève pas sa phrase.) Je suppose que ça n'a plus d'importance à présent.

Je presse ses mains dans les miennes.

—Nous pouvons en discuter plus tard. Essayez de vous reposer.

Elle finit par s'endormir, éreintée par le choc et engourdie par la bonne rasade d'eau-de-vie que j'ai versée dans son bouillon. Pendant qu'elle se repose, j'emporte les vêtements humides dans l'appentis, et je les passe dans l'essoreuse: de l'eau de mer se déverse sur le sol jusqu'à ce que la moitié de la mer du Nord clapote à mes pieds. Je suis contente d'avoir trouvé une occupation mais c'est une tâche épuisante pour mes bras qui sont déjà douloureux d'avoir trop ramé. Chaque fois que je tourne la manivelle, je m'imagine en train de ramer pour ramener mon père sain et sauf chez nous.

Je passe les vêtements dans l'essoreuse à trois reprises et mon père n'est toujours pas rentré. Je songe à l'oiseau qui est venu à l'intérieur et à la façon dont Père en avait plaisanté. « Ça va tomber sur qui, d'après toi, Gracie ? Je t'avoue que je ne suis pas d'humeur à mourir aujourd'hui et j'espère que toi non plus… » Je me réprimande pour mes pensées larmoyantes et je rapporte le lourd panier d'habits mouillés dans le phare où je les suspends au-dessus du feu. Satisfaite de voir que Sarah Dawson dort toujours, je pose la lettre que j'ai trouvée dans la poche de son manteau près de l'âtre pour la faire sécher. Je la lui donnerai quand elle se réveillera.

Il est 11 heures – presque deux heures après son départ – quand mon père revient avec les derniers survivants. Mon cœur s'emballe, soulagé, lorsque la porte du phare s'ouvre pour laisser entrer le groupe dépenaillé et vacillant. Pour la seconde fois de la matinée, je refoule mes larmes et m'empresse de les aider afin de m'occuper pour empêcher l'émotion de me submerger. Le moment est mal choisi pour exprimer ses sentiments. C'est de bon sens et de pragmatisme que nous avons besoin.

— Les enfants ? murmuré-je tout en aidant mon père à ôter son manteau trempé.

— Pas assez de place, répond-il en secouant la tête. On les a mis en sécurité avec l'autre âme perdue.

— « En sécurité » ?

Mon expression perplexe exige des explications.

— Placés au-dessus du niveau de l'eau. La mer ne peut pas les atteindre. J'irai les chercher quand la tempête sera calmée.

Nous lançons tous les deux un regard à Sarah Dawson. L'idée de le lui annoncer est insupportable.

Une fois de plus, notre salle commune se transforme en cantine, buanderie et hôpital, et Mam et moi endossons les rôles de cuisinières, infirmières et conseillères.

Je pose une main rassurante sur son épaule.

— On va se débrouiller, Mam. Au moins, Père est sain et sauf.

— Oui, chaton. Je suppose qu'on doit en être reconnaissants. J'aimerais bien que ton frère soit ici.

Brooks occupe mes pensées aussi. Je lui réponds que je suis certaine qu'il est en sécurité sur la terre ferme et j'espère en silence ne pas me tromper.

Au total, ce sont neuf survivants qui sont sauvés et ramenés à Longstone. Huit hommes et une femme. Cinq membres d'équipage et quatre passagers. De tous ceux qui ont embarqué à Hull, ça fait vraiment peu. Mam est ravie de découvrir qu'en plus d'avoir sauvé le charpentier, un des mécaniciens et deux pompiers du *Forfarshire*, nous sommes aussi venus en aide à Thomas Buchanan, un boulanger de Londres, et Jonathan Tickett, un cuisinier de Hull.

Mr Buchanan et Mr Tickett ne tardent pas à faire cuire du pain frais et à faire mijoter un ragoût. Le phare est tellement bondé que je peine à me souvenir de l'harmonie tranquille qui règne d'ordinaire dans la pièce. Comme d'habitude, ce cher vieux Longstone joue son rôle à la perfection et semble s'agrandir pour loger tout le monde. Je prends un moment dans l'escalier pour exprimer ma gratitude envers cet endroit que je suis si fière d'avoir pour foyer. Je n'imagine pas de lieu plus sûr ni plus accueillant pour les pauvres âmes du rez-de-chaussée.

Un peu plus tard, alors que tout le monde est regroupé autour de la cheminée, les cinq marins discutent à voix basse. Tous se rappellent leur propre version des événements, et évoquent la chance qu'ils ont eue de s'être trouvés à l'avant du bateau quand ce dernier a heurté les écueils et leur désespoir de s'être montrés incapables de secourir les autres. Je suis troublée de les entendre débattre de la décision de leur capitaine de ne pas mouiller à Tynemouth pour effectuer des réparations, et choquée par leur empressement à rejeter le blâme et à accuser quelqu'un si vite après la tragédie. Ça ne me plaît pas du tout, d'autant que l'on pense le capitaine mort en mer et que Sarah Dawson est si près d'eux, noyée dans son chagrin.

J'apporte aux hommes un plateau de pain et de fromage que je pose avec un peu trop de brusquerie sur la table, faisant s'entrechoquer les assiettes.

— Je vous laisse, messieurs. Vous avez des choses à vous dire, déclaré-je sans sourire, avec dureté.

Comprenant que je les ai entendus, ils baissent la voix et rapprochent leurs chaises. La culpabilité rembrunit leurs visages tandis que je quitte la pièce. Je suis ravie de les laisser à leurs discussions peu judicieuses.

En fin de matinée, la lumière ressemble toujours à celle du crépuscule, et les nombreuses lampes et bougies disséminées dans la salle brûlent férocement leurs mèches. Après la bousculade initiale pour s'organiser et la précipitation pour nous occuper de nos invités, un calme étrange s'abat sur le phare tandis que les heures passent. Un des marins entonne une complainte, une mélodie obsédante à laquelle nous essayons de joindre nos voix du mieux possible. La cacophonie de la tempête qui continue à faire rage joue aussi son rôle. Il est impossible d'envisager de faire le trajet jusqu'au continent pour chercher de l'aide ou des fournitures dont nous avons pourtant bien besoin. Tandis que les vagues se fracassent sans relâche contre les rochers et que le vent hurle derrière les carreaux, mes pensées se tournent régulièrement vers les enfants de Mrs Dawson, seuls sur Harker's Rock. Quand je trouve que la tempête diminue un peu d'intensité, je demande à mon père s'il compte retourner les chercher.

Il secoue la tête tout en posant une main ferme sur mon épaule.

— Je suis désolé, poussin. C'est encore trop dangereux. Nous devons prier pour leurs âmes. C'est tout ce que nous pouvons faire pour l'instant.

— Mais je n'arrive pas à me les sortir de l'esprit, Père. Comment pourrais-je un jour oublier leurs petits corps immobiles ou la souffrance de la pauvre Mrs Dawson ?

— Je ne suis pas certain que tu y parviennes un jour, Grace. Ni que tu le doives. Nous devons tous faire face à notre créateur quand le jour est venu et ceux qui restent derrière doivent trouver la force de continuer à vivre. Notre devoir de gardiens de la lumière est d'avertir mais aussi de secourir et d'abriter ceux qui en ont besoin. Nous avons fait de notre mieux, Grace, et tu as montré un courage inouï. Je rédigerai un rapport pour Trinity House, je noterai tout ça dans le journal, puis nous couperons les mèches et inspecterons les lentilles, et la lumière brillera comme d'habitude ce soir et le monde continuera à tourner. Voilà, ma chère enfant, ce que nous devons faire – continuer à vivre. Aujourd'hui, nous avons vu le pire et le meilleur de la vie.

— « Le meilleur » ?

Il lit de la surprise dans mon regard.

— Oui. Le meilleur. Regarde ces gens – des étrangers – dans notre demeure, portant nos vêtements, mangeant notre nourriture. Regarde comme ils se réconfortent et s'aident les uns les autres. Regarde combien tu te préoccupes de Mrs Dawson et de ses enfants, alors que tu ignorais leur existence il y a encore quelques heures. Il y aura toujours quelqu'un prêt à nous venir en aide, Grace. Même un étranger dont nous ignorons le nom. C'est le meilleur de l'humanité. C'est ce qui me rend heureux un jour comme aujourd'hui.

Ses paroles, comme d'habitude, volent jusqu'à mon cœur et me donnent la force d'avancer. Je balaie ma fatigue. Je m'occupe du feu, remplis la bouilloire d'eau pour la teinture d'iode et le cordial. Tandis que je m'active, la porte s'ouvre à la volée et le vent s'engouffre à l'intérieur, soufflant les lampes et envoyant valser le journal de la veille.

La tempête a amené des visiteurs inattendus.

De son siège près du feu, Sarah Dawson observe les nouveaux arrivés avec un étrange détachement. Où étaient tous ces gens quand elle luttait pour ne pas couler ? Où étaient-ils lorsque ses enfants étaient encore en vie ? « Il est trop tard, a-t-elle envie de leur hurler. Vous arrivez tous trop tard ! » Mais elle ne dit rien, enroule ses bras autour de ses épaules en oscillant d'avant en arrière, en chantonnant la même comptine, celle de la lavande bleue et de la lavande verte, tout en marmonnant combien elle est désolée de ne pas pouvoir parler du phare à Matilda et de savoir que James n'utilisera jamais les pinceaux de son oncle.

Elle lève la main pour se gratter la gorge et ses doigts heurtent son pendentif. Elle ouvre le fermoir d'une main tremblante. Le médaillon est déjà ouvert et les deux moitiés ressemblent à des ailes de papillon. À l'intérieur, il n'y a plus rien. Pas de boucle d'orge pâle. Ni de charbon sombre. La mer lui a dérobé le dernier morceau de ses enfants. Son passé a été effacé, son avenir volé, son monde brisé en éclats de ce qui était, de ce qui aurait pu être et ne sera jamais.

Comme la poupée de chiffon de Matilda, elle se roule en boule, la tête sur les genoux, envahie par un chagrin tellement intense qu'elle ne peut pas imaginer surmonter cet instant.

Elle finit par s'endormir et ses doigts s'ouvrent comme une rose d'été : le médaillon tombe sur ses genoux, et le morceau de verre de mer émeraude que Miss Darling lui a donné chute à son tour et roule un peu sur le sol, où il attend patiemment qu'une autre main le trouve.

11

Matilda

Cobh, Irlande. Mai 1938.

Comme j'avance pour embarquer sur la navette, je serre les doigts sur le morceau porte-bonheur de verre de mer émeraude que je garde dans ma poche. La jetée craque de façon inquiétante sous mes pieds et le bruit agace mes nerfs comme des doigts tripotant un fil décousu. Devant moi, un homme corpulent se penche avec maladresse pour ramasser le ticket qu'il a fait tomber. Tout en attendant qu'il avance, je jette un coup d'œil sur les autres passagers en me demandant combien d'entre eux dissimulent des secrets honteux sous leurs manteaux en laine bouillie et les rebords rigides de leurs feutres. Derrière moi, Mrs O'Driscoll ne cesse de pépier : l'Amérique est merveilleuse… Elle espère qu'il ne pleuvra pas avant le départ… Et béni soit le cœur de Dieu… Est-ce que cet homme va se dépêcher un jour ? Je suis déjà fatiguée par ses commentaires incessants. *Heureusement que la traversée ne dure que cinq jours.*

Notre navette, réservée à ceux qui ont des billets pour la deuxième classe et la classe touriste, est à moitié vide. Elle quitte son mouillage et se dirige vers le port. Je sens le regard de Mère me brûler la nuque, exigeant que je me retourne une dernière fois pour lui dire « au revoir ». Je garde les yeux fixés droit devant moi, concentrée sur l'horizon et j'essaie d'ignorer la nausée qui monte en moi.

— Les départs me font toujours pleurer, caquette Mrs O'Driscoll en se tapotant les joues avec un mouchoir tandis qu'on longe le pont pour trouver un siège. Le Seigneur nous bénisse tous, ajoute-t-elle en se signant avant de réciter Je vous salue Marie.

La rumeur prétend qu'un membre de sa famille a péri sur le *Titanic*, et ses prières sont donc parfaitement compréhensibles. J'aimerais cependant qu'elle cesse. Les prières et les larmes me gênent.

Je m'installe sur un transat, me couvre les jambes avec une couverture et sors un livre de mon sac de voyage.

Mrs O'Driscoll s'assied juste à côté de moi alors qu'il y a une dizaine de places libres.

— Je ne vais pas m'effondrer, dis-je un peu plus sèchement que prévu. Vous pouvez me laisser dès que Mère sera hors de vue.

Un sourire rusé étire ses lèvres et elle hausse un sourcil de manière entendue.

— Voyons, Matilda. J'ai promis à Constance – ta mère – de t'escorter jusqu'en Amérique et j'ai bien l'intention de le faire. Plus vite tu accepteras que je suis là pour toute la traversée, mieux le voyage se déroulera pour nous deux. (Elle fouille dans son sac et en sort un petit sachet en papier.) Un berlingot ?

Je secoue la tête et le regrette aussitôt. Avec un soupir fatigué, je lui réponds que je veux bien un bonbon et la remercie.

Elle émet un petit son triomphal et me passe tout le sachet.

— Garde-les. Ils sont très efficaces contre le mal de mer.

Mrs O'Driscoll est une partenaire de bridge de ma mère, veuve depuis peu, qui a été nommée compagne de voyage malgré mes protestations. Je n'avais besoin de personne pour m'accompagner, et certainement pas d'une femme avec un cou de dindon qui aime les manteaux en tweed et les chapeaux en velours. Évidemment, ma mère n'a rien voulu entendre et m'a accusée de me montrer obstinée juste pour la contrarier. « Si tu t'étais révélée aussi peu complaisante "dans d'autres domaines", nous ne serions pas obligés de gérer cette pagaille atroce. » Ses paroles m'avaient beaucoup plus blessée que la gifle cinglante qui les avait accompagnées. Finalement, mes protestations, comme tout ce que j'avais à dire sur ce voyage, avaient été complètement ignorées.

La navette se met en route, et j'ouvre mon livre en espérant que Mrs O'Driscoll comprendra l'allusion et me laissera tranquille.

— Qu'est-ce que tu lis ? demande-t-elle en se penchant en avant pour jeter un coup d'œil à la couverture.

Instructions pour les gardiens de phare. Je n'en ai jamais entendu parler.

— Normal. C'est un héritage familial. En quelque sorte.

C'est un vieil ouvrage ennuyeux qui explique en détail comment fonctionnent les phares. Il m'a été donné avec le médaillon et il est resté dans un tiroir pendant des années, les signes révélateurs de son âge se sont multipliés sur les pages non lues.

Mrs O'Driscoll fait un bruit de succion désagréable avec son berlingot.

— Je suppose que la vie serait bigrement insipide si on aimait tous les mêmes choses. (Elle sort un exemplaire d'*Autant en emporte le vent* de son propre sac.) Scarlett O'Hara. Voilà une femme capable de vous occuper pendant une longue traversée.

Elle glousse, ouvre le roman à la page qu'elle a marquée et se plonge immédiatement dedans.

Je retourne mon livre entre mes mains. Le dos est déchiré. Le titre en relief effacé. *Instructions pour les gardiens de phare. Par l'autorité de Trinity House et du comité des phares.* Le sujet de l'ouvrage ne m'a jamais intéressée mais ce qui est inscrit à l'intérieur m'a toujours fascinée : « À ma chère Sarah, pour qu'enfin vous sachiez, Grace » et dessous, d'une main différente, « Pour ma chère Matilda, de la part de maman, Je t'aime. » Suit ensuite une série de noms rappelant les différents propriétaires du livre.

Découvrir qu'il y avait eu une autre Matilda dans la famille m'avait enchantée. Quand j'étais enfant, je l'imaginais souvent et je m'adressais à elle dans mes jeux jusqu'à ce qu'elle devienne réelle. Lorsqu'une grand-tante m'avait expliqué en secret que cette autre Matilda était la fille de mon arrière-arrière-grand-mère Sarah et qu'elle était tragiquement décédée dans un naufrage avec son frère, j'avais eu du chagrin comme s'il s'était agi de ma sœur. D'une certaine manière, elle était devenue la sœur que je n'avais pas eue, la compagne de jeux avec qui je n'avais jamais ri ni n'avais partagé de secrets. J'avais passé la plus grande partie de mon enfance seule et m'étais toujours sentie étrangement détachée ; le livre et le médaillon m'avaient fourni un certain réconfort par leur permanence. J'avais emporté l'ouvrage, non pas parce que je voulais le lire mais parce que ses pages tachetées m'ancraient dans mon passé comme le reste de ma vie ne l'avait jamais fait. Quelque chose qui avait jadis appartenu à mon arrière-arrière-grand-mère et qui fait partie du passé de ma famille m'aide à affronter l'avenir incertain vers lequel je viens de m'embarquer.

Par chance, le transfert dans le port est court. Alors que la navette contourne la pointe de Spike Island, je détourne les yeux des bâtiments de la garnison des soldats britanniques, refusant de me plonger dans les souvenirs troubles qu'ils provoquent. Je me concentre sur le grand paquebot transatlantique qui se profile devant nous. Mon estomac proteste quand je le vois.

Mrs O'Driscoll se lève et lisse son manteau d'une pichenette.

— Bigrement grand, n'est-ce pas ? S'il était vertical, il serait deux fois plus haut que le Carrauntoohil. Ça fait beaucoup d'endroits pour me perdre, je n'en doute pas. (Une lueur presque espiègle illumine son regard et à ma grande surprise, elle me prend la main et la presse.) Tu as peut-être l'impression que tu fais ce voyage comme une grande, Matilda, mais ça ne veut pas dire pour autant que tu doives rester seule.

Ses paroles portent un coup inattendu à ma résolution de la détester. J'ai grandi sans frères ni sœurs et avec une mère qui se désintéressait totalement de moi tant que je ne la dérangeais pas, aussi suis-je habituée à la solitude tout en ayant toujours pensé que ce n'était pas normal. L'impression d'avoir perdu quelque chose me suit telle une seconde ombre mais comme ma grand-mère quand elle entre dans une pièce sans se rappeler pourquoi, j'ignore toujours ce que je cherche. Tandis que je me tiens là, la main chaude de Mrs O'Driscoll dans la mienne, je suis soudain fatiguée d'être seule. Je contemple l'énorme navire en refoulant les larmes qui obscurcissent ma vision.

— Viens, babille Mrs O'Driscoll en me tendant un mouchoir sans rien dire, pas même un « sèche tes larmes ». Nous avons un bateau à prendre, jeune fille.

Une fois tout le monde à bord, l'ancre levée et les machines brassant l'eau loin dessous, trois coups de sifflet stridents annoncent notre départ et le navire avance tranquillement en exhalant un doux soupir dans son sillage. On dépasse rapidement le Old Head de Kinsale, dont le phare fier nous montre le chemin, et l'océan Atlantique s'étale devant nous. Debout contre le bastingage, je regarde l'Irlande, mon pays, disparaître derrière une légère brume.

— Je suis un peu fatiguée, Mrs O'Driscoll. Je vais faire un somme avant le dîner.

Elle m'observe avec attention.

— Mmm. Tu as effectivement l'air un peu patraque. Il te faudra certainement quelques jours avant d'avoir le pied marin. Il vaut mieux que tu te reposes. Le voyage va être atrocement long avant qu'on aperçoive Dame Liberté.

Dame Liberté. New York. J'ai de la peine à croire que je ne vais pas tarder à voir ses gigantesques gratte-ciel. Je ne suis pas aussi enthousiasmée que je le pensais. Leur apparition marquera le début de mon emprisonnement.

Je m'étends sur le lit de notre cabine en essayant d'ignorer le tangage croissant du paquebot tandis que je dessine le trajet dans ma tête. De New York, je gagnerai Providence, puis Newport, où je logerai chez Harriet Flaherty, une parente éloignée dont mes parents ont triomphalement redécouvert l'existence comme un héritage familial oublié quand ils se sont dit qu'elle offrait une solution parfaite à leur problème. *« Leur » problème. Pas le mien.* Je n'ai pas été incluse dans leurs discussions et leurs plans mais j'en ai entendu assez – la voix de Mère, stridente comme un pipeau ; celle de Père, épaisse comme de la tourbe et déçue – pour comprendre que Harriet Flaherty était une espèce de mouton noir. Nous avons donc quelque chose en commun.

Une fois la décision prise, Mère m'a donné ses instructions comme si j'étais une servante à qui elle ordonnait de préparer la chambre d'amis.

— Tu demeureras chez Harriet jusqu'à la naissance du bébé. Elle t'aidera à trouver un médecin et t'accompagnera aux rendez-vous. L'enfant restera en Amérique – ton père s'occupera de tout – puis tu rentreras à la maison et nous n'en parlerons plus jamais.

Comme une tumeur, l'infortunée petite créature me sera arrachée, et nous pousserons tous un soupir de soulagement et reprendrons le cours de nos vies comme si de rien n'était.

Avec elle, ça avait l'air tellement simple. *Trop simple. Je me demande à quel moment son petit plan si bien ficelé va tomber à l'eau.*

Malgré la certitude de Mrs O'Driscoll concernant mon pied marin, les nausées ne s'arrangent pas. Au bout de trois jours, je passe encore plusieurs heures à rendre mon petit déjeuner par-dessus le bastingage comme un numéro de cirque bas de gamme, le médaillon oscillant à mon cou tel le balancier d'une horloge, égrenant les heures interminables tandis que le navire plonge et que mon estomac proteste sans relâche. Les jours s'écoulent, l'Irlande devient un point à la fin d'un long paragraphe, extrêmement petit et très éloigné, et pourtant, nous ne sommes toujours pas en Amérique.

Plus nous nous éloignons de chez moi, plus je suis malade et plus je deviens dépendante de Mrs O'Driscoll.

Au lieu de m'irriter, j'apprécie son inquiétude patiente, sans parler du chapelet de mouchoirs, de berlingots et de toniques revigorants qu'elle me fournit. La vérité, c'est que durant le peu de temps que nous avons passé ensemble, Mrs O'Driscoll s'est plus comportée comme une mère avec moi que Constance Emmerson en dix-neuf ans.

Je la remercie alors qu'elle m'aide à me redresser sur le bastingage une fois de plus.

—Je serais perdue sans vous, Mrs O'Driscoll. Ou je serais probablement tombée à l'eau.

Elle balaie ma reconnaissance d'un geste de la main mais la rougeur de ses joues trahit sa satisfaction.

—Il suffit. Pas d'absurdités sentimentales.

Malgré ses paroles, elle m'enlace et j'enfouis le visage dans le col de son manteau à l'odeur de tourbe, étonnée de découvrir qu'elle n'est pas aussi raide et parcheminée que je l'imaginais. Elle me serre contre elle pendant un bon moment et je la laisse faire avec plaisir.

—Allez, viens t'asseoir et reprends ton souffle. Tu es blanche comme un linge.

Elle me prend par le bras pour me guider comme une invalide vers un transat. Elle enroule une couverture sur mes genoux, et demande à une servante d'aller nous chercher du thé sucré et des sels–et le plus vite possible parce que la jeune fille a un affreux mal de mer. Je joue avec un fil de la couverture bleu marine en souriant. J'admire son efficacité et son pragmatisme.

La servante revient rapidement avec une théière en argent et la porcelaine la plus fine. Mrs O'Driscoll sert deux tasses du liquide ambré et ajoute deux morceaux de sucre dans le mien. Elle reste assise à mes côtés jusqu'à ce que j'aie vidé ma tasse et que la couleur ait regagné mes joues.

Elle place sa vieille main farineuse sur la mienne et plonge son regard dans le mien.

— Dans quelques jours, tu mettras le pied sur la terre ferme et le balancement cessera. (Elle baisse les yeux d'un air entendu sur mon ventre.) Les autres nausées passeront aussi. Le pire sera bientôt derrière toi.

Je laisse tomber ma cuillère dans ma tasse vide et me mords la lèvre.

— Vous savez ?

— Bien sûr.

— Est-ce que ma mère… ?

— Elle n'a rien dit. C'était inutile. Ça se voit comme le nez au milieu de la figure et puis, des vacances soudaines en Amérique chez des parents perdus de vue depuis longtemps ? Ils ne sont jamais aussi accueillants. (Je suis à la fois embarrassée et soulagée de pouvoir cesser cette mascarade.) Je n'ai pas besoin de connaître les tenants et les aboutissants de la situation, poursuit-elle. Mais j'ai pensé que tu aimerais peut-être recevoir quelques conseils.

Ma mère a refusé de me répondre, elle se fermait comme les attrape-mouches de Vénus de sa serre chaque fois que j'essayais d'évoquer le sujet de ce qui m'attendait dans les mois à venir. Je suis tellement habituée à ne pas en parler que je ne sais pas quoi dire.

— Étiez-vous aussi malade que moi ? demandé-je, hésitante, en sirotant mon thé.

Je me sens revenir doucement à la vie.

— Atrocement, pour tous mes enfants. Mais ça passe et ensuite…

Elle se perd dans de lointains souvenirs heureux.

— Et ensuite ?

J'ai beau avoir du mal à accepter ma condition et ignorer ce qui m'attend, une partie de moi est curieuse et veut savoir. *Vraiment.*

Mrs O'Driscoll me regarde bien en face. À ma grande surprise, ses petits yeux étroits se remplissent soudain de larmes.

— Et puis tes joues deviennent rondes comme des pêches et tes cheveux ressemblent à de la soie. Ta peau brille comme de la porcelaine et tu as l'impression que toute la bonté du monde t'appartient. C'est un miracle.

Je contemple ma tasse, honteuse au souvenir de la conception de cet enfant, qui a été tout sauf miraculeuse. Comme on m'avait empêchée d'être courtisée par Dan Harrington, le seul garçon qui m'ait jamais intéressée mais qui n'était pas assez bien pour moi, j'avais décidé de prouver à ma mère que j'aurais pu beaucoup plus mal choisir. Un soldat britannique, protestant de surcroît, était le pire homme possible. Je m'étais donc rendue dans les bars fréquentés par les soldats en garnison sur

Spike Island. Sauf que le flirt inoffensif censé me venger de ma mère avait dégénéré en quelque chose d'inattendu. Je me demande ce que Dan Harrington penserait s'il apprenait le véritable motif de mon voyage en Amérique. Je doute qu'il en penserait quoi que ce soit. Il ne lui avait pas fallu longtemps pour cesser de m'aimer et pour tomber amoureux de Niamh Hegarty, comme le faisaient tous les garçons tôt ou tard.

—Quelle que soit la façon dont les choses se sont produites, poursuit Mrs O'Driscoll comme si elle lisait dans mes pensées, c'est quand même un miracle. Quand on sent le premier battement de vie... rien ne peut se comparer à ça.

Je touille mon thé en contemplant les tourbillons ambrés.

—Est-ce que vous étiez effrayée ?

—Oh, oui. Bien sûr ! C'est normal d'avoir peur, assure-t-elle en me tapotant le genou. Il va te falloir beaucoup de courage. Ce ne sera pas facile mais ce ne sera pas non plus la fin du monde. (Elle rajuste la couverture sur mes jambes.) On ne sait jamais, Matilda. Aller en Amérique. L'enfant. Ce sera peut-être le début d'une nouvelle vie.

Nous bavardons longuement cet après-midi. Mrs O'Driscoll est ravie de l'occasion qui lui est donnée d'évoquer ses enfants, et je dévore avidement son savoir et son expérience : je me rends compte que je veux à tout prix savoir ce qui m'attend. Quand nous nous attablons pour dîner, je suis navrée d'avoir perdu des heures précieuses plongée dans un silence dédaigneux. Il ne reste que deux jours de voyage. Soudain, ça ne me paraît pas suffisant.

12

Matilda

Newport, Rhode Island. Mai 1938.

Je sens l'île avant de la voir, l'odeur salée de l'océan entre par les fenêtres ouvertes du bus que j'ai pris à Providence. Une femme bronzée assise de l'autre côté de l'allée me voit mettre la main devant mon nez.

— C'est le varech, explique-t-elle. Vous vous y ferez.

Je souris poliment en retour. J'aimerais que Mrs O'Driscoll soit là avec ses sels.

Sa compagnie et ses manies amusantes me manquent déjà. Après que nous avons vu ensemble, debout sur le pont, la statue de la Liberté et l'Empire State Building émerger du brouillard, elle m'a accompagnée à Providence et ne m'a laissée qu'une fois certaine que le car était sans arrêt jusqu'à Newport où m'attendait Harriet Flaherty. Elle a tenu à noter l'adresse de cette dernière et m'a donné en échange l'adresse où elle logeait.

— Si tu as besoin de quoi que ce soit, écris-moi, a-t-elle dit en fourrant le morceau de papier dans ma main au moment où nous nous sommes séparées, étrangement émues.

Tandis que le véhicule avance en cahotant, je sors la feuille de ma poche et la déplie. Sous l'adresse de sa parente à Long Island, elle a écrit « Courage ». Je porte le papier à mon nez et respire son parfum familier de muguet en souhaitant plus que tout qu'elle soit assise à côté de moi.

Le car emprunte un long pont en pierre qui surplombe la vaste baie de Narragansett. Je presse le nez contre le carreau pour avoir une meilleure vue. Des yachts et des voiliers mouchettent la surface de l'eau aussi loin que porte le regard. Mon attention est attirée par deux phares sur des îles rocheuses dans la baie et je me demande lequel est celui de Harriet Flaherty. Le soleil qui se réverbère sur l'eau rend tout très beau. Cet accueil chaleureux fait taire un instant les doutes qui me rongent et l'incertitude qui me menace comme une épée de Damoclès.

Après le pont, le chauffeur tourne sur un large boulevard avant de prendre une série de virages à gauche et à droite dans un labyrinthe de rues étroites qui portent de jolis noms comme Narragansett Avenue ou Old Beach Road, toutes bordées d'arbres et de maisons en bardeaux de style colonial vert, blanc et rose pâle. Des boîtes aux lettres sont fichées sur des piquets dans les jardins. Un bus scolaire jaune passe. *C'est tellement… américain.* Un petit sourire étire mes lèvres quand je pense à tous ceux qui habitent ma petite ville provinciale de Ballycotton. J'aimerais qu'ils me voient. Je me sens fière, voire courageuse, d'avoir voyagé aussi loin.

Le car freine au bout d'une avenue large et longue. Le chauffeur se tourne vers nous.

— C'est votre arrêt, mademoiselle. Au coin de Brewer et de Cherry.

Après avoir rassemblé mes affaires à la hâte, je gagne l'avant du bus et descends les quelques marches. À sa façon de me souhaiter « bonne chance », je comprends que le chauffeur sous-entend que je vais en avoir besoin. Les portes se referment et le véhicule s'éloigne dans un grognement poussif.

Me voilà de nouveau seule. Comme une invitée qui se rendrait soudain compte qu'elle n'est pas à la bonne fête, tout mon optimisme et tout mon courage m'abandonnent d'un coup.

Tout en jouant avec mes gants et en tirant sur la rayonne de ma jupe qui me colle aux jambes, je me mets en route. L'air marin humide transforme mes cheveux en anglaises enfantines sous mon chapeau. Un rapide coup d'œil dans une vitrine me confirme que je ressemble à un sac de patates froissé mais je suis trop épuisée pour m'en soucier. J'évite les gens que je croise sur le trottoir en essayant de ne pas dévisager les Américaines dont les tenues me donnent l'impression d'être aussi démodée qu'une nonne. La pluie se met à tomber, mouchetant le bitume et je franchis en courant les derniers mètres qui me séparent de chez Harriet puis je me réfugie sous sa véranda en bois blanc.

Je frappe à la porte. J'attends. Je frappe de nouveau, un peu plus fort cette fois. Rien. Alors que j'ouvre mon sac à main pour vérifier l'adresse, j'aperçois un mouvement derrière la moustiquaire. Cette dernière s'ouvre avec un lent grincement, comme des ongles courant sur un tableau noir. Une femme de haute taille s'adosse à l'encadrement et de la fumée s'élève en volutes paresseuses de la pipe coincée dans sa bouche. Elle porte un pull-over couvert de taches de peinture et un pantalon en velours bleu marine négligemment rentré dans des bottes en caoutchouc. Un foulard à motifs encadre son visage anguleux. Nous nous jaugeons rapidement, établissons des jugements et des opinions, comparons la vraie personne à celle que nous avions imaginée et nous demandons ce que cette étrangère va devenir pour nous dans les semaines et les mois à venir.

— Matilda.

C'est plus une affirmation un peu surprise qu'une question.

— Oui.

Je souris, me rappelant mes bonnes manières même si j'ai envie de regagner le bus en courant.

— Matilda Emmerson, poursuis-je. Qui vient tout droit d'Irlande. (Elle ne me sourit pas en retour.) Vous devez être Harriet ?

Mon interrogation trahit le faible espoir que je me sois trompée de maison et que mon interlocutrice m'envoie à côté où une vieille dame adorable m'accueillera avec un baiser à l'odeur de savon et une tarte aux pommes tiède.

La femme qui se tient en face de moi a l'air de n'avoir jamais fait de tarte de sa vie.

Elle me tend une main tachée de nicotine.

— Harriet Flaherty. Bienvenue en Amérique.

Sa voix est grave et rauque, et son accent sonne comme un curieux mélange d'irlandais et d'américain. Elle serre fermement ma main gantée et m'étudie attentivement tandis que nous échangeons une poignée de main comme des hommes d'affaires scellant un marché. Son expression est sérieuse mais sa façon de me regarder m'embarrasse un peu.

— Eh bien ? Vous entrez, demande-t-elle en regagnant l'intérieur d'un pas vif, ou vous comptez rester sur la véranda tout l'été ?

Je ramasse mon sac et je la suis. La moustiquaire claque brusquement derrière moi.

La fraîcheur qui règne dans la maison est un soulagement après l'étouffant trajet en bus. La pièce est chichement meublée : un tapis élimé, deux fauteuils et une table basse. Sur ma gauche, un buffet croule sous les petites boîtes et les cadres photos, tous ornés de coquillages. Un poste radio dans le coin joue Ella Fitzgerald, accompagné par le cliquètement du ventilateur fixé au plafond. Des lys fanés sont posés dans un vase sur la table et leurs pétales flétris sont éparpillés, désolés, sur le sol. L'odeur de l'eau croupie se mêle à l'âcreté du varech, me descend dans la gorge et me tord l'estomac d'une manière familière. Je jette un coup d'œil en direction de l'étage pour évaluer la distance avec les toilettes au cas où je devrais m'y ruer.

Harriet se perche sur l'accoudoir d'un fauteuil, pose sa pipe sur un cendrier en métal rouillé et me dévisage, clairement aussi surprise par ma présence chez elle que moi.

— Joli médaillon, constate-t-elle.

Je ne m'étais pas rendu compte que je jouais avec.

— Oh. Ça. Merci. Il est dans ma famille depuis des décennies.

— Oui. Je sais. (Elle désigne le petit sac de voyage que je tiens dans l'autre main.) Vous n'avez que ça comme bagage ?

— Le reste suit. De New York, expliqué-je. Tout devrait arriver d'ici à un jour ou deux.

Je me souviens à peine de ce que j'ai emporté tant j'ai l'impression que c'était il y a une éternité mais en voyant la tenue de Harriet, je sais déjà que j'ai pris beaucoup trop de ravissantes jupes et de chemisiers. Elle est presque masculine dans sa tenue de travail négligée avec ses cheveux cachés sous un foulard. Dans ma robe en coton jaune avec chapeau et gants assortis, je soupçonne que je suis exactement le genre de jeune fille collet monté que Harriet Flaherty déteste.

— Je suppose que vous voulez vous rafraîchir, déclare-t-elle en se levant. Je vais vous montrer votre chambre.

Je la suis le long d'un escalier en bois brut en lui racontant que la traversée a été horrible et Mrs O'Driscoll très prévenante mais elle ignore mes tentatives de bavardage et marche d'un pas lourd, laissant des traces de sable derrière elle. Au milieu d'un petit palier, elle ouvre une porte blanche à la peinture éraflée.

— Voilà votre chambre. La salle de bains est en face. La chaîne coince ; il faut tirer dessus d'un coup sec.

J'entre dans la petite pièce et pose mon sac sur le lit avec hésitation. Une armoire, une table de chevet et une petite commode pour seuls meubles. Pas de tableaux sur les murs. Ni de photographies. Des rideaux en calicot fané pendent mollement à la fenêtre. Une collection de coquillages peints alignée sur le rebord de la fenêtre est la seule touche de décoration de la chambre.

— Merci, dis-je. C'est très joli.

— Je n'irais certainement pas jusque-là mais cette pièce vous appartient pour la durée du séjour, donc vous feriez aussi bien de la décorer à votre goût.

Harriet s'appuie contre l'encadrement. Elle me contemple de nouveau avec la même expression légèrement surprise.

— Vous voulez manger quelque chose ? propose-t-elle. J'ai préparé de la soupe de palourdes. (Je hoche la tête même si la nourriture est bien la dernière chose qui m'intéresse et que j'ignore totalement ce que peut bien être une palourde.) Je la laisse sur la table en bas, alors. N'hésitez pas à vous servir autre chose.

— Vous sortez ?

Même si Harriet ne m'est pas particulièrement sympathique, je n'ai guère envie de me retrouver seule dans cette étrange maison froide.

Elle fait un geste du menton en direction de la fenêtre de l'autre côté de la pièce. L'océan scintille derrière et la silhouette d'un phare se devine dans la brume.

— Rose Island. On ne vous a pas prévenue que j'étais gardienne de phare ?

— Si. Ma mère a mentionné…

— C'est là-bas que je passe le plus clair de mon temps. Je lui ai dit de vous expliquer que vous ne pourriez pas compter sur moi pour vous tenir compagnie.

— Elle a omis ce détail.

Harriet gagne la fenêtre et s'empare d'un des coquillages. Elle est plus jeune que ce à quoi je m'attendais. J'avais supposé que je logerais chez une parente plus âgée, comme Mrs Driscoll, mais Harriet ne doit pas avoir plus de quarante ans.

— C'est aussi bien. Sinon, vous n'auriez pas accepté de venir.

— Je n'ai pas vraiment eu le choix.

La véritable raison de ma présence ici fait irruption dans la chambre comme une tempête et plane entre nous. Je me juche sur le lit comme une enfant insolente.

Harriet pivote vers moi, les bras croisés.

— Qui est le père ? demande-t-elle. (Je me raidis, surprise par sa question et le rouge me monte aux joues.) Quoi ? Vous pensiez qu'on n'en parlerait pas ? Qu'on passerait nos journées à boire du thé en récitant des *Je vous salue Marie* en prétendant que vous êtes une bonne petite catholique ?

Je regarde fixement le plancher blanchi à la chaux.

— Bien sûr que non. Mais je n'ai pas envie d'en discuter maintenant. (Je lève les yeux vers elle.) On vient juste de se rencontrer.

J'essaie de garder un ton détaché mais ma voix a pris un tour aigu qui trahit mon désarroi. J'enlève mes chaussures. J'en ai soudain assez que tout le monde se mêle de ma vie comme si j'étais une boîte à couture. Je suis épuisée par le voyage, j'en ai assez d'avoir la nausée et Mrs O'Driscoll me manque plus que jamais. Je sens les larmes me monter aux yeux. Je me mords la lèvre pour les refouler. Je ne veux pas que Harriet Flaherty me voie pleurer. Je ne veux pas qu'elle écrive à ma mère que je suis un petit poisson hors de l'eau qui a le mal du pays, exactement comme elle s'y attend.

— Et puis ça ne vous regarde pas, ajouté-je.

Harriet pâlit en entendant ça.

— Vraiment ? Et moi qui croyais que puisque vous veniez vivre chez moi, ça me regardait. (Prenant mon silence pour un refus de poursuivre la conversation, elle quitte la pièce en claquant la porte derrière elle.) Je serai de retour au lever du soleil, crie-t-elle, plus comme une pensée après coup que pour me rassurer.

Elle gagne le rez-de-chaussée avec fracas, puis sort de la maison dans le couinement de la porte moustiquaire et je me retrouve à nouveau seule. Seule avec l'impression affreuse de m'être fait une ennemie de l'unique personne que j'aurais aimé avoir pour alliée.

— Ça s'est bien passé, Matilda, dis-je d'une voix pleine de sarcasme. Vraiment. Bravo.

Puisque je n'ai rien d'autre à faire, je suspends mes quelques vêtements, pose mon livre sur la table de nuit et me rafraîchis dans la petite salle de bains de l'autre côté du couloir, maussade. Il y a une autre pièce au bout du palier et je suppose qu'il s'agit de la chambre de Harriet – *enfin s'il lui arrive de dormir ici.* Je descends lentement l'escalier, verse l'équivalent d'un bol de soupe de palourdes dans l'évier, grignote un morceau de pain, installée à la table et sirote un verre d'eau. Je me sens comme une intruse et je bats en retraite dans ma pitoyable petite chambre. Je m'assieds au bord du lit et regarde par la fenêtre en jouant distraitement avec les coquillages peints posés sur le rebord. C'est un mélange de coquilles Saint-Jacques et de coques, toutes peintes en blanc, et ornées de spirales et de fleurs de lys d'un bleu profond. Elles me rappellent la faïence de Delft que ma grand-mère m'a un jour rapportée d'un voyage à Amsterdam. « Cora » est écrit à l'intérieur de tous les coquillages. Qui que ce soit, cette femme a la main sûre et un œil d'artiste. La présence de ces petits coquillages délicats est incongrue dans cette pièce déprimante, comme s'ils n'étaient pas à leur place. *Comme moi.*

Malgré ma fatigue, je ne trouve pas le sommeil. Je sursaute au moindre craquement, au moindre bruit bizarre en provenance de la rue en contrebas, à chaque apparition du faisceau lumineux du phare qui passe devant la fenêtre. Tout me paraît étrange. L'oreiller. Le lit. La chambre nue. La maison. Même mon corps me semble étranger : mon appétit, mes émotions et mon odorat sont altérés par l'enfant invisible que je me refuse à croire réel.

Je me tourne et me retourne jusqu'à l'aube. De guerre lasse, j'abandonne toute velléité de sommeil, allume la lampe de chevet et attrape mon livre. J'aurais bien aimé que Mrs O'Driscoll lise plus vite pour qu'elle puisse me donner son exemplaire d'*Autant en emporte le vent.* Je suis certaine que Scarlett O'Hara serait de bien meilleure compagnie que ce vieux bouquin sur les phares. Je l'ouvre et fais courir mes doigts sur les inscriptions de la page de garde. La première, « à Sarah de la part de Grace ». La suivante, « à Matilda de la part de sa mère » puis toutes les propriétaires du livre qui se sont succédé, chacune le léguant à sa fille : ces noms soigneusement écrits forment une liste de parents éloignés au fur et à mesure que l'ouvrage a changé de main. J'ai toujours éprouvé de la peine pour la pauvre Grace Rose dont le nom est barré sans ménagement. Je me demande de qui il s'agit et ce qui lui est arrivé. *Une enfant morte tragiquement jeune certainement.*

Au fond du livre est glissée une feuille de papier plié tacheté par l'âge. Je me rappelle la première fois qu'elle est tombée sur mes genoux, je me souviens du frisson qui m'a parcourue quand j'ai déchiffré l'écriture soigneuse de cette femme qui avait connu mon arrière-arrière-grand-mère.

Alnwick, Northumberland, septembre 1842

Ma chère Sarah,

Ma sœur me dit que vous avez écrit plusieurs fois ces derniers mois, et je dois m'excuser de ne pas avoir répondu.

Depuis que je suis revenue d'un séjour chez mon frère à Coquet Island cet été, j'ai été très affaiblie et je reste chez ma cousine à Alnwick pour quelque temps. Il paraît que je suis une très mauvaise patiente–j'ai beaucoup trop hâte d'aller mieux pour pouvoir regagner Longstone. Je dors mal loin de la berceuse apaisante de la mer.
J'ai été ravie d'apprendre que vous aviez refait votre vie en Irlande. C'est un pays magnifique. Je sais que vous n'oublierez jamais ce qui s'est produit mais parfois, voir un autre paysage le matin et organiser sa journée différemment permet de guérir les blessures les plus profondes. J'espère que vous trouverez la paix.
Si vous avez des nouvelles de George, dites-lui que je pense à lui. Je pense à lui souvent.
Je souhaite que Dieu vous donne de la force et du courage, à jamais.

Votre amie,
Grace Darling

J'en ai appris un peu sur Grace Darling grâce à des fragments de conversation pendant des fêtes familiales mais j'aimerais en savoir davantage. Je range la lettre dans l'ouvrage que je reprends au début et je commence à lire ce qui concerne le gardiennage des phares. Cela se révèle beaucoup plus compliqué et beaucoup plus intéressant que prévu.

Je finis par m'endormir par intermittence. Je somnole et me réveille plusieurs fois. Le faisceau lumineux du phare joue derrière le carreau, et mes pensées rêveuses vont vers Grace Darling et mon arrière-arrière-grand-mère, Sarah, ces femmes dont la vie est liée à la mienne et dont je ne sais presque rien. Je songe aussi à Harriet, exclue et solitaire. Comme la petite fille qui s'est inventé des histoires avec les gens peints sur son médaillon, mon esprit commence à s'échauffer, inventif, désireux de remplir les blancs.

Qui êtes-vous, Harriet Flaherty ? Et qu'avez-vous bien pu faire ?

13

Harriet

Phare de Rose Island. Mai 1938.

Je ne parviens plus à trouver le sommeil et je n'ai guère envie de rêver.

Je me sers une tasse de café noir comme du goudron tout en écoutant la météo marine puis je me roule une cigarette. J'imagine Cora à côté de moi, son petit nez retroussé pointé en avant, l'air exaspérée. « Ces affreux trucs sales », elle les appelait, mes clopes. Elle n'aimait pas voir mes doigts tachés de nicotine, elle répétait que ce n'était pas joli de voir les mains de maman toutes jaunes, ou « yaunes » comme elle disait.

Combien de fois lui avais-je promis d'arrêter ? Trop de fois. Les serments brisés étaient éparpillés dans nos vies comme les fragments de coquillages qu'elle collectionnait et collait sur ses petits cadres. Cora était douée pour ça, pour utiliser les choses perdues et cassées qu'elle ramassait sur la plage et qu'elle rapportait, triomphante, à la maison, dans ses poches pleines. « Regarde, maman ! Regarde ! » Elle adorait les transformer en objets utiles et elle peignait les coquillages jusqu'à ce qu'ils deviennent plus beaux qu'avant. Si elle trouvait la moitié d'un coquillage, elle cherchait une moitié assortie et les collait ensemble. Elle passait son temps à réparer et à raccommoder. Peut-être sentait-elle qu'il lui manquait quelque chose depuis toujours.

En pensant à elle, je sens mon souffle se bloquer dans ma poitrine.

Cora. Le soleil dans mes nuages. Le calme dans ma tempête.

Je gagne la table, m'empare du journal de bord et m'affale sur la banquette sous la fenêtre, le dos pressé contre un mur épais, les semelles de mes bottes contre l'autre. Si je plie les genoux, l'espace est pile à ma taille. Pa avait l'habitude de dire que je me coulais si bien dans le phare que c'était comme s'il avait été construit autour de moi. Je comprends les choses, ici, depuis toujours. J'aime la routine et l'ordre : le flux et le reflux de la marée, le lever et le coucher du soleil, les allées et venues des bateaux et des tempêtes, tout ça soigneusement reporté dans le journal. « Murs blanchis à la chaux. Lampes nettoyées. Livraison de matériel. Deux personnes sauvées du naufrage d'un bateau de pêche. Fenêtres et escalier peints. »

Depuis que l'automatisation m'a volé mes dernières tâches, les vieilles habitudes me manquent. Il n'y a plus de réservoirs à huile à remplir. Plus de pendules à remonter. Plus de mèches à couper. Je me contente d'allumer et d'éteindre les lampes avec un simple interrupteur. On appelle ça le progrès. J'appelle ça des sottises. Comme un enfant qui a grandi, le phare n'a presque plus besoin de moi.

Personne n'a besoin de moi.

Excepté Matilda peut-être. Matilda Emmerson, avec son petit visage pâle et ses cheveux brillants, noirs comme une coque de moule. Pleine de doutes et de questions. Tellement peu sûre d'elle. Comme moi au même âge. Je ne sais pas trop à quoi je m'attendais en acceptant sa venue – ma curiosité a pris le dessus sur mon bon sens – mais il y a quelque chose de réconfortant dans son accent et dans l'odeur des feux de tourbe prisonnière de ses vêtements. Matilda transporte avec elle l'écho d'une existence que je croyais avoir laissée derrière moi ; une existence qui n'en a peut-être pas fini avec moi, finalement.

J'ajoute une entrée pour aujourd'hui dans le journal de bord. « Lampes allumées à 20 h 43. Mer calme avec une légère houle. Brise légère en provenance de l'est. » Puis je feuillette les pages froissées ; elles contiennent toutes des souvenirs. « Cora a attrapé un crabe ! Cora a vu une étoile filante. Cora a dit "maman". La fièvre de Cora est tombée. » Je peine à me souvenir de la femme qui a écrit ces lignes. À cette époque, j'écrivais autant sur Cora que sur les marées et la météo, je capturais notre vie de famille dans quelques mots simples qui cachaient beaucoup plus que ça. Si j'avais consigné tout ce que j'avais envie de dire, j'aurais rempli des dizaines de journaux par an.

Juste après quatre heures et demie, Joseph Kinsella, mon assistant, arrive. Je le tiens au courant des événements de la nuit, même s'ils sont peu nombreux, enfile un vieux ciré et quitte le phare. Mes bottes écrasent l'argile du sentier. Je libère la barque de ses amarres, tire une dernière fois sur ma cigarette, écrase le mégot sous mon talon, saute dans le canot et repousse le débarcadère avec la rame. Je godille autour de l'île en direction de la baie. La lumière du phare balaie l'océan avec la régularité d'un battement de cœur : avertissement pour ceux qui sont en danger, commémoration pour ceux qu'on n'a pas pu sauver. Quand j'atteins le rivage, les premiers rayons de soleil griffent la surface de l'eau, illuminant le bateau et les encoches sur le banc en bois. *Douze au total. Une pour chaque vie sauvée.*

Une seule – la plus précieuse à mes yeux – a été perdue.

14

Matilda

Newport, Rhode Island. Mai 1938.

Newport me réveille avec des rayons de soleil veloutés qui transpercent la fenêtre pour venir se poser sur ma joue. Je reste parfaitement immobile sous le cocon doux des couvertures en laine qui m'enveloppent si étroitement que je peux à peine bouger les orteils. Les yeux toujours fermés, je profite de la chaleur et de la lumière. L'odeur suave du tabac et du café frais se faufile sous la porte, et se mêle à la fragrance saumâtre de l'océan qui imprègne les murs. Louis Armstrong passe à la radio au rez-de-chaussée et le jazz entraînant me change agréablement des arias d'opéra de ma mère. Des gens bavardent au-dehors. L'accent américain, que je n'avais jusque-là entendu que dans les films, me fait sourire.

—Amérique.

Je murmure ce mot pour moi-même et j'apprécie sa forme sur mes lèvres. Même si j'aurais préféré que les circonstances soient différentes, il y a quelque chose de grisant à l'idée de se réveiller sur un autre continent, très loin des remarques acerbes de ma mère et de la déception évidente qu'elle éprouve continuellement à mon égard. Je ne saurais expliquer pourquoi mais je sens que cet endroit est beaucoup plus qu'un lieu pratique où me cacher. Ce voyage est important. Nécessaire. Peut-être inévitable.

Je me cale contre l'oreiller, repousse les couvertures et contemple mon ventre, incapable de relier la réalité biologique de ma grossesse au vide émotionnel que je ressens quand je m'autorise à y penser. Dans mes pires moments, je me surprends à souhaiter que la petite créature comprenne les problèmes qu'elle cause et qu'elle disparaisse en silence pendant que je dors. C'est arrivé à plein de femmes, alors pourquoi pas à moi ? Mrs O'Driscoll m'a dit que je ne tarderais pas à la sentir bouger. « C'est comme un frôlement lointain. Difficilement perceptible au début, mais on le reconnaît quand on le sent. » La perspective me dégoûte et me terrifie. Je remonte les couvertures et chasse cette pensée.

En bas, Harriet chantonne en même temps que la radio tandis que la bouilloire siffle sur la gazinière. J'entends le tintement des couverts, puis des pas lourds sur les marches de l'escalier, suivis d'un coup sec avant que Harriet n'entre dans ma chambre en repoussant ma porte.

— Vous êtes réveillée ?

— Maintenant, oui.

Je me redresse complètement, l'esprit embrumé par le manque de sommeil et le vertige trop familier qui accompagne tous mes réveils à présent.

— Je vous ai préparé le « p'tit déj' », comme disent les Yankees, déclare Harriet en me tendant un plateau. Du café. Du thé. Des toasts avec du beurre, de la confiture et de la marmelade. Du porridge. Des œufs – mollets et durs. Je ne savais pas ce que vous préférez.

Elle énumère tout ça avec autant d'émotion qu'une poutre métallique. Pas de « Bonjour, bien dormi ? », pas de sourire rassurant tandis qu'elle pose sans ménagement le plateau sur les couvertures, ce qui fait déborder la théière.

— Vous pouvez manger au lit ou je peux tout laisser en bas si vous souhaitez être plus civilisée, poursuit-elle.

— Le lit fera l'affaire. Merci.

Sans son foulard, je vois mieux son visage. Elle est bronzée et un peu ridée. Elle a des pommettes saillantes et des yeux en amande. Elle ne ressemble pas complètement à un ogre, finalement.

— Et merci pour les couvertures, ajouté-je.

Elle balaie ma gratitude d'un haussement d'épaules et m'examine de ses yeux d'un marron profond.

— Mangez tout. Vous avez besoin de toutes vos forces. (Sa voix contient une remontrance bien intentionnée qui me rappelle ma grand-mère.) Vu que vos malles ne sont pas encore arrivées, je vais vous apporter des vêtements propres. Je pense que j'ai quelque chose à votre taille. Faudra bien que ça fasse l'affaire de toute façon.

Je redoute de découvrir quelle idée Harriet se fait d'un vêtement propre mais vu les circonstances, je n'ai guère le choix.

Elle ferme bruyamment la porte de la chambre et s'éloigne lourdement sur le palier. J'entends une autre porte s'ouvrir et se refermer, puis le silence revient.

Je baisse les yeux sur le méli-mélo d'aliments qui constitue le petit déjeuner : de généreuses tranches de pain bis avec la croûte, du café noir dans un mug ébréché, une théière de thé noir et fort. *Aucune élégance. Aucune finesse.* Ma mère se moquerait et lancerait son regard le plus désobligeant sur ce plateau. C'est un repas préparé pour être dévoré et non pour être picoré par une hirondelle nerveuse. Soudain affamée, je mords dans un toast et laisse les miettes tomber sur le couvre-lit, peu soucieuse de mes bonnes manières à table, de mes bonnes manières tout court.

Harriet revient avec un tas de vêtements qu'elle lance au pied du lit.

— J'ai l'impression que vous faites la même taille. (Pendant une fraction de seconde, quelque chose change dans l'atmosphère de la chambre ; des pensées incomplètes et des non-dits planent au-dessus de nous.) Ce n'est pas aussi chic que vos habits, c'est sûr, ajoute-t-elle, mais c'est mieux que rien.

— Je suis certaine que ce sera parfait. Merci.

— Vous pourrez les reprendre s'ils ne vous vont pas. Je présume que vous savez utiliser une aiguille et du fil ?

— Bien sûr, acquiescé-je en mentant.

— Je vais vous prendre rendez-vous avec le médecin. Je lui ai déjà parlé de vous. Je lui ai expliqué que vous étiez veuve depuis peu et que comme vous n'aviez pas de famille proche en Irlande, vous vous étiez réfugiée ici pour accoucher.

Un mensonge qui sert de couverture. Je me demande si c'est l'idée de Harriet ou celle de ma mère.

— Bon. Je vous laisse manger et vous habiller.

Elle est sur le point de quitter la pièce quand je ressens un désir impérieux de la faire rester.

— Je suis désolée, dis-je tout à trac, autant pour la retarder que pour m'excuser vraiment.

Elle s'immobilise sur le seuil, perplexe.

— Désolée ? Pourquoi ?

— De vous causer tous ces tracas, d'avoir atterri sur votre perron et de m'être montrée grossière hier. J'étais fatiguée par le voyage. Je vous suis vraiment reconnaissante d'avoir accepté de m'héberger, même si ça ne se voit pas.

Harriet hésite, comme si elle était sur le point de dire quelque chose, puis se ravise.

— Maintenant que vous êtes là avec tous vos ennuis, autant qu'on s'y habitue. Mangez, maintenant.

Elle referme la porte derrière elle.

Une fois le petit déjeuner terminé, je m'habille rapidement en faisant fi de l'odeur de naphtaline et de tabac rance qui m'assaille quand j'enfile une robe bleue qui me va presque parfaitement. Je me brosse les cheveux et me pince les joues pour leur apporter un peu de couleur. Le pendentif scintille au creux de ma gorge lorsque le soleil se reflète sur le miroir. Je le fais tournoyer pour admirer les motifs de lumière qui dansent sur le plancher avant de défaire le fermoir et de l'ôter. J'ouvre le médaillon et examine les deux petits portraits à l'intérieur : le front noble et le regard bienveillant de George Emmerson, et le visage timide de la mystérieuse fille du phare. Dans les histoires que j'inventais enfant, ils avaient toujours droit à une fin heureuse, mais l'innocente fillette a grandi et elle sait que la vraie vie finit rarement bien.

Je rattache la chaîne autour de mon cou et gagne le rez-de-chaussée.

— La robe me va très bien, dis-je en tournant sur moi-même avant de me jucher sur l'accoudoir d'un fauteuil en velours élimé et de repousser le rideau en dentelle qui orne la fenêtre.

Harriet lève les yeux de son journal pour m'observer un instant.

— Tant mieux, rétorque-t-elle avant de retourner à sa lecture.

Je remarque que son regard se pose sur moi à plusieurs reprises.

La une du journal évoque des tensions grandissantes en Tchécoslovaquie et la menace d'une invasion allemande. Ça me rappelle Mrs O'Driscoll : elle s'inquiétait de la crise politique en Europe et de la possibilité d'une autre guerre mondiale. *Chère Mrs O'Driscoll.* Je me demande si elle songe à moi et si elle a gardé mon adresse.

— Pensez-vous qu'il va y avoir une autre guerre ? interrogé-je en admirant les maisons à bardeaux de l'autre côté de la rue.

— Si Hitler a son mot à dire, oui. Cet homme est un salopard.

— L'Europe est bien loin de l'Amérique, cela dit. Si la guerre éclate, je me sentirai en sécurité ici.

Harriet ricane.

— S'il y a vraiment une guerre, vous ne serez en sécurité nulle part. On avait dit que la dernière serait terminée à Noël et regardez ce qui s'est passé.

Une brise légère secoue les fleurs d'un arbre dans le jardin voisin. Les feuilles frissonnantes me rappellent les mains tremblantes de mon père. Ce qu'il a vécu pendant la guerre lui a laissé des séquelles nerveuses.

Désireuse de changer de sujet, je me lève et demande ce qu'on va faire dans la journée.

— Il fait beau, dehors.

Harriet éclate de rire.

— « On » ne va rien faire aujourd'hui. Vous allez vous reposer, je suppose. Je dois sortir faire des courses.

Les discussions concernant ma venue avaient toutes été articulées sur mon départ hâtif d'Irlande et sur ce qui se produirait une fois que le bébé serait né. Personne n'avait pensé à ce que je ferais en attendant la naissance ; comment je remplirais les semaines et les mois à venir. Maintenant que je suis là, je trouve absurde de ne pas y avoir songé. *Comment vais-je bien pouvoir m'occuper ?*

— Je ne peux pas me reposer pendant cinq mois, Harriet. Je vais devenir folle. (Je croise les bras, d'un air de défi.) Je vais aller me promener. Voir les maisons.

— Pfff ! Quand on en a vu une, on les a toutes vues. (Harriet repose le journal et se dirige vers la porte de droite qui donne sur la cuisine.) Je dois aller au phare. Je suppose que vous pouvez m'accompagner.

Mes oreilles se dressent comme celles d'un chien impatient de sortir mais je dissimule mon enthousiasme. Je n'ai pas particulièrement envie de passer du temps avec Harriet, mais je n'ai pas non plus très envie de faire du tourisme toute seule.

— Je suppose que oui, dis-je en tirant sur un fil échappé d'un bouton.

Harriet me jette un coup d'œil de la porte.

— Vous ne me bombarderez pas de questions et vous ne traînerez pas dans mes pattes ?

— Vous ne vous rendrez même pas compte que je suis là. Promis.

Le marché est conclu. J'accompagnerai Harriet au phare où je ferai semblant de ne pas être là et elle tolérera la présence de cette nouvelle parente qu'elle a adoptée temporairement, parce que, qu'elle l'admette ou pas, je sais qu'elle se sent responsable de moi. Si ce n'était pas le cas, pourquoi m'aurait-elle soigneusement bordée la veille et aurait-elle posé mon livre sur la table de nuit ? Pourquoi aurait-elle murmuré dans la lueur grise du petit matin qu'elle était contente que je sois là ? Peut-être que ma venue est aussi opportune pour une vieille fille solitaire que pour une jeune fille enceinte et célibataire. Peut-être que Harriet Flaherty et moi ne sommes pas si différentes après tout.

Tandis que j'attends que Harriet soit prête, je reprends les *Instructions pour gardiens de phare* là où je me suis arrêtée. « La lumière doit être allumée ponctuellement au coucher du soleil et gardée allumée à pleine intensité jusqu'à l'aube... Quand il n'y a pas d'assistant, le gardien doit vérifier la lumière au moins deux fois pendant la nuit, entre 20 heures et l'aurore ; et pendant les nuits de tempête, il faut surveiller la lumière sans relâche. » Je relis la lettre de Grace à Sarah en me demandant qui étaient vraiment ces femmes. Comme une enfant curieuse qui ouvre la porte d'une pièce dans laquelle on lui a interdit de pénétrer, je tire sur les fils lointains qui me relient à elles, résolue à défaire les nœuds du passé afin de trouver où s'achève leur histoire et où commence la mienne.

15

Grace

Phare de Longstone. 7 septembre 1838.

Le soulagement inonde mon cœur à la vue de mon frère recroquevillé sur le seuil et ballotté par le vent en train de presser ceux qui le suivent de se dépêcher d'entrer. Même si j'ai refusé de prêter l'oreille à l'angoisse que je ressentais pour sa sécurité, elle m'a harcelée et n'a cessé de me chuchoter pendant les vingt-quatre heures qui viennent de s'écouler. C'est avec un grand soulagement que je peux enfin la réduire au silence.

— Brooks ! Merci, mon Dieu !

Je repose précipitamment la bouilloire, qui heurte l'âtre avec un bruit sourd, et je cours vers lui. Je passe les bras autour de son cou sans me soucier du froid et de l'humidité qui transpercent immédiatement le tissu de ma robe.

— Tu es gelé.

Six autres membres du canot de sauvetage de North Sunderland ôtent leurs manteaux et leurs bonnets derrière lui – William Robson, le barreur, et ses frères, James et Michael, Thomas Cuthbertson, Robert Knox et William Swan –, tous trempés jusqu'aux os et tremblant de tous leurs membres.

— Comment vous êtes arrivés là ? demandé-je en leur ordonnant de s'approcher du feu.

Brooks m'explique en claquant des dents qu'ils viennent de Harker's Rock.

— On a entendu parler du naufrage mais on n'a trouvé aucun survivant. (Il balaie la salle du regard.) Mais vous, si.

L'incompréhension se lit sur son visage.

— Comment, Grace ?

— Réchauffe-toi et sèche-toi, répliqué-je en m'emparant de son manteau dégoulinant. On aura bien le temps de te raconter après.

Mam se tapote la figure avec le coin de son tablier, reconnaissante que son petit dernier soit sain et sauf. Même si Brooks a dix-neuf ans à présent, il sera toujours le bébé de la famille. Mam enroule un châle autour de ses épaules et lui frotte le dos pour le réchauffer, exactement comme elle le faisait quand il était enfant, je suppose. Avec tant d'hommes costauds en plus dans la pièce déjà bondée, ma mère tente de trouver une solution pour loger tout ce monde, un vrai casse-tête.

— Va falloir vous asseoir par terre, annonce-t-elle en levant les mains au ciel, exaspérée. Je ne peux pas faire apparaître des chaises par magie.

Brooks suggère calmement que l'équipage du bateau de sauvetage occupe le bâtiment vide qui était utilisé par les ouvriers quand Longstone était en construction.

— On va se débrouiller, Mam, assure-t-il. Crois-moi, après avoir affronté la tempête, on se contenterait d'un lit de bernacles.

Satisfaite, Mam se met à préparer une autre marmite de bouillon, mais son regard s'égare souvent en direction de Brooks qui frissonne près de la cheminée. Elle lui est totalement dévouée et j'ai honte de ressentir une bouffée de jalousie en l'observant parce que je sais qu'elle ne me regardera jamais de cette manière-là. Les filles ne suscitent jamais l'affection de leur mère de la même façon que leurs fils. Les filles sont obéissantes, fiables et jetables. Les fils sont courageux et admirables, essentiels pour la continuation de la lignée familiale.

Une fois les nouveaux arrivés réchauffés et nourris du mieux possible au vu de nos provisions limitées, les questions et les explications fusent comme des boulets de canon. Assis côte à côte, mon père et Brooks partagent leurs histoires. Brooks est stupéfait quand il apprend la part que j'ai jouée dans le sauvetage.

— Grace a maîtrisé le canot pendant que j'aidais les survivants sur le rocher, explique Père. Elle s'en est sortie admirablement.

Sur le moment, il a l'air de dire ça d'un ton détaché mais je sais que ni mon père ni moi n'oublierons jamais le sentiment d'horreur que nous avons ressenti quand il est descendu de la barque et s'est éloigné de moi. Brooks me considère avec un respect nouveau tandis que je remplis encore son bol.

— Je loue ton courage, ma sœur. Je connais des hommes qui font deux fois ta taille et qui n'auraient pas osé sortir par un temps pareil.

— Le courage n'a rien à voir là-dedans, répliqué-je. Père ne pouvait pas y aller seul et on ne pouvait pas laisser les survivants périr. Vu les circonstances, n'importe qui aurait agi comme moi.

Brooks avale son bouillon à toute allure.

— Peut-être. Peut-être pas.

— Elle a insisté, poursuit Père. Et tu sais comme ta sœur peut se montrer têtue quand elle a quelque chose en tête. Une enfant née l'année de la bataille de Waterloo est toujours prête à en découdre. Pas vrai, Gracie ?

Il me prend la main et la serre en souriant pour me montrer qu'il me taquine.

La vérité, c'est que nous sommes tous entêtés. La vie sur un rocher au beau milieu de la mer du Nord est faite pour les entêtés. Être coupés du continent, devoir se débrouiller seuls pendant des semaines et des semaines en cas de mauvais temps requiert des gens différents. C'est cette différence qui nous permet de surmonter les longues nuits venteuses pendant les tempêtes d'hiver quand les vaisseaux font naufrage et qu'au petit matin blême la mer rejette sur le rivage rocheux de l'île les corps boursouflés des marins morts. Il n'y a aucune honte à faire preuve d'entêtement. C'est nécessaire pour survivre.

Mon frère me regarde différemment après le récit de notre père. Je pense, peut-être, qu'il ne me voit plus comme l'agaçante grande sœur qu'il a taquinée parce qu'elle admirait ses coquillages mais qu'il voit – pour la première fois – la jeune femme que je suis devenue. Une jeune femme capable d'agir comme n'importe quel homme quand la situation le réclame.

Les heures passent rapidement tandis que je rassemble les lourds manteaux et les bottes trempées. Je trouve des couvertures sèches pour les nouveaux arrivants, entretiens le feu, vais chercher de l'eau pour la bouilloire, change les bandages de fortune sur les plaies, réconforte et assure que nous ramènerons tout le monde sur le continent le plus vite possible. J'ignore la migraine qui fait rage sous mon front ; je ne prête pas attention à la douleur qui s'est emparée de tous mes membres et au froid qui filtre sous ma robe fine, tous mes châles ayant été donnés à ceux qui en avaient plus besoin que moi. Ce n'est que beaucoup plus tard, quand les choses sont un peu calmées, que j'entraîne Brooks à part pour lui poser la question qui me hante depuis son arrivée. *Ont-ils trouvé des corps sur le rocher ?*

— Trois, confirme-t-il. Un révérend et deux enfants. Ils sont en sécurité sur la partie la plus haute du rocher. On n'a pas pu s'approcher assez pour aborder. Dès que la tempête se sera apaisée, on ira les récupérer pour les emmener au château.

— À Bamburgh ?

Il acquiesce.

— Il va y avoir une enquête. Le légiste et le jury devront voir les corps.

Je désigne Sarah Dawson, qui est assise, silencieuse, près de l'âtre.

— Leur mère, murmuré-je.

Brooks propose de le lui annoncer mais je secoue la tête.

— Je vais le lui dire.

Je me sens responsable d'elle. La pauvre femme est si fragile que je ne supporte pas l'idée qu'elle soit obligée de partager son désespoir avec quelqu'un d'autre. Je prends une profonde inspiration, pose les mains sur mon ventre et traverse la pièce pour la rejoindre.

Les longues heures passées dans le canot à lutter contre la mer déchaînée ressemblent à une promenade de santé autour de l'île un jour ensoleillé comparées à l'épreuve qui m'attend quand je m'accroupis à côté de Sarah Dawson et plonge mon regard dans le sien. Sortir dans l'une des pires tempêtes qu'on ait jamais connues était évidemment difficile. Annoncer à une mère en deuil que les corps de ses enfants, même s'ils sont en sécurité, sont toujours sous la tempête, cinglés par le vent incessant et la pluie torrentielle, est la pire des choses qu'il m'ait jamais été donné de faire. Je prends congé après lui avoir parlé et me retire dans ma petite chambre où je laisse enfin couler mes larmes, ce qui ne me fait aucun bien.

Durant l'après-midi et la soirée, je saisis des bribes de conversation lorsque mon frère et le barreur du canot de sauvetage de North Sunderland, William Robson, livrent à mon père un rapport détaillé des événements du continent. Ils lui expliquent comment la vigie du château de Bamburgh a assisté au naufrage et a fait tirer les canons pour annoncer aux survivants qu'on les avait vus. Un sloop de pêche a secouru neuf survivants qui ont pu s'échapper du *Forfarshire* en chaloupe et Robert Smeddle – agent-chef du district de Bamburgh – a fait le trajet à cheval jusqu'à North Sunderland pour avertir l'équipage du canot de sauvetage. Brooks explique qu'ils ont préféré prendre une petite barque de pêche plutôt que le canot, pensant qu'elle serait plus maniable et qu'ils ont ramé trois heures contre le courant. Comme ils n'ont pas trouvé de survivants sur Harker's Rock, il a proposé à ses compagnons de trouver refuge à Longstone jusqu'à ce que la tempête soit calmée. Ils ont abordé dans une crique du sud de l'île et ont porté la barque jusqu'au phare.

— Quarante-trois passagers et l'équipage sont portés disparus. Le capitaine et sa femme aussi, conclut-il.

C'est un sombre compte-rendu.

— Je dois rédiger un rapport pour Trinity House, réfléchit mon père à haute voix en se frottant la barbe. Il va y avoir une enquête. Il faudra répondre aux questions, trouver les responsables.

Brooks opine.

— Smeddle sera chargé de ça, aucun doute possible.

Mam exprime son mécontentement en entendant le nom de Robert Smeddle. En tant que chef du conseil qui gouverne la région, Smeddle est considéré comme l'homme le plus puissant de Bamburgh. Il possède aussi un certain degré d'autorité sur les phares qui se dressent sur la côte northumbrienne et nous le connaissons donc bien. Mais nous ne l'apprécions guère.

Tandis que les heures passent et que le ciel se dégage un peu, nous apprenons que les survivants viennent d'endroits aussi lointains que Londres et Dundee, et que le destin les a réunis sur notre petite île peu accueillante. Un membre d'équipage, Mr Donovan, est le plus agressif du groupe et il ramène à plusieurs reprises la conversation sur le terrain des accusations, affirmant que le capitaine savait qu'une des chaudières fuyait avant même que le vaisseau ne quitte Hull.

— Humble aurait dû mouiller à Tynemouth pour la faire réparer. Il a des morts sur la conscience, soyez-en sûrs.

Père suggère sans s'échauffer à Mr Donovan de se montrer prudent dans ses propos et de garder ce genre d'accusations pour lui jusqu'à l'enquête.

— Quoi qu'il en soit, poursuit-il sur un ton circonspect, le capitaine Humble a payé de sa vie les décisions qu'il a prises. Plutôt que de chercher des coupables, je pense qu'on ferait mieux de prier pour les disparus.

Au fur et à mesure que la soirée avance, mon corps devient de plus en plus douloureux, d'une manière que je n'ai jamais ressentie auparavant, mon esprit est trop épuisé pour réfléchir et pourtant la culpabilité et l'inquiétude m'empêchent de dormir, et mon matelas porte l'inconfort de ceux qui dorment où ils peuvent dans la salle commune. Personne n'a voulu que je lui abandonne mon lit, pas même Sarah Dawson, qui a affirmé qu'elle ne dormirait pas de toute façon et qu'elle préférait attendre l'aube près de la cheminée. Je sais qu'elle pense à ses enfants. Comment se reposer dans ces circonstances ?

Je reste étendue, éveillée, à écouter le bruit des pas de Père qui va et vient dans la salle de veille en faisant craquer et grincer le plancher. Il a insisté pour prendre le premier quart, préparé à affronter une deuxième nuit de veille puisque la tempête fait toujours rage. Je me demande combien de navires vont s'échouer sur les écueils implacables des îles Farne tandis que nous entretenons la flamme dans le phare. Comme l'industrie navale est florissante, je m'attends à ce que le *Forfarshire* ne soit hélas pas le seul.

Les rafales de vent et le fracas des vagues se transforment en une curieuse berceuse tandis que je libère les émotions que j'avais verrouillées. Dans l'obscurité totale de ma chambre, je cesse d'être la courageuse fille du gardien de phare pour laquelle tout le monde me prend et je me permets d'être qui je suis vraiment ; une jeune femme éreintée et considérablement bouleversée par les événements de la journée. Comme le bruit de la mer prisonnier d'une conque, la tragédie qui entoure le *Forfarshire* fait à jamais partie de moi.

Au rez-de-chaussée, dans la salle commune, Sarah Dawson est incapable de dormir. Elle regarde fixement le feu, hébétée, tandis que les braises s'éteignent et meurent. Tout l'abandonne, apparemment, même la chaleur des flammes.

Les hommes se sont tous endormis facilement et ils ronflent partout où ils ont déniché un endroit où se reposer : les chaises, les bancs, les tapis. Elle les envie : ils ont trouvé une échappatoire dans le sommeil alors qu'elle doit demeurer éveillée avec son désespoir pour seule compagnie. La tempête frappe l'île et elle ne peut pas se reposer alors que son corps est contusionné et éreinté.

Elle prend le châle que Miss Darling lui a gentiment prêté pour la réchauffer et elle se glisse au-dehors sans faire de bruit. Les rafales manquent de la renverser et cramponnée aux murs blancs du phare, elle tâtonne dans les ténèbres, sa jupe et son châle battant follement autour d'elle. Elle n'est pas certaine de son plan ni de ce qu'elle fera ensuite, mais il y a quelque chose de pur dans l'énergie de la tourmente et elle se sent étrangement calme au milieu de sa fureur, comme si son propre chagrin était exprimé par le vent violent. Ses larmes se mêlent aux innombrables gouttes de pluie qui trempent rapidement sa peau. *Qu'elle m'anéantisse*, songe-t-elle. *Qu'elle finisse ce qu'elle a commencé.*

Elle a envie de crier et de hurler. Elle voudrait devenir la tempête mais elle en est incapable et quand elle ouvre la bouche, tout ce qu'elle peut faire, c'est s'effondrer à genoux et sangloter, inconsolable, avec le vent. Ses jambes ne la portent plus. Son cœur ne peut pas endurer ça. Elle ignore combien de temps elle reste là.

Mr Buchanan, s'étant réveillé et ayant constaté l'absence de Mrs Dawson, la découvre au-dehors, presque inconsciente. Il la porte dans ses bras comme une enfant et l'assied près du feu, qu'il ranime jusqu'à ce que les flammes s'élèvent de nouveau, affamées. Il lui affirme que la douleur finira par disparaître.

— Elle s'éteindra toute seule. Comme la tempête. Elle finira par s'arrêter.

Mais elle ne le croit pas et la tourmente hurle farouchement en réponse, comme pour confirmer qu'elle a raison.

North Sunderland, Angleterre.

Après un voyage long et difficile, George Emmerson arrive à Bamburgh. De là, on lui indique le petit port de North Sunderland, mais sa sœur ne loge dans aucune des tavernes ni aucun appartement privé ni aucun cottage de pêcheur. Tout ce qu'il trouve, ce sont des voix assourdies, des visages sombres et la tragique histoire d'un navire naufragé. Son seul fragment d'espoir réside dans la survie de plusieurs membres d'équipage, qui, apprend-il, se sont échappés dans une chaloupe. La rumeur prétend que tous les autres sont morts. Mais tant qu'il n'en a pas confirmation, tant qu'un officiel ne le lui annonce pas avec une certitude absolue, il refuse d'abandonner tout espoir. Il sent la présence de Sarah. Il est sûr qu'elle est en vie. En revanche, pour les enfants, il ne peut le dire.

Il prend une chambre au *Olde Ship Inn*, sur les quais. Quand il fait beau, explique le patron, on peut voir les îles Farne des chambres de l'étage. Ça ne le réconforte pas. C'est une torture d'être aussi près de l'endroit où se trouve peut-être Sarah et de ne pas pouvoir la rejoindre, puisque la mer est trop déchaînée pour qu'un bateau ou une barque ne s'y aventure.

Il ne peut pas dormir avec la tempête qui cingle le carreau et éparpille ses pensées comme des feuilles mortes. Il réfléchit à l'insouciance qui était la sienne quelques jours plus tôt, à la joie qu'il éprouvait à l'idée de voir Sarah, et à la fascination qu'il avait ressentie pour la jeune femme qu'il avait découverte sur les dunes et avec qui il avait bavardé de dragons et de verre de mer. Comme les choses changent vite.

Sa fascination pour Grace Darling lui semble soudain puérile, immature et ridicule. Sans importance. Dans le tohu-bohu de son inquiétude pour sa sœur, il ne se rappelle même plus à quoi ressemble Miss Darling et il est persuadé que ses traits dessinés avec fièvre n'étaient pas les siens.

Pendant la longue nuit, il se tourne et se retourne, et pour la première fois depuis des jours, il aimerait qu'Eliza soit là pour le réconforter. Elle saurait quoi dire. Elle poserait une main fraîche sur son front et lui ordonnerait de ne pas s'inquiéter autant. C'est une femme bien et elle mérite mieux qu'un homme qui passe son temps à penser à une autre. La vie lui a envoyé un rappel sévère de la cruauté dont elle peut faire preuve à tout instant. Tandis qu'il est allongé tout habillé sur la paillasse, prêt à sortir en hâte à la moindre nouvelle, il vient à l'esprit de George que plutôt que de ressasser une brève rencontre avec une inconnue, il ferait mieux d'épouser la femme qu'il connaît depuis toujours.

Il s'assied et griffonne rapidement une lettre pour Eliza, dans laquelle il lui exprime son amour, et lui explique qu'il a pris un coche pour North Sunderland dans l'espoir de trouver Sarah et les enfants. Mais les mots lui paraissent creux quand il les relit et comme le feu est en train de faiblir dans le foyer, il utilise la feuille pour l'alimenter en songeant à l'existence qui prend plusieurs directions, dont la mauvaise, en même temps. Le vent le maintient éveillé jusqu'à l'aube où il finit par se mettre à somnoler.

Quand il se réveille au milieu de la matinée, un calme étrange règne. Sans prendre de petit déjeuner, il sort dans les ruelles étroites et tortueuses, frappe chez des étrangers et arrête des femmes à l'air tourmenté. Il explique qu'il cherche désespérément à apprendre ce qui est arrivé à sa sœur et à ses enfants, que l'on croit disparus dans le naufrage du *Forfarshire* mais les gens baissent les yeux et secouent la tête. Nul ne sait rien sur une Sarah Dawson et ses enfants. *Rien du tout.*

16

Grace

Phare de Longstone. 12 septembre 1838.

Le soleil se lève trois fois sur Longstone avant que les conditions marines soient considérées comme assez sûres pour que l'équipage de l'embarcation de sauvetage retourne chercher les corps sur Harker's Rock afin de les amener à Bamburgh avant de continuer jusqu'à North Sunderland. Là les sauveteurs échangent la barque de pêche qu'ils ont empruntée contre le canot. Il leur faut deux jours pour revenir et emmener les survivants sur le continent. Comme Père l'avait prédit, Robert Smeddle vient avec eux.

Mam râle à la fenêtre à côté de moi tandis qu'on le regarde débarquer, chancelant, son manteau noir volant au vent comme des ailes. Elle n'a pas oublié l'oiseau qui est entré par le carreau le jour du naufrage. Un mauvais augure, assurément. Elle croise les bras et renifle, moqueuse.

— Je savais qu'il viendrait fourrer son nez par ici. Suis surprise qu'il lui ait fallu si longtemps.

Père lui rappelle patiemment qu'il est du devoir de Robert Smeddle d'être tenu informé de tout ce qui concerne les naufrages et les naufragés.

— Il ne fouine pas, il fait son travail, madame. N'oublie pas que nous sommes plus ou moins ses employés, que ça nous plaise ou non.

Mam renifle de nouveau.

— Ça ne nous plaît pas.

Ayant été convenablement réprimandée, elle fait néanmoins de son mieux pour se montrer polie avec notre invité, sans tenir compte de ses sentiments personnels.

— Mrs Darling ! William ! Jeune Grace !

Smeddle nous salue chaleureusement, et fourre trois pains frais et une cuisse de jambon dans les bras de ma mère.

— Je vous apporte du ravitaillement, Mrs Darling. Des tonneaux d'eau douce, des pois séchés, du thé, de l'orge et de la farine. (Je sens ma mère se détendre à chaque mot.) Et des bateaux pour rapatrier les survivants anéantis sur le continent et vous libérer de votre inquiétude. Vous devez être épuisée, d'avoir cuisiné et nettoyé pour autant de personnes. Quelle femme vous êtes ! Vous avez envie de vous reposer et de reprendre le cours normal de votre vie, j'en suis certain.

Je ne peux m'empêcher de sourire tandis que Mam s'agite et s'évente en prenant sa voix « élégante » pour expliquer qu'elle est totalement essorée et qu'elle ne peut pas se rappeler la dernière fois où ses pauvres pieds douloureux se sont reposés.

Tandis que Père fait entrer Smeddle, je marche derrière ma mère, qui examine attentivement le jambon. Convenablement impressionnée par sa qualité, elle admet que Mr Smeddle n'est pas si désagréable finalement.

—Au moins, il a songé à apporter des provisions : on ne peut pas dire la même chose de tout le monde.

Elle n'a jamais pardonné aux Herbert d'être arrivés les mains vides un jour de Pentecôte parce qu'ils avaient oublié un panier plein de victuailles dans leur arrière-cuisine. Elle leur avait servi un maigre souper pour le leur faire comprendre. Ils ne s'étaient plus jamais présentés chez nous les mains vides.

Smeddle arbore son air habituel d'autorité en se dirigeant vers le phare. Il adresse des remarques à mon père tout en me tendant son manteau et son chapeau comme si j'étais la bonne à tout faire.

—J'avais déjà mené une enquête et rédigé mes remarques pour le conseil, considérant que le dossier était clos quand votre fils, Brooke, est revenu avec l'équipage du bateau de sauvetage de North Sunderland et a rapporté les événements extraordinaires qui se sont déroulés ici. Il fallait évidemment que j'entende tout ça de mes propres oreilles et je suis venu aussi vite que possible !

Après plusieurs jours de chagrin silencieux et de prières, la voix autoritaire de Smeddle est trop forte et trop sévère dans l'espace confiné au rez-de-chaussée du phare. De manière inattendue, il reporte son attention sur moi.

—Jeune Grace. Votre frère m'a raconté que vous aviez participé au sauvetage, ce en quoi j'ai présumé que vous aviez soigné les survivants quand ils ont regagné Longstone, mais il m'a assuré que vous aviez fait beaucoup plus que jouer les infirmières ce jour-là. Il prétend que vous avez pris le canot avec votre père. Est-ce vrai ?

Je me tortille sous le regard insistant de Smeddle : j'aimerais qu'il ne me contemple pas de ses yeux plissés. *Impossible de deviner s'il est soupçonneux ou enthousiaste. Qu'importe, je ne souhaite pas être le centre de l'attention de Robert Smeddle, ni de quiconque, d'ailleurs.*

— Oui, confirmé-je. J'ai pris la mer dans la barque avec mon père pour aider les pauvres survivants.

Je garde un ton léger et détaché tout en suspendant le manteau de Smeddle à la patère près de la porte où il oscille comme un pendu. Je ne me laisse pas désarçonner par son allure sinistre.

— Mon père a fait le voyage deux fois.

Sentant mon embarras, Père intervient pour confirmer les dires de mon frère.

— On vous a rapporté la vérité, Robert. Grace a été la première à voir le naufrage de la fenêtre de sa chambre. Comme à son habitude, elle s'est montrée très réfléchie et m'a assisté avec compétence pendant le sauvetage. Comme vous le savez, c'est une rameuse expérimentée. Je n'aurais pas pu faire le trajet sans elle. Je n'avais jamais vu la mer aussi déchaînée.

L'évidente incrédulité de Smeddle s'installe dans les rides de son visage et sa regrettable pâleur me rappelle des plis sur une flaque de cire chaude.

— Je sais, bien sûr, que votre fille est très énergique. Je l'ai souvent vue ramer autour des îles, vers le continent ou vers Brownsman par temps clair, mais la mer, la nuit où la catastrophe s'est abattue sur le *Forfarshire*, ouvre une perspective tout à fait différente sur la chose. Je pensais que le jeune Brooks avait embelli le rôle de sa sœur dans le sauvetage et je dois avouer que j'avais pris son histoire pour des billevesées, mais peut-être me suis-je montré un peu hâtif. (Il se tourne de nouveau vers moi.) Et vous avez stabilisé la barque toute seule, Grace, tandis que la tempête faisait rage et que votre père s'occupait des survivants désespérés cramponnés aux rochers ?

Son récit dramatique ne déparerait pas dans une des histoires d'amour de Mary Herbert. Je m'efforce autant que je le peux de demeurer polie.

— Oui, Mr Smeddle, opiné-je. C'est comme ça que ça s'est passé, mais je ne suis pas restée longtemps seule dans le canot. Un des rescapés a ramé pendant que je m'occupais d'un homme gravement blessé et de la pauvre Mrs Dawson, qui était bouleversée par la mort de ses chers enfants.

Même après que mon père et moi avons corroboré le récit, Smeddle paraît incapable de comprendre ce qu'il entend.

— C'est tout simplement remarquable. J'ai du mal à croire qu'une femme ait pu envisager de prendre la mer par ce temps ou que votre père vous l'ait permis. C'était pure folie.

L'interminable interrogatoire de Smeddle est en train de faire perdre patience à mon père. Il se lève brusquement et les pieds de sa chaise raclent le sol : le bruit exprime tout son agacement à sa place.

— Eh bien, je le lui ai permis, Robert. C'est Grace qui a insisté pour que nous nous portions au secours des naufragés alors que j'hésitais. Elle m'a accompagné et vous connaissez le reste. (Il pose les mains sur ses hanches.) Maintenant, à moins que ce ne soit une enquête officielle, je pense qu'il serait bon que nous mangions tous un morceau et que nous passions à autre chose.

Smeddle s'esclaffe en renversant tellement la tête en arrière que son chapeau tombe sur le sol.

— Passer à autre chose ! Écoutez bien ce que je dis, William, on ne passera jamais à autre chose. Les gens du coin parlent déjà de Grace et ils en parleront pendant longtemps, je parie. Lorsque les journalistes auront vent du rôle qu'elle a joué, tout le pays ne parlera que d'elle. Tout le monde aime les histoires romantiques avec une jeune héroïne audacieuse.

Il se lève et s'empare de mes mains qu'il presse fermement. Ma peau se rebiffe sous la caresse de sa chair moite. Mon cœur s'accélère quand il se penche vers moi. Il me considère avec intensité et ajoute d'une voix basse :

— Cet exploit vous vaudra les honneurs, Grace. Les honneurs ! Retenez bien ce que je vous dis.

J'éclate d'un rire nerveux. J'aimerais bien qu'il me lâche.

— Qu'entendez-vous par là ?

— Vous allez devenir célèbre, Grace Darling ! (Il frappe sur la table du plat de la main et je sursaute.) Et quel nom pour accompagner un tel courage. Grace Darling – Héroïne des mers.

Il agite théâtralement les mains en parlant, comme un directeur de théâtre présentant sa dernière pièce.

Je lui souris poliment en l'assurant qu'il se trompe lourdement.

— Il est du devoir du gardien de phare de sauver ceux qui sont en péril. (J'attrape un livre posé sur le rebord de la fenêtre et je le feuillette jusqu'à ce que je trouve le passage que je cherchais.) « Il est du devoir des gardiens de phare de porter secours aux naufragés autant qu'ils le peuvent », lis-je à haute voix. Vous voyez, c'est écrit dans le manuel d'instructions de Trinity House. Quel genre d'histoire les journaux pourraient-ils bien tirer d'un fait aussi banal ?

Pour toute réponse, Smeddle se contente d'un sourire satisfait qui me fait frissonner.

— Quoi qu'il en soit, poursuit-il, le verdict officiel rendu sur l'incident a été invalidé, il faut donc ouvrir une seconde enquête. Votre rapport officiel constituera une preuve importante, William.

Père lui garantit que tout est en ordre de ce côté-là.

— J'ai déjà rédigé un compte-rendu complet qui est prêt à être envoyé à Trinity House. Je n'ai rien à ajouter, Robert. Nous sommes venus en aide à des passagers naufragés que nous allons faire raccompagner sur le continent en espérant qu'ils se remettront vite. Nous avons accompli notre part du travail.

Smeddle fait craquer ses phalanges et se mouche avec vulgarité en marmonnant que les choses ne sont jamais aussi simples que ça.

Incapable de tolérer sa présence plus longtemps, je prends congé mais même mes tâches quotidiennes ne peuvent me distraire de l'écho des paroles de Smeddle. « Les gens du coin parlent déjà de Grace… Lorsque les journalistes auront vent du rôle qu'elle a joué, tout le pays ne parlera que d'elle. » Alors que le vent joue avec les rubans de mon bonnet, un sombre malaise s'installe sur ma peau comme une fine couche d'embruns. Je regarde en direction de la côte à peine visible du continent en me demandant si c'est vrai : *Est-ce que les gens parlent de moi ? Les violentes rafales qui ont frappé notre île ont-elles porté mon nom si loin et si vite ? Même si c'est vrai, on oublie facilement un nom. Comme la tempête, tout intérêt pour ma famille ou moi-même s'estompera rapidement.*

J'en suis certaine.

17

Grace

Phare de Longstone. 12 septembre 1838.

Presque aussi soudainement qu'ils sont arrivés, nos invités imprévus s'en vont.

Un par un, les neuf survivants du *Forfarshire* se préparent à quitter Longstone. Ils sont impatients de retrouver leurs familles et un peu anxieux à l'idée de revenir à une vie à jamais transformée par ce qu'ils ont enduré et perdu.

De nombreuses manifestations de gratitude sont échangées au moment où le canot s'apprête à partir. Je prête main-forte quand c'est nécessaire et me fais discrète quand on n'a plus besoin de moi. J'ai pris l'habitude de m'occuper de ce petit groupe et il est difficile de faire mes adieux.

Quand il s'agit de Sarah Dawson, je ne peux m'empêcher de voler à son secours, qu'elle le veuille ou non. Terrifiée à la perspective de reprendre la mer, et toujours terriblement faible et fragile – elle n'a quasiment ni dormi ni mangé depuis son calvaire–, elle monte en tremblant dans la barque. Elle pose la main sur ma joue en s'asseyant.

—Vous et les vôtres, vous êtes montrés tellement bons, Miss Darling. Je ne l'oublierai jamais. (Elle me glisse quelque chose dans la main.) Un témoignage de ma reconnaissance éternelle.

En voyant qu'elle m'a donné son médaillon, j'insiste pour qu'elle le reprenne.

—C'est trop, Sarah, protesté-je. Je vous en prie. Je ne peux pas accepter.

Elle refuse de m'écouter et referme en silence mes doigts sur le bijou avec un sourire tendre.

—Il contenait une mèche de cheveux appartenant à chacun de mes enfants. C'est trop douloureux pour moi de le voir vide. Il n'a pas beaucoup de valeur mais ça signifierait beaucoup pour moi de savoir qu'il est avec vous dans le phare.

Tant de souffrances et de tourments se lisent sur son visage que je n'ai d'autre choix que d'accepter.

—Je le chérirai. Merci.

—C'est avec beaucoup de fierté que je vous aurais présentée à mes enfants, reprend-elle. « Voici Miss Grace Darling, leur aurais-je dit. Un des anges de Dieu sur terre et la femme la plus courageuse de toute l'Angleterre. » (Des larmes lui montent aux yeux.) Matilda voulait savoir comment on faisait pour faire brûler les lampes toute la nuit mais je n'ai pas été capable de lui répondre. Vous auriez pu le lui expliquer, n'est-ce pas ?

Je hoche la tête, incapable de trouver quoi que ce soit de réconfortant à dire.

— Ça fait cinq jours et cinq nuits que je suis sans eux, poursuit-elle. Je ne les avais jamais quittés une seule journée. Pas depuis qu'ils avaient éclos dans mon ventre et qu'ils avaient agité leurs minuscules pieds.

Mes pensées se tournent vers les petits corps raides sur le rocher, ces petits corps qui reposent à présent au château de Bamburgh en attendant que leur mère leur dise « adieu » à jamais. Je saisis les mains de Sarah dans les miennes.

— Si jamais je me marie un jour et que j'ai le bonheur d'avoir des enfants, je leur parlerai de vous, Mrs Dawson. Ce que vous avez enduré ces derniers jours... j'espère montrer autant de courage si la vie m'y oblige.

Nous nous étreignons une ultime fois et, le cœur lourd, debout à côté de mes parents, je regarde en silence la mer, qui a volé tant de choses à Mrs Dawson et aux autres, les transporter vers le rivage lointain et la vie déformée qui les attend là-bas.

Une fois nos invités partis, je me sens aussi vide que Longstone. La pièce me paraît dix fois plus grande qu'avant. Beaucoup trop vaste pour nos besoins simples. Le phare ressent l'absence de tout le monde, lui aussi. Une hésitation plane dans l'air tandis que nous essayons de reprendre le cours de notre routine oubliée dans le tumulte des derniers jours. Le phare étant vide, j'accomplis rapidement mes tâches et profite du premier jour de temps décent depuis presque une semaine pour me promener sur l'île. La tempête a tout dévasté, laissant derrière elle çà et là des amas impressionnants de bois flotté et d'algues. Des coquillages et des étoiles de mer échoués forment des taches orange sur le sable, comme la chair des pêches mûres mais ce sont les cadavres d'une dizaine de bébés phoques qui sont la preuve la plus bouleversante des ravages de la tourmente. L'aspect de l'île, son atmosphère, est transformé par ce qui vient de se produire. Tandis que je marche, mon attention est attirée par un caillou de forme inhabituelle. Je me penche pour le ramasser en souriant : la spirale est caractéristique des « curiosités » de Mary Anning. *Une créature marine fossilisée. Un morceau du passé rejeté dans le présent.* Tout en caressant le motif ondulé du bout des doigts, je songe que Mr Emmerson voudrait sûrement le voir et je me rends compte que je n'ai pas pensé à lui depuis des jours, mon esprit ayant été entièrement préoccupé par d'autres sujets. Mais maintenant que j'y songe, je découvre que je ne l'ai pas oublié du tout. Je me rappelle parfaitement notre conversation. Quand il m'avait demandé si j'avais aperçu les dragons des mers de Miss Anning, je lui avais répondu qu'ils ne nageaient pas si loin au nord parce que l'eau était trop froide pour eux. Son rire chaleureux m'avait enveloppée comme un feu de forge. Même refroidie par la distance des semaines qui se sont écoulées, une étincelle brille toujours en moi. Je glisse le fossile dans ma poche pour l'ajouter à ma collection. Et je range Mr Emmerson dans un endroit très privé au fond de mon cœur.

Je reste là pendant un long moment, juste moi et mon île adorée, les rubans de mon bonnet volant dans le vent, ma jupe tourbillonnant autour de moi, se balançant d'avant en arrière comme la cloche d'une église. Des bateaux à vapeur passent à l'horizon. Des barques de pêche vont et viennent. Tout reprend son cours normal.

M'étant administré une dose nécessaire et tonifiante de soleil et d'air marin, je me fraie un chemin avec précaution sur les rochers couverts d'algues glissantes en direction du repère familier que constitue le phare. Dans le chaos du sauvetage, les lampes ont été quelque peu négligées. Il y a beaucoup de travail à accomplir.

Ce n'est que bien plus tard que je me rappelle le pli trouvé dans la poche du manteau de Mrs Dawson. L'enveloppe et la missive sont toujours posées sur le manteau de la cheminée, les pages sèches et froissées comme des feuilles mortes, l'encre étalée. Je ne peux pas m'empêcher de remarquer des croquis de phare dans les marges tandis que je plie le feuillet. J'hésite un instant en imaginant ma sœur Mary-Ann, penchée par-dessus mon épaule et me pressant de lire la lettre. Mary-Ann n'est pas très discrète mais je respecte l'intimité de Mrs Dawson. Je lisse la feuille et la glisse dans l'enveloppe que je range dans la poche de ma jupe. Je la lui rendrai dès que je pourrai gagner le continent et me renseigner pour obtenir son adresse. Quand je mets le pli dans ma poche, mes doigts se posent sur le médaillon gravé : j'avais oublié l'avoir rangé là. Je le sors pour admirer le délicat fermoir en filigrane et les mots gravés au dos : « Même les plus courageux ont eu peur un jour. » J'enfile le pendentif autour de mon cou. Je m'attendais à ce qu'il m'embarrasse un peu, lourd qu'il est du poids du chagrin de Mrs Dawson mais il repose agréablement au creux de mon cou.

Ce soir-là, alors que je suis assise près de la cheminée pour lire mon volume de géographie préféré, mes doigts jouent distraitement avec le médaillon. Mes pensées errent souvent vers les petites mèches de cheveux qui auraient dû être nichées à l'intérieur, ce qui me conduit à songer à Sarah Dawson puis à Mr Emmerson, dont le visage s'installe avec tant de détermination dans mon esprit que je peux presque sentir sa présence à mes côtés, aussi invisible et précise qu'un léger souffle de vent sur ma peau.

North Sunderland, Angleterre.

Au *Olde Ship Inn*, George Emmerson est agité : il attend le retour du canot qui lui ramènera sa sœur. Incapable de se calmer, il fait les cent pas entre la fenêtre et son fauteuil, mais toujours aucun signe d'elle. Il répète son discours en boucle dans sa tête mais aucune parole ne suffira. Aucun mot ne peut exprimer correctement ce qu'il veut dire. Aucune expression ne lui paraît juste.

La rumeur finit par se répandre que l'embarcation est de retour avec les survivants. George se rue vers le port où un silence endeuillé s'abat sur la foule de badauds lorsque les naufragés désespérés émergent, un par un, de l'escalier escarpé. Et la voilà. Sa chère sœur.

— Excusez-moi. Poussez-vous. Ma sœur est là-bas.

L'assistance s'écarte pour le laisser passer. Sarah lève la tête en mettant un pied vacillant sur le quai : elle le cherche des yeux et c'est quand elle voit son frère bien-aimé qu'elle tombe à genoux. George l'enlace et ils se blottissent étroitement l'un contre l'autre tandis que la foule s'éloigne pour respecter leur chagrin.

Ni l'un ni l'autre ne parlent. Parce que finalement, aucun mot n'est assez fort.

George sent les spasmes qui agitent le corps de sa sœur sous son manteau humide d'embruns. Il comprend qu'elle est brisée au-delà de toute guérison, mais il doit essayer de la réparer. Il presse son corps contre le sien en priant pour qu'un peu de sa douleur se déverse en lui et qu'il puisse porter ce fardeau à sa place.

Après un long moment, elle lève la tête de son épaule, les yeux rouges et gonflés, le visage si creux et si pâle qu'elle est presque méconnaissable : elle n'a plus rien de la femme pleine de vie qu'il a vue à Noël.

— Je dois les voir, George.

Sa voix n'est qu'un murmure.

Il hoche la tête.

— Tout est arrangé.

Ils avancent lentement et en silence vers un fiacre qui les attend pour les conduire à Bamburgh où Sarah trouvera une façon de dire « adieu » à ses enfants. Tout en marchant, George se demande comment les rues peuvent être aussi tranquilles, comment les femmes peuvent bavarder avec autant d'aisance de choses aussi anodines que la pêche du jour et comment il se fait que tout suive son cours normal pour certains alors que pour d'autres la vie a changé de manière irrévocable.

Un peu plus tard ce soir-là, quand c'est fait, Sarah est assise près du feu chez Eliza Cavendish, une tasse de thé à la main. Elle demande à George de l'encre et du papier.

— Pour quoi faire, ma sœur ?

— Je veux tout écrire. Ce que je me rappelle. Sur le phare et ceux qui m'ont sauvée.

Il s'accroupit à côté d'elle.

— C'est fini maintenant, Sarah. Il faut oublier.

Il se montre patient et choisit ses mots avec soin.

Mais Sarah n'est pas d'accord.

— Je dois me souvenir, George. Nous ne devons jamais oublier.

Pensant qu'elle divague à cause de son chagrin, George décide d'être conciliant.

— Très bien. Je vais te chercher du papier.

— Merci. Nous ne devons pas oublier les gens courageux qui sont venus à notre secours. On ne doit jamais oublier son nom.

— Le nom de qui ?

— De la femme qui m'a sauvée. Grace Darling.

Le feu craque et crachote, et une étincelle bondit sur le tapis devant le foyer. George se penche pour la ramasser avec le tisonnier et la renvoie dans le feu. Le tapis est brûlé et une marque rousse est à jamais gravée dans sa laine.

Dans un instant de lucidité, George comprend que c'est exactement ce que Miss Darling lui a fait. Malgré la brièveté de leur échange, malgré ses fiançailles avec Eliza Cavendish, malgré l'absurdité de tout ça, Grace Darling s'est gravée au fer rouge dans son âme. Et il ne pourra pas ôter facilement son souvenir de son cœur, pas plus qu'il ne pourra faire disparaître la cicatrice sur le tapis.

Volume II

héroïne : *(nom commun)*
femme admirée et imitée
pour ses prouesses et ses qualités

« Y a-t-il dans toute l'histoire, ou même la fiction, un seul exemple d'héroïsme féminin comparable un seul instant à celui-ci ? »

The Times, 19 septembre 1838

18

Matilda

Newport, Rhode Island. Mai 1938.

La matinée touche à sa fin et le soleil triomphant illumine la baie de Narragansett, qui scintille comme de la soie. Je suis Harriet qui contourne d'immenses piles chancelantes de paniers de homards et de crabes ainsi que d'épais rouleaux de corde. Je me couvre le nez : la puanteur âcre de la vie du port se faufile dans ma gorge et me retourne l'estomac.

Harriet détache une petite barque de son amarrage et s'éloigne de la jetée en ramant avec aisance. Nous glissons bientôt sans effort dans la baie et le doux balancement du canot n'est pas pire que celui d'un train. M'étant préparée à avoir de nouveau le mal de mer, je suis surprise d'apprécier cette balade tandis que Harriet godille vers une petite île au beau milieu de la baie. Je me pince le nez pour bloquer l'odeur accablante du varech. Harriet lève les yeux au ciel en secouant la tête. Je l'ignore, concentrée sur la vue.

Malgré la puanteur, j'apprécie la brise dans mes cheveux, la piqûre du vent sur mes joues, le miroitement du soleil sur la surface de l'eau et le clapotis apaisant des vagues contre la coque. *Nouveaux bruits, nouvelles odeurs, nouvelles sensations.* Ma peau picote en réponse tandis que je laisse traîner la main dans l'eau en me souvenant des jours d'été heureux quand mon père retroussait son pantalon, ôtait ses chaussettes et barbotait dans la mer avec moi. Il sautait par-dessus les petites vagues et je couinais de plaisir. Je suis toujours hantée par son expression le jour où ma mère lui a appris que je m'étais déshonorée de la pire manière en tombant enceinte. Le voir refermer la porte du salon derrière lui avec autant de précaution était une démonstration parfaite de dignité et de sang-froid, qualités dont je m'étais montrée particulièrement dépourvue. Je voulais juste qu'il soit fier de moi. Et tout ce que j'avais réussi à faire, c'était le décevoir.

Pendant que mes pensées se promènent en Irlande, Harriet se concentre sur ses rames jusqu'à ce qu'elle ne puisse plus supporter le silence qui règne dans la barque.

— Vous finirez par vous y habituer, dit-elle. À l'odeur.

Comme un chiot qui meurt d'envie qu'on s'intéresse à lui, je saute sur l'occasion de bavarder.

— Je l'espère. C'est toujours aussi affreux ? Je la sens dans ma gorge.

— Bienvenue à Aquidneck.

— Vous vivez ici depuis longtemps ?

Harriet tire sur les avirons. Quatre longs coups. Elle ne répond pas.

— L'Irlande vous manque ? insisté-je.

Elle me lance un regard dur.

— Je croyais que vous ne deviez pas poser de questions. Ce n'était pas notre marché ?

Son ton est tranchant comme si elle me prévenait de ne pas m'approcher.

Je croise les bras d'un air de défi, me redresse et hausse le menton.

— Inutile d'être aussi impolie. J'essaie juste de faire la conversation parce que je suis assise avec vous dans ce fichu canot, que je dois passer cinq mois avec vous et que c'est normal d'apprendre à se connaître – surtout quand on est parentes.

Ma voix tremble d'émotion et la fureur que je retiens depuis des semaines se déverse comme un torrent. Je suis en colère contre mes parents parce qu'ils m'ont chassée au moment où j'avais le plus besoin d'eux et contre Harriet Flaherty parce qu'elle n'est pas ce que j'avais imaginé. Je suis même un peu en colère contre Mrs O'Driscoll pour m'avoir abandonnée au moment où je commençais à me sentir un peu plus optimiste. Je songe au morceau de papier dans la poche de mon manteau. L'écriture soignée. Le mot « courage ».

Une chaleur s'élève du médaillon pendu à mon cou. Comme le varech de Newport, et l'air moite et salé sur ma peau, Harriet Flaherty a un effet presque physique sur moi.

— Si vous êtes résolue à ne pas m'apprécier, à votre guise. De toute façon, vous devez n'en faire qu'à votre tête puisque vous vivez seule et que vous repoussez les gens avec vos remarques blessantes, votre air renfrogné et vos… vos vêtements tout droits sortis d'un rayon hommes des années 1920.

Quand je cesse de parler, je tremble mais je suis contente de m'être défendue. Je refuse de laisser Harriet Flaherty me malmener et m'intimider. Ma mère s'est comportée comme ça avec moi pendant dix-neuf ans et je n'ai pas franchi la moitié du globe pour subir le même traitement.

Harriet garde le silence tout en continuant de ramer sans jamais perdre le rythme. J'ai envie de lui hurler dessus mais j'appuie les paumes sur le banc en bois pour y répandre ma frustration et je contemple le phare devant nous en refoulant les larmes qui menacent de couler à tout instant. Les rames s'entrechoquent sur leur support lorsque Harriet les sort de l'eau et les pose sur les bords de l'esquif. Nous dérivons un instant en silence. Elle finit par répondre au bout d'un long moment.

— Vous n'êtes pas si sotte, finalement. Je pensais que vous étiez devenue une petite dame collet monté comme votre mère, mais je me suis peut-être trompée. Il n'y a rien de pire qu'une fille qui n'a rien à déclarer d'autre que « Vous aimez cette robe et ce chapeau ? » et « Quand est-ce que je vais me marier ? » (Elle se penche vers moi.) Je suis ravie de voir que vous avez quelque chose dans le ventre, Matilda. C'est tout.

C'était donc un test. Elle me provoquait.

— C'est certain que j'ai quelque chose dans le ventre, rétorqué-je, maussade.

Nous nous jetons un coup d'œil à la dérobée avant de détourner le regard, mais j'ai le temps de voir une esquisse de sourire sur les lèvres de Harriet. Je dissimule le mien sous un faux bâillement et je tourne le visage vers le soleil.

Quelle femme exaspérante!

Après avoir amarré le canot près du débarcadère, Harriet gravit rapidement la volée de marches qui mène au phare. La barque s'incline et oscille quand je fais un pas en avant. Si je n'étais pas si têtue, je demanderais de l'aide à Harriet mais je refuse qu'elle me trouve faible ou sans défense, aussi, je rampe à quatre pattes jusqu'à la terre ferme. Je suis Harriet le long d'un sentier tortueux de galets, la robe en coton qu'elle m'a prêtée collée à moi comme des berniques sur un rocher.

De près, le phare est beaucoup plus imposant que ce à quoi je m'attendais. Une tour octogonale en bois blanc se dresse fièrement au-dessus de l'habitation de deux étages du gardien. La partie basse est en bois blanc; la partie haute est un toit pentu couvert de tuiles avec trois chiens-assis sur chaque côté. La salle de la lanterne couronne le tout, entourée à l'extérieur par une grille en métal noir. Je renverse la tête et la hauteur de la tour me donne le vertige. La brise est plus forte sur l'île, qui, contrairement au port, n'est protégée par aucun des bâtiments qui bordent les quais. Je porte la main à mon chapeau tout en contemplant la lanterne; je suis tellement fascinée que je ne remarque pas le chien qui se dirige vers moi avant qu'un museau humide ne pousse ma main.

Je me penche pour le caresser. C'est un petit mélange adorable de noir et de blanc qui agite frénétiquement sa queue raide et balance son corps de droite à gauche quand je lui frotte les oreilles. Il me contemple avec deux yeux marron adorateurs jusqu'à ce qu'un sifflement strident ne le fasse détaler. La main en visière pour me protéger du soleil, je le regarde courir vers un homme qui le prend dans ses bras avant de me rejoindre.

— Pardon, dit-il une fois devant moi. Il veut être ami avec tout le monde, celui-là.

Je souris et lui garantis que ça ne me dérange pas.

— J'adore les chiens et ce petit bout est mignon comme tout.

L'inconnu chatouille affectueusement le ventre de l'animal.

— T'es bien un charmeur, tiens. Hein, Captain ?

— Joli nom pour un chien.

— C'est une chienne.

J'éclate de rire en m'excusant. Captain se tortille dans les bras de l'homme. Il la pose par terre et lance un morceau de bois flotté délavé par le soleil pour qu'elle aille le chercher.

— Je m'appelle Joseph, au fait, annonce-t-il en me tendant une main bronzée. Joseph Kinsella. Je suis l'assistant du gardien.

Avec son jean délavé, ses chaussures bateau et son sweat-shirt aux couleurs d'une université, Joseph Kinsella est l'incarnation parfaite de l'Américain. Une mèche de cheveux blonds tombe sur ses yeux qui sont de la même couleur que son jean. Il me rappelle Andy Hardy, joué par Mickey Rooney, dans *A Family Affair* mais en plus vieux et en plus avisé.

— Matilda, dis-je en lui serrant la main. Je loge chez Harriet Flaherty. Elle est quelque part par là.

Je jette un coup d'œil autour de moi mais elle n'est nulle part en vue.

Le visage de Joseph s'éclaire comme s'il m'avait reconnue.

— Alors c'est vous, l'Irlandaise sauvage !

— « Sauvage » ?

J'ai les joues en feu. Harriet ne lui a quand même pas expliqué les véritables raisons de ma présence ici. *Et l'histoire à laquelle elle était censée se tenir ?* Je songe soudain que si je suis supposée avoir été mariée, je devrais probablement porter une alliance.

— Je plaisante, répond Joseph. Un quart de sang irlandais coule dans mes veines. Est-ce que ça me donne le droit de vous taquiner ?

Son sourire à fossettes est difficile à ignorer.

— De justesse, rétorqué-je en souriant.

— J'ai cru comprendre que vous alliez rester avec Harry pendant tout l'été.

— Harry ? C'est comme ça que vous l'appelez ?

— C'est sous ce nom que tout le monde la connaît. J'ai eu le choc de ma vie en découvrant que Harry Flaherty était une femme !

— À peine.

Il éclate de rire.

— C'est la première fois que vous venez à Newport ?

— C'est la première fois que je viens en Amérique. Et la première fois que je quitte l'Irlande, expliqué-je tandis que Captain se rue sur nous et laisse tomber fièrement le bâton de bois flotté à mes pieds, le museau penché sur le côté, pleine d'espoir.

— On dirait que vous vous êtes déjà fait une amie, remarque Joseph en ramassant le bâton pour le jeter le plus loin possible, Captain se lançant aussitôt après lui. D'où venez-vous en Irlande ? Ma famille est à Sligo.

J'hésite. Mère m'a bien entraînée : elle a insisté pour que je ne raconte pas ma vie et que je ne me lie d'amitié avec personne. L'idée que ma situation puisse franchir l'océan en sens inverse et parvenir aux oreilles de son cercle de relations toujours promptes à critiquer la terrifie. Mais à présent que je suis si loin d'elle, tout ça m'est soudain complètement égal.

— Ballycotton, réponds-je. Dans le comté de Cork.

— Magnifique région. Il paraît que les plages sont splendides mais nous en avons des tas ici capables de rivaliser avec elles.

Captain revient avec le bâton qu'elle lâche de nouveau à mes pieds. Je caresse ses oreilles veloutées et jette un coup d'œil au phare. *Toujours aucun signe de Harriet. Je ne serais pas surprise qu'elle ait regagné le continent en me laissant derrière elle pour me tester.*

—Je suppose que vous ne savez pas où se trouve Harriet ?

—Probablement sur la plage à l'arrière. Elle aime ramasser des coquillages et ce genre de choses. Je dois monter dans la salle de la lanterne. Vous êtes la bienvenue si vous voulez m'accompagner pour visiter.

Joseph rappelle Captain d'un sifflement et emprunte le sentier vers le phare. Je le suis, la chienne sur mes talons, le soleil dans mon dos et la brise ébouriffant mes cheveux. Je suis à Newport depuis moins d'un jour et je me sens déjà à mille lieues de mon existence en Irlande. Il y a quelque chose de délicieusement simple dans cette petite île avec son phare en bois et pendant quelques instants sereins, je ne suis plus la fille du politicien qui s'est déshonorée, entraînant sa famille avec elle, je suis juste une Irlandaise sauvage en vacances en Amérique, aussi libre que le vent qui ride l'eau de la baie.

C'est à cet instant que je perçois un étrange frôlement au plus profond de moi, comme si une plume avait effleuré ma peau. Je me fige et reste parfaitement immobile. Je le sens de nouveau. Puis encore. « Quand on sent le premier battement de vie… rien ne peut se comparer à ça. » La signification de ce qui m'arrive me coupe le souffle tandis que Captain me dépasse. Devant moi, Joseph dit quelque chose à propos d'un verre de thé glacé. Je me remets en marche, l'esprit tourbillonnant et une fois parvenue au phare, je m'adosse à la porte. Soudain prise d'un vertige, je trébuche sur le seuil et chancelle à l'intérieur, exactement comme la putain ivre dont ma mère m'a traitée.

Joseph s'empare de mon bras et me conduit vers une chaise. Il me tend un verre d'eau et dit qu'il va chercher Harriet. Je ne suis pas certaine de lui avoir répondu.

Captain s'étend avec dévouement à mes pieds et alors que je contemple mon reflet dans le verre, je sens de nouveau le frôlement. C'est la sensation la plus douce et le rappel le plus dur de ce que j'ai fait et des raisons de ma présence ici, et la seule émotion que je suis capable de ressentir est la peur.

Assise dans ce joli petit phare en attendant qu'un inconnu aille chercher une étrangère, je me rends compte que peu importe le nombre de parents éloignés que l'on a exhumés ou de chaperons avisés prompts à donner des conseils, je suis vraiment toute seule. Harriet Flaherty ignore tout de moi, et elle ne sait pas ce que ça fait d'être chassée loin des gens et des choses qu'on connaît. Même si sa maison américaine est bien pratique, Harriet ne peut pas plus pour moi que moi pour elle.

Au bout du compte, l'unique personne sur qui on peut vraiment compter, c'est soi-même.

19

Harriet

Phare de Rose Island. Mai 1938.

Le temps ne guérit pas, comme on le dit souvent. Je sens toujours les blancs dans mes journées, les moments où Cora devrait marcher, respirer et rire à mes côtés. Je viens ici tous les jours, sur cette petite plage en forme de fer à cheval pour ramasser des coquillages, du bois flotté et d'autres curiosités en mémoire de Cora, et je remplis mes poches jusqu'à ce qu'elles s'affaissent sous le poids de mes trouvailles.

Pendant seize ans nous avons marché, parlé et joué sur cette petite plage à l'ombre du grand phare. C'est là que Cora est tombée amoureuse de l'océan, là qu'elle a compris le fonctionnement compliqué du monde et là que l'enfant curieuse qu'elle était s'est transformée en une jeune fille brillante. Dans trois semaines, ça fera trois ans que je vis sans elle. Ça me paraît à peine possible.

On a toujours été toutes les deux. *Harriet et Cora. La gardienne du phare et sa fille.* « Regarde, Mama, criait-elle en se précipitant vers moi, une coque vide à la main, avant de repousser une mèche de cheveux de ses yeux d'une main pleine de sable. On est comme les deux moitiés d'un coquillage. » Sans elle, je ne suis même pas la moitié de ce que j'étais avec elle. Je ne sais pas comment « être » sans elle, alors je me suis retirée du monde comme un bernard-l'ermite qui détale entre les rochers pour se cacher.

Mais le monde m'a retrouvée.

Comme je m'y étais toujours attendue, le passé m'a rattrapée. Pourquoi maintenant, je l'ignore. Tout ce que je sais, c'est que malgré mes hésitations et mes incertitudes, la présence de Matilda a du sens. Elle me donne un but, une raison d'avancer. Pour le moment.

Quand son bébé naîtra à l'automne, Matilda retournera en Irlande. Je dois donc m'autoriser uniquement à barboter au bord de la relation que nous risquons de nouer pendant qu'elle est ici. *Je tremperai un orteil. Pour voir ce que ça fait. Je n'ai pas suffisamment confiance pour m'immerger en entier.*

Pas tout de suite.

Peut-être jamais.

20

Matilda

Newport, Rhode Island. Mai 1938.

Le frôlement cesse aussi brusquement qu'il a commencé et je me sens idiote lorsque Harriet pénètre précipitamment dans le phare, l'air inquiète.

— Matilda ? Tout va bien ? Joseph m'a dit que vous avez failli vous évanouir.

Ils se tiennent tous les deux devant moi comme des parents soucieux.

— Je suis en pleine forme, réponds-je en avalant une gorgée d'eau. J'ai eu un vertige mais tout va bien.

— Elle a repris des couleurs, remarque Joseph. Vous étiez toute pâle.

Je leur adresse mon sourire le plus convaincant.

— Sincèrement, je vais très bien. Je suis juste embarrassée d'avoir causé tout ce tapage.

Et dire que je ne suis pas censée attirer l'attention sur moi.

Harriet insiste pour que je boive du thé glacé sucré qu'elle va chercher dans la cuisine tandis que Joseph reste à mes côtés, gêné, comme s'il avait peur de me laisser seule.

—Vous m'avez fait une frayeur, observe-t-il en soufflant.

—Je suis désolée. Et merci pour votre aide.

Il hausse les épaules.

—Tant que vous vous sentez mieux, c'est tout ce qui compte.

—Je me sens vraiment mieux. Merci.

—Je vous montrerai la salle de la lanterne une autre fois.

J'opine.

—C'est probablement mieux comme ça.

Il hésite un moment avant de dire qu'il est content d'avoir fait ma connaissance.

—Je possède une petite galerie d'art en ville. Vous devriez y passer si vous n'êtes pas trop occupée. *Kinsella's*. Sur Bellevue Avenue.

Je lui réponds que je le ferai mais je ne le pense pas vraiment.

Il s'éloigne, Captain sur ses talons, et ses bottes crissent sur le sentier de galets qui s'étend au-delà de la fenêtre.

Pendant que Harriet s'affaire dans la cuisine, je me lève pour faire le tour de la pièce. Un poêle noir, identique à celui de ma grand-mère, se dresse contre le mur du fond, un soufflet et des tisonniers sont rangés dans un panier à côté. Sur le mur opposé, un buffet jaune moutarde est rempli d'assiettes et de bols de toute taille, tous ornés à la main de peinture de coquillages, de homards et de crabes. Il y a une petite table et deux chaises devant la fenêtre, et un géranium rouge ajoute une ravissante tache de couleur avec laquelle le soleil joue. Des trésors dénichés sur le littoral sont étalés en désordre sur les rebords des fenêtres : des coquilles Saint-Jacques, du bois flotté décoloré, des anémones de mer, des oursins et du verre de mer. La pièce dégage chaleur et personnalité. *Pas étonnant que Harriet aime passer autant de temps ici. Dommage que cette chaleur et cette personnalité n'aient pas déteint sur elle.*

Je me dirige vers une photo fixée au-dessus du poêle. C'est une page encadrée du *Harper's Weekly* de juillet 1869, le saisissant portrait d'une femme à l'air sévère dans une volumineuse robe noire. L'océan et un ciel tourmenté ont été peints à l'arrière-plan. Son regard merveilleusement intense exsude une détermination brute. Je redresse le cadre au moment où Harriet revient avec le thé glacé.

— Ah. Vous avez repéré Ida.

Elle remplit deux grands verres auxquels elle ajoute trois généreuses cuillerées de sucre avant d'avaler le sien en une seule fois et de s'essuyer la bouche d'un revers de main.

— Une sacrée femme.

— Qui est-ce ? demandé-je en goûtant avec réticence le thé froid et sucré qui se révèle étonnamment agréable.

— Ida Lewis. L'ancienne gardienne du phare de Lime Rock, dans le port. Mon père a trouvé cette photo dans une brocante le jour de notre arrivée ici. Ida est accrochée à ce mur depuis aussi longtemps que je vis à Newport.

—Vous l'avez rencontrée ?

—Ida ! Oh, non ! Vous me pensez aussi vieille que ça ? Elle est morte longtemps avant que je débarque ici. Boots l'a rencontrée, lui.

—Boots ?

—C'était le gardien de ce phare, avant. Aussi coriace que de vieilles…

—Boots ?

Harriet acquiesce, un demi-sourire aux lèvres.

—Fallait pas lui chercher des crosses si on ne voulait pas avoir d'ennuis. Il adorait raconter des histoires sur Ida. Il disait que c'étaient trois femmes en une. Une vraie peau de vache. Elle a pris le poste de gardienne à Lime Rock après que son père a fait une attaque. Elle a sauvé trente âmes. C'était une légende locale. (Harriet se perche sur le bord de la table, les pieds écartés sur le sol, les mains sur les genoux.) Mais elle se fichait bien du battage autour d'elle et des médailles qu'on lui a décernées. Les gens déboulaient par milliers l'été rien que pour la voir. Elle détestait être le centre de l'attention.

Elle se lève pour remplir de nouveau son verre.

—On l'appelle la Grace Darling de l'Amérique.

J'avale mon thé de travers, ce qui me fait tousser.

—Grace Darling ? Je la connais.

—J'espère bien. Grace a sauvé votre arrière-arrière-grand-mère Sarah d'un naufrage près du phare dans lequel elle vivait avec sa famille. C'était il y a une centaine d'années.

—Je possède une lettre que Grace a écrite à Sarah. Elle est dans un ouvrage que j'ai pris avec moi. Une espèce d'héritage familial. Les mères le transmettent à leur fille en même temps que ce médaillon.

Harriet me jette un coup d'œil puis baisse les yeux sur le pendentif. Elle hoche la tête et allume une cigarette.

—J'ai remarqué le livre sur votre table de nuit. *Instructions pour gardiens de phare.* Vous aviez l'intention de faire des devoirs ? C'est un drôle de choix de lecture.

Je gagne la fenêtre pour contempler la vue. Le bruit de l'océan lèche les murs du phare. Le sel marin relève la brise.

—J'ai toujours été fascinée par les objets anciens et le fait qu'une autre Matilda que moi ait été inscrite avant moi sur ce livre me plaît.

—Cette Matilda était la fille de Sarah. Son frère et elle ont péri pendant le naufrage. Sarah est devenue très amie avec Grace après le sauvetage. Elle a eu une maladie des nerfs après le traumatisme du naufrage et de la mort de ses enfants. Je suppose que c'était logique qu'elle veuille rester en contact avec la femme qui lui a sauvé la vie. (Elle aspire une bouffée de sa cigarette.) Et puis bien sûr, il y a les rumeurs concernant Grace et le frère de Sarah, George.

—George Emmerson ? (Je porte les mains à mon médaillon, que j'ouvre.) Ce George Emmerson-là ? L'artiste ?

Harriet acquiesce.

— L'autre portrait est celui de Grace, alors ? ajouté-je.

— Très probablement. Mais ce n'est qu'une rumeur. Ça pourrait être le portrait de sa femme. On dirait bien qu'ils ont emporté la vérité dans leurs tombes. Ma grand-mère collectionnait toutes sortes de choses concernant Grace Darling et le vieux Boots avait une sacrée collection en rapport avec les gardiens de phare lui aussi. Il m'a tout légué à sa mort, Dieu le garde. (Elle se signe et je l'imite.) Il y a un vieux coffre dans la chambre de devant à l'étage, il est rempli d'articles de journaux sur Grace et Ida, et d'autres gardiennes, comme Kate Walker et Abbie Burgess. On avait commencé à tout classer dans des albums mais…

Elle n'achève pas sa phrase et ses pensées incomplètes s'élèvent vers le plafond en même temps que la fumée de sa cigarette.

— Je pourrais m'en charger, proposé-je. Ça m'occuperait. J'aime lire de vieux journaux. Ma mère dit que je devrais travailler dans un musée. Elle n'aime pas évoquer le passé ni s'attarder sur l'histoire familiale. Je n'avais pas entendu parler de vous avant le mois dernier. Je ne sais même pas quel est notre degré de parenté.

La main de Harriet se fige à mi-chemin de sa bouche et sa cigarette se consume lentement en répandant une traînée de cendre sur le sol. Le silence s'éternise et s'étire au-delà des fenêtres, traverse la baie de Narragansett et l'Atlantique jusqu'au jardin de roses odorantes de ma maison où Mère prend le thé avec ses amies à qui elle affirme qu'elle est tellement contente de la chance que j'ai d'être en vacances en Amérique. Et pendant cette longue pause, j'ai la sensation tenace d'avoir égaré quelque chose et je me demande si Harriet sait de quoi il s'agit.

Elle termine sa cigarette et souffle la fumée dans ma direction.

— Eh bien, vous avez entendu parler de moi maintenant. Mon père était un cousin du vôtre, un parmi dix. Il n'y a pas grand-chose de plus à savoir.

Je vois bien qu'elle n'est pas d'humeur à entrer dans les détails.

La fumée de sa cigarette m'irrite la gorge et je me mets à tousser.

— Vous n'avez jamais fumé, je suppose ? remarque-t-elle.

— Une fois. Pour essayer d'impressionner quelqu'un.

— Et ? Ça a marché ?

Je songe à la bouche du soldat britannique pressée durement contre la mienne, à sa moustache râpeuse, à ses mains maladroites cramponnées à ma cuisse, à l'odeur rance du whiskey. Andrews, les autres l'appelaient. Je n'ai jamais su son prénom.

— Non, réponds-je. Je n'ai impressionné personne.

— De toute façon, les gars sont une perte de temps. On est mieux sans eux si vous voulez mon avis. (Harriet bondit sur ses pieds et glisse son mégot dans une canette de soda vide.) Bon, je ne peux pas passer ma journée assise à bavarder. J'ai des choses à faire. On part dans deux heures.

À l'étage, je tombe sur deux chambres confortables baignées de soleil, toutes les deux beaucoup plus douillettes que ma misérable chambre de la maison de Cherry Street. Le coffre se trouve dans la plus grande des deux où des poutres blanches quadrillent le haut plafond. Une brise tiède passe par la fenêtre ouverte et fait onduler les rideaux en vichy bleu. La chambre est propre et rangée, simple et fonctionnelle. Des boîtes ornées de coquillages sont posées sur les rebords des fenêtres. Des dessins de coquillages sont alignés par rangées de cinq sur le mur en face du lit. Un calme agréable règne sur la pièce. Je m'agenouille devant le coffre, enveloppée par le flux et le reflux de l'océan, défais les attaches en cuir et ouvre le couvercle.

En soulevant une pile d'albums, chacun bourré d'articles jaunis de vieilles éditions de journaux du coin concernant Ida Lewis, je dérange la poussière qui me fait tousser. Je fouille un peu et tombe sur une carte postale ancienne avec une photo dramatique d'une jeune femme en train de ramer sur une mer déchaînée. Le nom d'Ida Lewis est imprimé d'un côté, celui de Grace Darling de l'autre. Le même portrait pour deux femmes. Harriet a dit qu'Ida Lewis était la Grace Darling de l'Amérique : je suppose que c'est donc logique. Je sors une autre pile de vieux articles datant de septembre à décembre 1838, tous relatifs aux événements et à l'enquête qui a suivi le naufrage tragique d'un bateau à vapeur, le *Forfarshire*. Au fond du coffre, mes doigts tombent sur les arêtes dures d'un cadre photo. Je repousse tout le reste, le saisis et essuie l'épaisse couche de poussière avec la manche de mon gilet.

Le cadre est déformé par le temps et le verre est craquelé sur un côté mais l'image d'une jeune femme m'intrigue tout de suite. Elle a été surprise alors qu'elle était plongée dans ses pensées, comme si elle n'avait pas conscience qu'on était en train de la peindre et qu'elle venait juste de lever le nez de sa tâche. Son bonnet est noué par des rubans bleus sous son menton étroit. Un châle à carreaux verts est enroulé autour de ses épaules. L'intensité dans ses yeux me gêne un peu. J'ai presque l'impression qu'elle me regarde. Des croquis de coquillages entourent la peinture, tous différents. Mais le plus étonnant dans ce portrait, c'est qu'il est inachevé. Seuls les deux tiers du visage de la femme sont peints, le reste est une simple esquisse au crayon. L'arrière-plan est incomplet lui aussi. Les vêtements de la femme ne sont qu'à moitié colorés, l'autre moitié étant dessinée au crayon et au fusain. On dirait que l'artiste a abandonné en plein milieu. *Mais alors, pourquoi ce tableau est-il encadré ?* Je remarque les initiales « G.E. » dans un coin et je m'interroge. *Est-il possible que ce soit un portrait de Grace Darling ? Et si c'est le cas, est-ce l'œuvre de George Emmerson ?*

Plus tard cette nuit, de la fenêtre de ma chambre dans la maison de Cherry Street, je regarde le faisceau lumineux en provenance de Rose Island. J'ai posé la vieille carte postale d'Ida et de Grace sur le rebord de la fenêtre à côté des coquillages peints. Je pense à ces deux femmes qui entretenaient la lumière il y a si longtemps de ça. Je songe aux articles de journaux, aux récits de leur courage, non pas seulement face aux sauvetages mais aussi face à la célébrité qu'elles n'avaient pas cherchée. Je suis frappée par l'idée soudaine que je dois trouver un peu de ce courage à mon tour.

Le frôlement que j'ai senti plus tôt dans la journée m'a vraiment déroutée. Même lorsque le médecin avait confirmé que mes soupçons étaient fondés et que j'étais enceinte, rien de tout ça ne m'avait paru réel avant aujourd'hui. Sentir une autre vie en moi n'est pas simplement choquant. Ce battement de vie est né d'un acte de pure rébellion. Bien qu'elle n'ait jamais été désirée ni voulue, malgré les disputes et les contrariétés qu'elle a causées, en dépit de tout ce qui était contre elle, la petite chose têtue s'est accrochée. Complètement seule et totalement ignorée, elle a trouvé sa façon bien à elle de se faire remarquer.

Harriet fait du raffut en bas tandis que je me glisse sous les couvertures, l'esprit occupé par la conversation que nous avons eue plus tôt. Elle avait fini par se mettre à parler et pourtant elle s'était refermée comme une huître lorsque je l'avais trop poussée. Ma curiosité naturelle fait que je veux en apprendre plus sur elle et sur nos lointaines parentes du passé, toutes reliées, semble-t-il, par Grace Darling et mon arrière-arrière-grand-mère.

Je m'assieds sur le lit pour lire les récits du téméraire sauvetage de Grace. Je me la représente en train de suivre les procédures que j'ai découvertes dans le manuel d'instructions et d'allumer les lampes du phare de Longstone. J'imagine dans quelles conditions difficiles elle a dû vivre et travailler.

Le cri mélancolique de la corne de brume perturbe le silence et une forte brise se lève. Pendant ce temps, le portrait inachevé, posé sur la table de chevet, me surveille.

Qui que soit cette jeune femme, j'ai presque l'impression qu'elle est ici avec moi et qu'elle me supplie de me souvenir d'elle.

21

Grace

Phare de Longstone. Septembre 1838.

Septembre 1838,

Ma chère Sarah,

J'espère que vous me pardonnerez cette lettre inattendue, mais je voulais à tout prix vous faire savoir que j'ai pensé à vous ces dernières semaines. Robert Smeddle s'est livré à quelques recherches et m'a gentiment donné l'adresse de votre cousine, Eliza Cavendish, à Bamburgh. J'espère que vous excuserez cette intrusion.
Je joins à cette missive un pli que j'ai trouvé dans la poche de votre manteau lorsque vous étiez chez nous et un livre que j'avais prévu de vous donner avant votre départ. C'est la copie d'un manuel d'instructions pour les gardiens de phare, écrit par Trinity House. Vous avez dit que Matilda voulait savoir comment les

phares fonctionnaient. J'espère que vous garderez cet ouvrage en son souvenir.
Les bébés phoques que vous avez admirés grandissent à toute allure. Ils sont des centaines à présent. Je pense à vous chaque fois que je les vois.
Écrivez-moi quelques lignes quand vous en aurez envie. Je serais ravie d'avoir de vos nouvelles.

Grace

À L'EXCEPTION DU MÉDAILLON QUE JE PORTE AUTOUR du cou et de quelques remarques dans le journal de bord, il y a peu de preuves de la tempête, et de la présence de Mrs Dawson et des autres à Longstone. Le ciel tourmenté et la mer déchaînée ont recouvré leur calme bleu et mélodieux. Les fenêtres ouvertes laissent entrer une brise saumâtre qui se répand dans toutes les pièces et chasse l'odeur tenace du deuil. Les draps dansent sur la corde à linge comme des danseuses de cabaret, et Père profite du beau temps pour hisser du charbon par les échelles et nettoyer le vitrage extérieur de la salle de la lanterne. Mais même si nous reprenons nos rythmes familiers et nos routines, je me sens différente, et au fur et à mesure que les semaines passent et que le regard ambré de l'automne se tourne complètement sur les îles Farne, le regard du reste du monde le suit. Comme du babeurre éclaboussant une table, les récits dramatiques du rôle que j'ai joué dans le sauvetage continuent de se propager et les doigts des habitants du pays sont tachés de l'encre des phrases des journalistes.

Robert Smeddle vient nous rendre visite dès que le temps est clément, les dernières nouvelles fraîchement imprimées roulées en fagots sous les bras.

— Ne vous avais-je pas dit que vous recevriez les honneurs, Grace ? croasse-t-il, prétentieux et suffisant comme à son habitude. On vous adore ! (Une migraine sourde me presse les tempes lorsque je lis la une du *Times* de Londres : « L'héroïne des îles Farne : le sauvetage spectaculaire de Grace Darling ».) Les récits de votre exploit se répandent comme les grandes marées, poursuit Smeddle avec sa théâtralité coutumière. Ils se précipitent dans les rues et se déversent dans les cuisines et les arrière-cuisines, sur les lèvres des bonnes et des poissonnières bavardes. Qui est cette Grace Darling ? demandent-elles. Qui est cette courageuse jeune femme ?

Mon cœur tambourine sous mon tablier et la chaleur me monte aux joues malgré l'air frais de l'après-midi. Je m'empare d'une page d'une main tremblante.

— Mais ce récit est faux, Mr Smeddle. Ce n'est pas comme ça que ça s'est passé. À les en croire, on dirait que Père n'était pas là du tout.

— On dirait que je n'étais pas où ? interroge mon père en surgissant au bas des marches.

— Les journaux, Père. (Je les pousse dans sa direction.) Regarde.

Il pose ses lunettes sur son nez pour lire les comptes-rendus tout en tirant sur sa barbe argentée. Puis il attise le feu.

— Ils cherchent toujours de quoi remplir leurs pages, Grace. Mieux vaut les ignorer. La semaine prochaine, on ne parlera que des chartistes. J'ai entendu dire qu'ils ont fait un chahut de tous les diables dans un récent rassemblement à Newcastle. Vous en savez davantage, Smeddle ?

La tentative de mon père pour changer de sujet fonctionne pendant un moment, et Smeddle étale sa connaissance des derniers agissements des chartistes dans les villes du Nord. De mon côté, je ne suis pas aussi aisément distraite par la politique. Mon regard se pose de nouveau sur mon nom, imprimé en gras. J'imagine toutes les mains qui caresseront ces mots et tous ces yeux qui se poseront dessus jusqu'à ce que j'aie l'impression de les sentir réellement sur moi. Un frisson hérisse ma peau. Je m'empare de ma Bible et ouvre le Deutéronome, 31:6 : « Fortifiez-vous, ayez du courage ! Ne craignez point et ne soyez pas effrayés devant eux. »

Mais les journaux ne sont que le début.

Viennent ensuite des dizaines de lettres envoyées par le public pour exprimer son admiration pour mon courage et nombreuses d'entre elles contiennent un petit gage de respect – des livres, des Bibles, des mouchoirs en soie. Il n'est pas inhabituel que je reçoive aussi des sollicitations pour une mèche de cheveux ou un morceau du tissu des vêtements que je portais le jour du sauvetage. Les déclarations d'admiration et les mots gentils qui les accompagnent me touchent et m'accablent à la fois.

Mam lève les mains au ciel quand je lui lis les messages. Elle se rue vers le cellier et en revient avec un couteau.

— Qu'est-ce que tu comptes faire ? m'enquiers-je, un peu alarmée.

— Si ces gens veulent des mèches de tes cheveux, on va leur en envoyer. Et ensuite quelqu'un ira s'occuper de la lampe ou on est censés passer notre temps à lire des lettres ?

Je la soupçonne d'être secrètement fière de l'attention que l'on me porte. Être la préférée de ma mère est rare et merveilleux.

Smeddle insiste pour rester assis à mes côtés pendant de longues heures et il me familiarise avec les codes épistolaires tout en me dictant des réponses appropriées pour les correspondants les plus importants.

— Ce n'est pas difficile, dit-il en rapprochant sa chaise trop près de la mienne tout en feuilletant la dernière fournée de courrier. (Les verrues sur ses doigts me rappellent les grosses boules sur le varech.) Quelques formalités pour commencer et finir. Une ou deux lignes polies pour donner des nouvelles. C'est tout. Les lettres personnelles ne nécessitent pas autant de soin, alors que vous devez consacrer une attention toute particulière à celle-ci, de la Royal Society, et cette autre, de l'Institute of Mariners.

Lorsque je demande à Smeddle si je dois vraiment répondre à toutes les missives, et signer les dizaines de cartes blanches qu'il m'a fournies – et dont je ne comprends pas du tout à quoi elles sont censées servir –, il est stupéfait.

— Ma chère Grace. On ne veut offenser personne, n'est-ce pas ? Le public vous apprécie en ce moment, mais il pourrait aussi vite se retourner contre vous. (Il presse ses petits doigts boudinés contre les miens.) Je suis sûr que vous n'avez pas envie que les journaux vous trouvent ingrate et froide, pas vrai ? Ou qu'ils disent que vous êtes trop occupée pour répondre à vos admirateurs ?

— Bien sûr que non.

— Très bien alors. Poursuivons.

Je suis avec application les instructions de Smeddle et je réponds de ma plus belle plume jusqu'à ce que le pot d'encre sèche et que j'aie une crampe à la main. Je joins une petite mèche de cheveux ou un morceau de mon col ou de mon châle quand on me le demande et j'exprime ma gratitude pour les paroles bienveillantes que je reçois, tout en insistant bien sur le fait que je n'ai fait que mon devoir et en soulignant le courage de mon père dès que je le peux. Quand Smeddle est satisfait, il range les lettres et les cartes signées dans la poche de son manteau pour que son employé au château les expédie immédiatement.

Et ça continue ainsi, jour après jour, jusqu'à ce que je commence à appréhender l'interminable grattement de ma plume sur la page et la perspective de passer encore du temps sous la tutelle de Smeddle. Sa compagnie me fatigue vite. Je n'aime pas la façon dont son souffle se fait court dans sa poitrine, ni l'odeur écœurante de bière et de brillantine qui l'accompagne, et qu'il laisse derrière lui.

L'attention inopportune des journalistes et du public me donne la migraine et la vie tranquille que j'ai toujours menée sur mon île est étouffée par une marée incessante de questions pour apprendre à me connaître mieux. Quand j'éteins les lampes tous les matins, je me surprends à souhaiter que le regard insistant du public soit aussi facile à étouffer. Je ne dors plus bien et la berceuse veloutée de la mer ne m'apaise plus ; je suis trop angoissée à l'idée des nouveaux ennuis que l'aube ne manquera pas de m'apporter.

Mam cherche à se distraire auprès de son rouet en marmonnant à propos des gens qui n'ont rien à faire de mieux de leur temps. Père se montre plus réservé sur le sujet, il observe toute cette affaire avec une perplexité tranquille, et au milieu de tout ça, le phare se dresse, gigantesque et inflexible. Dans mes rares moments de solitude, je pose la joue contre les épais murs de pierre, et je m'imagine que le phare respire avec moi et qu'il absorbe un peu de mon malaise. Cependant, malgré tous les changements provoqués par les événements récents, je suis résolue à vivre comme avant. Je m'occupe des lampes et des lentilles de Fresnel, je vais chercher du bois pour le feu, je cire les bottes de Père, je surveille les poules, je frotte les ourlets des jupes raidis par l'eau de mer, je raccommode les vêtements qui en ont besoin, à petits points nets et réguliers comme ma mère me l'a appris. Je prends plaisir au ravaudage, j'aime me sentir utile et être occupée. C'est, après tout, comme ça que j'ai été élevée. Je ne sais rien du travail d'une héroïne malgré ce que les journaux veulent faire croire à leurs lecteurs.

— J'ai pris des dispositions pour qu'un sculpteur et un artiste viennent vous rendre visite dans les jours à venir, annonce Smeddle en s'engouffrant dans le phare pour la troisième fois cette semaine.

C'est au tour de Père d'être perplexe.

— Un artiste. Pour quoi faire ?

— Pour faire le portrait de Grace ! (Smeddle sourit à mon père comme s'il était en présence d'un enfant qui ne comprend pas une simple addition.) Tout le monde veut la voir, William. Mettre un visage sur son nom.

Il m'examine avec soin tout en parlant ; il jauge déjà mes attraits physiques.

Mam bougonne qu'elle pourrait aussi bien reconvertir le phare en auberge, et proposer le gîte et le couvert.

— Ils ne resteront pas longtemps, Mrs Darling, affirme Smeddle. Si Grace pose pour eux, ils pourraient avoir terminé en une seule journée. C'est véritablement un grand honneur. David Dunbar est l'un des meilleurs sculpteurs d'Angleterre. Et Henry Perlee Parker est renommé pour ses marines. (Il m'observe d'un œil critique en penchant la tête d'un côté puis de l'autre.) Ils s'en sortiront très bien. Ils rectifieront les imperfections.

J'ai déjà l'impression d'être une statue en pierre, une relique inanimée destinée à être contemplée, et non une personne dotée de pensées et de sentiments. Je lance un regard éloquent à mon père qui hausse les sourcils en réponse. Il n'a pas besoin de prendre la parole pour que je comprenne ce qu'il dit : « *Que veux-tu que nous y fassions, Grace ? Smeddle sait tout ça mieux que nous. Si les gens veulent ton portrait, donnons-le-leur.* » Je prends congé et sors du phare pour aller évacuer ma frustration en marchant sur les galets de la plage ; je ressens de la satisfaction à écraser les cailloux sous mes bottes.

Une tension inhabituelle plane entre les murs du phare ce soir-là.

Père remarque mon agitation.

— J'ai l'impression que ces lettres et ces histoires te perturbent, Grace. Ai-je raison ?

Je lui suis reconnaissante pour son inquiétude mais je n'ai aucune envie d'en parler.

— Je suis certaine que les lettres et les cadeaux ne tarderont pas à cesser, Père. Les demandes en mariage aussi.

Ma mère lève brusquement la tête de son raccommodage.

— Les quoi ?

— J'ai reçu quelques demandes en mariage par courrier, Mam. C'est tout.

Je ne parviens pas à deviner si elle est horrifiée ou excitée.

— C'est « tout » ? glapit-elle. Des demandes duquel ?

— De qui, la corrige mon père.

Mam lui lance un regard meurtrier.

— Ce n'est pas le moment de faire du foin pour de la grammaire, mon homme.

— De personne, Mam. D'hommes solitaires qui croient ce qu'ils ont lu dans les journaux et qui me prennent pour plus que je ne suis. Je ne leur ai pas accordé d'importance. Et je ne compte pas le faire.

— Tu ne devrais peut-être pas aller aussi vite en besogne, Grace, riposte-t-elle. Il pourrait y en avoir un ou deux de sérieux. (Elle se tourne vers mon père.) Tu as lu ces demandes ?

Il secoue la tête.

— Eh bien, conclut-elle, je suppose que nous ne saurons jamais si c'étaient des ducs et des comtes. On ignorera à jamais quelle vie elle aurait pu avoir.

Elle revient à son ravaudage et poignarde le tissu avec l'aiguille comme s'il l'avait offensée.

Je m'empare de ma lampe, me lève et m'étire.

Père m'observe avec attention, les sourcils froncés sous l'effet du souci.

— Pourquoi tu n'irais pas passer la journée sur le continent, demain, Grace ? Pour rendre visite à tes sœurs. On peut se débrouiller sans toi. Un changement d'air te fera du bien.

J'accepte d'y réfléchir tout en leur souhaitant « bonne nuit » puis je gravis l'escalier en colimaçon qui mène à la salle de la lanterne. Mon père a raison. Je suis vraiment épuisée. Non pas à cause d'efforts physiques mais à cause du poids des attentes à la hauteur desquelles je suis censée vivre, et de tout le raffut et toute l'attention dont je suis l'objet. Un lourd fardeau pèse sur mes épaules et je ne suis pas sûre d'être assez forte pour le supporter.

Malgré ma fatigue, le sommeil me fuit, et mes pensées vagabondent et tourbillonnent comme les tentacules délicats des anémones de mer dans les flaques entre les rochers. Je ressasse la perspective troublante d'artistes inopportuns en train de me contempler, et de réparer mes imperfections avec leurs pinceaux et leurs peintures. Je ne suis pas comme Ellen et Mary Herbert, ni les autres femmes du continent, qui adorent poser.

Je me souviens de quelque chose que Mr Emmerson a dit sur les artistes. Que même pour ceux qui ont un don, il y a beaucoup à apprendre : comment étudier les formes, comment encadrer un objet pour faire ressortir son essence, comment attirer l'œil sur le point central. « Pour être un artiste, il faut plus qu'un pinceau, des couleurs et une toile, Miss Darling. Ce ne sont que des outils. Le véritable talent réside dans le cœur, dans l'esprit… et dans l'œil. » Je revois son sourire quand il a accepté le morceau de verre de mer que je lui tendais, mais ce souvenir se dissipe rapidement et mes inquiétudes concernant le présent refont surface.

Je n'imagine rien de pire que de rester assise pendant des heures, sauf le fait que les artistes me jugeront beaucoup trop terne et ordinaire. La réalité de Grace Darling n'égalera pas l'image de l'héroïne vertueuse que les journaux ont créée. J'espère que les amis de Mr Smeddle changeront d'avis, et trouveront un sujet plus intéressant et plus approprié pour occuper leurs pinceaux.

Je me tourne et me retourne pendant des heures, m'assieds et me rallonge. *Peut-être que mon père a raison. Un voyage sur le continent me fera du bien.*

22

Grace

North Sunderland. Septembre 1838.

Ma lettre et un paquet pour Sarah Dawson bien rangés dans la poche de ma jupe, je profite de la mer calme pour partir juste après le lever du soleil le lendemain matin. Ça me fait du bien d'être de nouveau dans la barque, les rames s'enfonçant facilement dans l'eau, le soleil répandant sa tiédeur sur ma figure. Je cesse de ramer pendant un instant et les vagues clapotent doucement contre le canot qui flotte sur la houle légère. Je respire à pleins poumons. C'est mon combustible, mon huile et ma mèche. C'est là que je revis, avec le soleil sur mon visage, le vent dans mon dos et les profondeurs insondables de la mer sous mes pieds.

Avec un pincement de culpabilité, j'admets que je suis soulagée d'être libérée de mes tâches routinières ; ravie d'entendre le cri des goélands et de sentir la brise contre ma peau ; soulagée d'être loin du commerce fastidieux de la correspondance et de l'incessante intrusion de

Robert Smeddle. Assise tranquillement dans le bateau, je songe aux paroles de mon père le matin avant le naufrage du *Forfarshire* – « Ce n'est pas facile pour toi de voir tes frères et sœurs se marier et s'établir sur le continent. » – et à la réponse que je lui avais faite, disant que je ne me voyais vivre nulle part ailleurs qu'à Longstone. Mais si je veux être honnête, la vérité, c'est que je suis tellement habituée à vivre ici que je n'ai jamais véritablement envisagé d'autre voie.

Seule dans la barque, le phare derrière moi, la côte du Northumberland devant, je me permets de réfléchir. De vraiment réfléchir. Il y a peut-être une autre existence qui m'attend, qui longe celle que je mène, comme les rails des locomotives à vapeur. Je pourrais peut-être me marier, me dévouer à quelque chose ou quelqu'un d'autre que mes parents et mon cher vieux phare. Brooks prendra la relève quand le moment viendra et quand il se mariera – ce qui se produira sans aucun doute dans les années à venir –, quel besoin aura-t-il de ma présence ? *Que sais-je faire d'autre que m'occuper des lampes et garder les sept pièces propres ?*

La voilà. Ma plus grande peur. Je ne crains ni les tempêtes ni la mer déchaînée mais je redoute la vie au-delà du phare. Ma réticence à quitter Longstone ne vient pas seulement de mon sens du devoir mais elle résulte d'une répugnance à aller ailleurs ; à devenir quelqu'un d'autre. Les journalistes peuvent rédiger des récits enthousiastes sur ma bravoure et mon courage mais la vérité, c'est que je suis aussi effrayée et hésitante que n'importe qui. *Si j'étais vraiment brave, j'abandonnerais l'existence que je connais, je m'en éloignerais à la rame et je ne reviendrais pas avec la marée. La question est : ai-je le courage de le faire ?*

Je reprends les avirons et ma route en appréciant la douleur familière dans mes épaules et mes avant-bras. Après avoir été confinée dans le phare par le mauvais temps puis par ma correspondance, je manque d'entraînement, mais mes muscles ont gardé la mémoire du mouvement et je me perds rapidement dans le rythme de mes coups de rame tandis que le phare disparaît de ma vue et que les remparts du château de Bamburgh se rapprochent. J'atteins rapidement le petit port de North Sunderland et je guide le canot sur les hauts-fonds avec l'aide de la marée montante.

La lumière du petit jour teinte le sable d'or. Les femmes se rassemblent sur le rivage pour attendre le retour des pêcheurs de harengs. Des bébés affamés tètent des seins lourds tandis que des enfants tirent sur les jupes de leur mère ou dessinent sur le sable humide avec des coquillages tranchants. Des casiers vides attendent non loin, prêts à accueillir la pêche du jour. Les ramasseurs de coques, déjà de retour du travail, tirent leurs barques sur le rivage à côté de la mienne. L'odeur d'algues et de saumure sature l'air. Je desserre les rubans de mon bonnet et l'étreinte de mon châle autour de mes épaules.

J'adore ces matins quand les barques reviennent ; j'adore assister à autant d'agitation et d'activité. Je remarque un ou deux artistes locaux installés sur le mur du port, occupés à capturer le jeu de la lumière sur l'eau et la façon dont le soleil levant éclaire le visage des femmes. J'ai vu trop de fois ces mêmes visages assombris par l'inquiétude quand la nouvelle d'un bateau porté disparu leur parvenait. Les communautés de pêcheurs le long de la côte est, à North Sunderland, Whitby et Craster, ne vivent que de la pêche, et leurs vies prospèrent ou sombrent avec les embarcations. Ce matin, la vue des premiers suscite des clameurs et des signes de la part des familles rassemblées.

Désireuse de ne pas attirer l'attention sur moi, je reste sur le côté pour regarder les femmes emballer habilement le poisson avant de hisser les paniers pleins sur leur dos. Ils contiennent tout ce dont elles ont besoin pour travailler : des planches à découper, des couteaux et du papier pour empaqueter le poisson pour les clients. Ce sont des femmes robustes, dehors par tous les temps. Dures comme l'acier, elles ne se plaignent jamais. Elles se mettent à l'ouvrage sur le quai : elles ouvrent les poissons en deux avant de les entasser dans des tonneaux de sel et leurs filles zélées apprennent le métier à leurs côtés. Exactement comme jadis je me tenais près de mon père pour apprendre la vie d'un gardien de phare, ces fillettes, un jour, reprendront les casiers de pêche de leur mère. Elles ne remettront jamais en question l'existence qui est la leur et n'en envisageront aucune autre. La pêche est cousue dans leurs os et dans leurs châles à carreaux.

En passant devant le *Fumoir de Swallow*, j'ai le ventre qui gargouille à l'odeur de la sciure de bois et à l'idée de manger des harengs fumés. La roche calcaire brûle dans les fours à céramique du port tandis que les bateaux sont chargés de chaux vive qui sera transportée en Écosse où elle servira d'engrais. Des paniers de crabes sont entassés en piles bancales devant la porte du *Badger* et le raffut que font les pêcheurs qui se réchauffent près de la cheminée à l'intérieur me parvient par les fissures des vitres.

Je remonte le long des ruelles étroites vers la maison des Herbert où j'ai la délicieuse surprise de tomber sur ma sœur Thomasin qui leur rend une visite matinale. Je suis particulièrement reconnaissante de sentir son étreinte familière. Il m'arrive parfois d'oublier à quel point elle me manque.

Ellen est absolument ravie de me voir et elle m'explique que Mary est sortie pour la matinée.

— Elle sera désolée de t'avoir manquée, Grace. On s'est fait tellement de souci pour toi quand on a entendu parler du sauvetage. Viens t'asseoir près du feu pour nous raconter. Est-ce que c'était aussi affreux que ce qu'ont rapporté les journaux ?

J'ôte mon bonnet et mes gants, et me rapproche de la cheminée pour me réchauffer les mains. Une fois que j'ai narré tous les événements à plusieurs reprises à la grande satisfaction d'Ellen et de ma sœur, cette dernière me montre une page du *Times* de Londres. Je suis horrifiée de découvrir que certaines des lettres que j'ai reçues sont imprimées sur la page avec mes réponses. Je suis furieuse que Smeddle ait rendu publique ma correspondance privée et j'ai bien l'intention de le lui dire la prochaine fois que je le verrai.

— Tu écris tellement bien, Grace, se rengorge Ellen, inconsciente de ma colère. Tant d'humilité après tant de bravoure. Est-il vrai que tes admirateurs te demandent des mèches de cheveux ?

Je confirme mais je suis incapable de partager l'enthousiasme d'Ellen pour ces requêtes qui sont d'après elle la preuve que le public me tient en haute estime.

— Grace ? Qu'y a-t-il ? s'enquiert Thomasin.

Elle me connaît trop bien pour que mon hochement de tête maussade lui échappe.

— Tout le monde a monté cette histoire en épingle, ma sœur, réponds-je en soupirant et en me tordant les mains. Tu sais que c'était mon devoir de venir en aide à ces malheureux. Tu aurais fait la même chose. Tout le monde aurait agi de la même manière. Même Ellen.

Thomasin s'esclaffe.

— Ellen ! Sortir dans la tempête ? Elle ne met même pas les orteils dans l'eau en été.

Ellen admet volontiers qu'elle a du mal à supporter le trajet en barque jusqu'aux îles Farne.

— Tu te dénigres, Grace. Peu de personnes auraient fait ce que tu as fait.

Thomasin pose une main sur la mienne.

— Ellen a raison. Tu as accompli un exploit, Grace. Pas étonnant que les gens soient désireux d'en apprendre plus sur toi.

— J'aimerais bien que ce ne soit pas le cas. J'en ai assez qu'on m'écrive et qu'on parle de moi. (Je m'affale sur mon fauteuil et pose les pieds sur un tabouret.) Et maintenant, on organise même des excursions en bateau parce que les gens veulent me voir. Moi !

Pendant un instant, le silence règne sur la pièce, seulement troublé par le crépitement du feu dans l'âtre. Soudain Thomasin éclate de rire, imitée par Ellen. Nous rions bientôt toutes les trois aux éclats et des larmes roulent sur nos joues. C'est très libérateur et je me sens beaucoup mieux ensuite.

— Tu ne devrais pas prendre tout ça autant à cœur, Grace, me conseille Thomasin. Tu es beaucoup trop sérieuse.

Elle a peut-être raison.

— Robert Smeddle a pris des dispositions pour que des amis artistes viennent au phare peindre mon portrait, poursuis-je une fois que nous nous sommes toutes remises de notre hilarité. Apparemment, le public veut savoir à quoi je ressemble.

Ellen vient s'asseoir à mes côtés.

— Ce n'est pas si terrible. Détends-toi et reste immobile. C'est assez agréable.

Elle sirote une gorgée de thé. J'envie sa capacité à se montrer aussi blasée face à quelque chose qui m'inquiète autant.

— En parlant d'artistes, ajoute-t-elle, tu te rappelles Mr Emmerson qu'on a rencontré à Dunstanburgh le mois dernier ? Un ami de Henry. Tu l'as certainement oublié.

Je rougis en entendant son nom. Je porte ma tasse de thé à mes lèvres en espérant pouvoir me dissimuler derrière.

— Je ne me souviens pas particulièrement de lui, non.

— Oh, Grace. Bien sûr que si. Il n'a discuté qu'avec toi. Un homme grand. Avec l'accent écossais. Un immense sourire…

— Oh, lui. Oui, je me le rappelle à présent. Eh bien ?

— Est-ce que tu savais que sa sœur fait partie des rescapés du *Forfarshire* ? Une certaine Mrs Dawson.

— Sarah ? C'est la sœur de George Emmerson ?

Je n'en crois pas mes oreilles. Mon esprit fouille hâtivement nos conversations. *L'a-t-elle mentionné ? L'ai-je fait, moi ? A-t-elle remarqué ma distraction ?*

— Quelle coïncidence étrange, n'est-ce pas ? George loge au *Olde Ship* depuis qu'elle a regagné le continent. Sarah réside chez une de ses cousines à Bamburgh. Eliza Cavendish. Une femme agréable mais trop docile à mon goût. (Je peine à me concentrer sur les propos d'Ellen, trop occupée à songer à l'après-midi passé à Dunstanburgh et à toutes les fois où Mr Emmerson a envahi mes pensées depuis.) Au moins, le mariage leur donne à tous une occasion de se réjouir.

— Le mariage ?

Je réprime une quinte de toux et prends une autre gorgée de thé avant de reposer ma tasse pour l'empêcher de cliqueter sur la soucoupe de manière révélatrice.

Ellen me regarde bien en face, les yeux brillants.

— Celui de George et Eliza. Ils se marient le mois prochain.

J'ai soudain très chaud.

— Tu ne devrais pas pousser autant le feu, Ellen. Tu vas encore mettre le feu à la cheminée.

Ellen ignore ma remarque, et continue à raconter tout ce qu'elle sait sur cette femme et à expliquer comment toute la famille Cavendish avait abandonné l'espoir que George fasse sa demande un jour, mais tout ce que j'entends, ce sont les mots : « Ils se marient le mois prochain. » Pour une raison inexplicable, les larmes me montent aux yeux et je me retire, le temps de me rendre aux toilettes, qui sont à l'extérieur.

Quand je reviens, j'annonce que j'ai des courses à faire. Thomasin répond qu'elle ne va pas tarder à partir elle aussi.

Sur le seuil, Ellen m'embrasse sur la joue en répétant qu'ils sont tous incroyablement fiers de moi.

— Tu veux bien réfléchir à l'idée de venir au bal de la moisson ou au moins à celui de Noël ?

Je le lui promets.

Thomasin, comme à son habitude, a relevé mon changement d'humeur et elle me retient alors qu'Ellen regagne l'intérieur.

— Y a-t-il quelque chose que tu souhaites me dire, Grace ? J'ai remarqué ton agitation quand Ellen a mentionné George Emmerson.

J'enfile mes gants en affirmant que je n'ai rien à lui confier.

— Je suis juste fatiguée par toute l'attention et j'appréhende la visite des artistes.

— Tu es certaine qu'il n'y a rien d'autre ?

Elle me presse les mains comme elle le faisait quand, enfants, nous nous asseyions sur les rochers pour admirer les bébés phoques. Thomasin a toujours été très douée pour m'extorquer la vérité.

Mes sentiments véritables me brûlent les joues mais je rassure Thomasin : il n'y a rien d'autre.

— Je t'écrirai.

Elle croise les bras, sceptique.

— Viens me rendre visite bientôt à Bamburgh, s'écrie-t-elle tandis que je pivote pour lui faire un signe de la main avant de tourner dans une ruelle.

Avant d'aller à la poste, je m'arrête à la mercerie pour acheter des boutons et du ruban pour ma mère. Ça ne fait pas une minute que je suis dans la boutique que des murmures s'élèvent.

— C'est elle ?

— Oui.

— Va lui poser la question, alors.

La nouvelle que Grace Darling est là se répand à toute allure et le magasin se remplit rapidement d'admirateurs.

— Que Dieu vous bénisse, mademoiselle, pour ce que vous avez fait. Puis-je vous demander une mèche de cheveux ?

— Pourriez-vous toucher la couverture de mon bébé ?

— Pourriez-vous me donner un peu du tissu de votre jupe ?

J'essaie de me montrer aimable et polie mais l'agitation me gagne et je prends congé sans avoir acheté ni boutons ni rubans. J'oublie le paquet que j'ai dans la poche et mon intention de passer à la poste. Tête baissée, mon bonnet étroitement noué sous le menton, je me hâte vers le port, impatiente de regagner Longstone où je peux être moi-même plutôt que l'héroïne que tout le monde désire que je sois.

Je marche rapidement, regrettant déjà de ne pas avoir révélé la vérité à Thomasin. Elle me connaît trop bien pour que je lui cache longtemps quelque chose mais en ce qui concerne Mr Emmerson je ne veux pas – je ne peux pas – être bousculée. Ce serait affreux d'admettre que j'ai pensé à un homme avec qui je n'ai discuté que quelques minutes, pire encore, un homme fiancé et sur le point de se marier.

Il vaut mieux que je garde ce secret pour moi.

Dans une taverne embrumée par le tabac, George Emmerson contemple sans la voir une pinte de bière intacte. Il aimerait pouvoir faire quelque chose pour aider sa sœur en deuil. L'agonie de sa perte est insupportable et il ne parvient pas à secouer l'ombre de culpabilité qui s'attarde sur ses propres épaules comme un lourd manteau. Après tout, c'est lui qui a encouragé Sarah à venir en Écosse, il l'a harcelée et a répété à plusieurs reprises que le changement de décor leur ferait le plus grand bien. C'est lui qui a pris les billets et qui a choisi le *Forfarshire* parce que tout le monde s'accordait à dire que c'était un bon vaisseau. Il est responsable de la mort de James et de Matilda. Son esprit le tourmente en rejouant les souvenirs heureux des nombreuses fois où il les a portés sur ses épaules. Il entend encore leurs cris de joie quand il leur chatouillait les genoux. S'il ne supporte pas leur disparition, comment leur mère le pourrait-elle ?

Bien sûr, Sarah ne veut pas entendre parler de sa responsabilité mais George se demande si les mêmes pensées ne traversent pas son esprit durant les heures vides de la nuit quand elle se réveille d'un sommeil agité et se rappelle que ses enfants ne sont pas endormis auprès d'elle. Comment pourra-t-il jamais réparer ses erreurs ? Comment pourra-t-il jamais la consoler ?

Au moins, il est reconnaissant à la famille d'Eliza d'avoir pris Sarah sous son aile à Bamburgh. Lorsqu'il va leur rendre visite, Eliza lui raconte que Sarah reste éveillée tard le soir à griffonner des pages et des pages d'une écriture illisible sur la catastrophe du *Forfarshire* et le sauvetage de Miss Darling, et que dans son sommeil, elle chante une comptine où il est question de lavande bleue et de lavande verte. Elle dit que son délire est trop douloureux à voir. À cause de la tragédie, toute conversation concernant le mariage a été repoussée. Même la mère d'Eliza est assez sensible pour ne pas le mentionner.

George sait qu'il doit revenir à ses études à Dundee, mais l'idée d'abandonner Sarah lui déplaît profondément. De plus, il n'a aucune envie de se plonger dans ses toiles, ses pinceaux et ses fusains. Chaque fois qu'il songe à peindre ou à dessiner, il ne voit qu'une page d'eau noire, des navires échoués et deux petits corps raides pressés contre leur mère.

Aucune couleur. Aucune joie. Sera-t-il un jour capable de peindre de nouveau pour le plaisir ?

Au milieu de sa douleur, George entend des rumeurs et des commérages concernant le naufrage du *Forfarshire*. Les murmures vont bon train entre les membres du canot de sauvetage et les habitants de la ville tandis que des types à l'air suffisant mènent une enquête officielle, et discutent du pourquoi et du comment pour chercher sur qui faire rejaillir le blâme. Un homme du nom de Robert Smeddle orchestre le tout, et, de ce que George constate, il a l'air d'apprécier l'agitation et l'attention. *Quelle importance de trouver le responsable ?* Rien ne ramènera à la vie son neveu et sa nièce chéris. Rien ne guérira le cœur brisé de sa sœur. Aucune accusation ni aucun responsable n'arrangera jamais rien.

En dehors de l'enquête, les conversations tournent autour de l'extraordinaire récit d'héroïsme en provenance du phare Longstone. Le nom de Grace Darling est sur toutes les lèvres. Qui est cette femme ? À quoi ressemble-t-elle ? George écoute les spéculations oiseuses en déjeunant dans l'une des tavernes du port. « Moi, je sais, a-t-il envie de dire. Je me souviens de son regard franc et de son esquisse de sourire. » Que Miss Darling ait sauvé la vie de sa sœur est une coïncidence qu'il ne peut pas ignorer. Il joue avec le morceau de verre de mer indigo et aperçoit dedans le reflet de Grace.

À côté de lui, sur le comptoir, une petite annonce dans la colonne centrale du journal du soir attire son attention.

Excursions en bateau pour Longstone. Voyez l'héroïne, Grace Darling. Départs quotidiens.

— Est-ce vrai ? demande-t-il au patron. On organise des excursions vers le phare ?

L'homme hoche la tête tout en essuyant un verre.

— Les gens veulent la voir de leurs yeux. Les pêcheurs ne manquent jamais une occasion de se faire un peu d'argent.

— Mais Mrs Darling n'est pas une bête de foire. Ce n'est pas bien que les gens aillent la regarder bouche bée.

Elle avait évoqué avec chaleur sa vie retirée d'insulaire et il sait qu'elle trouvera intrusifs ces bateaux de badauds qui l'envahiront.

Le patron s'esclaffe en tendant la main.

— Alors, donnez-moi le journal et n'y allez pas !

George finit sa pinte, prend le quotidien et son chapeau, et sort dans la pâle lueur du soleil automnal. Il doit aller voir Eliza, comme c'est prévu. Il aimerait faire preuve de plus d'enthousiasme à son sujet mais il ne ressemble pas aux artistes de rue qu'il croise, avec leurs tours malins et leurs mains rapides. Il est incapable de faire surgir d'un chapeau une inclination qui n'existe pas ni de dissimuler aisément des sentiments qu'il ne devrait pas éprouver. Il doit devenir un acteur et jouer le rôle du mari dévoué. *Que faire d'autre, au risque de causer du désespoir à une jeune femme qui ne le mérite pas ?* Il demanderait bien conseil à Sarah mais elle a assez de soucis comme ça pour ne pas s'embarrasser des problèmes de son frère.

Il froisse le journal en boule qu'il balance dans un casier de pêche vide et pivote en direction de l'escalier qui monte du port. Il peut se passer d'excursions en bateau. Il doit balayer de ses pensées les héroïnes courageuses. Il ne doit songer qu'à Eliza et Sarah.

C'est du moins ce qu'il ferait si Miss Darling ne se tenait pas juste devant lui.

23

Grace

North Sunderland. Septembre 1838.

— Mr Emmerson !

— Miss Darling ? Quelle surprise !

La surprise est pour moi. Après l'avoir imaginé tant de fois et avoir évoqué des fragments de notre conversation dans l'obscurité de ma chambre, c'est presque incompréhensible de le voir surgir devant moi.

— J'étais justement en train de penser à vous, ajoute-t-il d'un ton hésitant.

— À moi ?

— J'ai lu le dernier article vous concernant.

Un frisson silencieux s'épanouit dans mon cœur lorsque j'entends la douce mélodie de ses paroles, exactement comme dans mon souvenir. Mais à l'exception de sa voix, Mr Emmerson ne ressemble en rien à mes souvenirs. Des cernes sombres entourent ses yeux. Ses lèvres sont pincées et pâles, et sa peau est blême comme celle des gens privés de sommeil.

— Ah, oui. Il y en a bien trop, j'en ai peur.

— Plutôt pas assez, après ce que vous avez fait.

Je tripote mes gants pour m'occuper les mains. Ma respiration est un peu saccadée et comme je sens le médaillon se presser au creux de ma gorge, mes pensées se dirigent vers Sarah Dawson.

— Je suis terriblement navrée, Mr Emmerson, dis-je. Pour le deuil de votre sœur. Et le vôtre.

— Comment pourrais-je jamais vous remercier d'avoir sauvé Sarah et avoir si bien veillé sur elle dans ces instants tragiques ? (Il s'exprime avec lenteur, sans agitation aucune, et pourtant l'épreuve que constituent les récents événements est très claire.) Elle vous est profondément reconnaissante pour votre gentillesse. Elle parle de vous avec beaucoup d'affection.

— Et je nourris les mêmes sentiments à son égard, réponds-je avec un sourire hésitant. Votre sœur est très courageuse. Je ne l'oublierai jamais.

Le silence qui suit est embarrassé.

— Toutes mes excuses, déclare-t-il. Je vous retarde.

Je lui assure qu'il n'en est rien et que j'ai rendu visite aux Herbert.

— J'ai bien peur que mon passage à la mercerie n'ait causé tout un foin. On dirait bien que je ne peux pas acheter un bouton sans attirer l'attention sur moi. Il me tarde de regagner mon île.

Un léger sourire étire ses lèvres.

— Je peux peut-être vous escorter jusqu'à votre barque ? propose-t-il.

J'accepte son invitation tout en m'inquiétant de son éventuel caractère inapproprié : *Puis-je marcher en compagnie d'un homme fiancé à une autre ?*

— Sarah et les enfants se rendaient à Dundee pour passer des vacances avec moi, explique-t-il tout en se mettant en route. Son mari est mort cet été et elle a souffert… d'autres difficultés. Je l'ai harcelée jusqu'à ce qu'elle accepte de venir en Écosse. Je pensais que le changement de décor lui remonterait le moral.

— C'est une région magnifique, remarqué-je.

Mr Emmerson s'immobilise.

— La vérité, Miss Darling, c'est que je me sens responsable de la mort des enfants de Sarah. Si je ne m'en étais pas mêlé, ils n'auraient jamais été à bord de ce foutu *Forfarshire* !

Je tressaille en l'entendant jurer, choquée par la colère et l'émotion qu'il cache sous sa redingote froissée.

Il me regarde, et je lis du chagrin et du remords dans ses yeux.

— Pardonnez-moi, Miss Darling. Je ne suis pas moi-même.

— Vous n'avez nul besoin de vous excuser. Vous avez traversé une épreuve terrible mais vous ne devez pas endosser le fardeau de la culpabilité. C'était un accident affreux causé par une violente tempête. Si vous devez blâmer quelqu'un, blâmez Mère Nature.

Nous descendons les marches qui mènent à la plage et la brise froide me mord les joues.

— Ellen m'a dit que votre sœur logeait chez des parentes à Bamburgh, constaté-je.

— Oui. Sarah est chez ma tante et ma cousine. Je lui rends visite autant que possible mais je me sens cruellement impuissant.

Le nom d'Eliza Cavendish s'installe entre nous comme un enfant qui réclame qu'on s'occupe de lui. *Pourquoi ne la mentionne-t-il pas ? Pourquoi a-t-il dit « ma cousine » et non « ma fiancée » ? Tout ça est illogique. Comme tout le reste.* Je suis contente qu'on ait atteint le canot et Mr Emmerson insiste pour m'aider à le mettre à l'eau.

— J'ai appris que des bateaux gagnaient Longstone pour que les gens puissent vous voir, déclare-t-il alors que nous sommes en train de pousser et de tirer l'esquif ensemble. Ça doit être une véritable intrusion dans votre paisible foyer.

Je renverse la tête vers le ciel et pousse un profond soupir. J'ai envie de répondre bien des choses mais ce n'est pas le moment de révéler mon agacement ni de partager mes pensées désobligeantes sur les pêcheurs et leurs passagers.

— Apparemment le public veut voir son héroïne, Mr Emmerson. J'espère juste qu'il ne sera pas trop déçu, dis-je en riant pour essayer d'alléger un peu l'atmosphère. C'est la faute des journaux. Ils ont grandement exagéré mon rôle dans le sauvetage. C'est mon père qu'on devrait louer.

— Je suis convaincu que personne ne sera déçu en vous voyant, rétorque-t-il. (Ses paroles me font rougir.) Quant à l'exagération des journaux ? Peut-être, cependant on s'attend à ce que des hommes comme votre père prennent la mer quand la tempête fait rage. Pas de jeunes femmes.

—Mais en tant que fille du gardien de phare, il est de mon devoir de secourir les âmes naufragées.

—Et il est du devoir des journaux de rapporter les événements intéressants. Nous devons tous avoir nos héros et nos héroïnes, Miss Darling. Le monde serait terriblement inintéressant sans d'audacieux sauvetages et de braves aventuriers. Je ne trouve pas les prix du maïs et le programme des tribunaux très inspirants.

Je ne peux m'empêcher de sourire.

—Votre argument est très persuasif.

—Je n'argumente pas, Miss Darling. Quant à la persuasion ? Peut-être en usé-je un peu.

Et le voilà de nouveau. Ce doux sourire. Cette chose informulée que j'ai ressentie de manière si vive pendant notre promenade au château de Dunstanburgh. Je me demande brièvement s'il la sent aussi et s'il a songé à moi pendant les semaines qui ont suivi notre rencontre. *Mais bien sûr que non. Il est fiancé et je suis ridicule de même l'imaginer un seul instant. Est-ce que je commence à croire à la version de moi dépeinte par les journaux ? Est-ce que je pense vraiment que je mérite de l'attention ?* Je m'empourpre devant cet atroce besoin.

En montant dans le canot, je me souviens du paquet dans ma poche.

—Voudriez-vous donner ça à votre sœur ? J'avais l'intention de le lui poster. Est-ce que ça vous ennuierait ?

— Pas du tout. Elle sera ravie d'avoir de vos nouvelles. (Il me prend le colis des mains.) C'était un plaisir inattendu de vous revoir, Miss Darling.

— Pour moi aussi, Mr Emmerson.

— Je suis particulièrement heureux d'avoir eu la chance de vous remercier en personne. J'avais prévu de vous envoyer quelques lignes mais les mots n'ont jamais été mon fort.

— Et je vous en suis reconnaissante. Je suis noyée sous le courrier. Vous m'avez fait une grande faveur en réduisant d'une missive le nombre de lettres que je reçois. (Je pousse contre les rochers du bout des rames.) Et puis, pourquoi auriez-vous besoin de mots quand vous dessinez et peignez si bien ?

Je songe à l'arrivée imminente des premiers artistes et mon cœur sombre jusque dans mes bottes à cette perspective.

Tandis que les vagues s'emparent de la barque et m'emportent loin du rivage, Mr Emmerson glisse la main dans la poche de son manteau pour en sortir quelque chose.

— Je l'ai toujours, crie-t-il. Mon souvenir.

Le verre de mer indigo attrape le soleil et brille comme un trésor précieux. *Il s'est souvenu.*

— Et je cherche toujours des dragons de mer, m'écrié-je en réponse avant de me mordre la lèvre pour retarder le large sourire qui veut à tout prix prendre possession de mes lèvres.

Je rame mal, incapable de coordonner mes mouvements, distraite à la pensée de Sarah Dawson, d'Eliza Cavendish, de verre de mer et de dragons. Mr Emmerson reste immobile un bon moment, jusqu'à ce qu'il ne soit plus qu'une tache à peine visible et que je devienne, à mon tour, une partie de la mer, une jeune femme avec son canot, invisible du rivage, indiscernable des vagues qui la ramènent chez elle.

Bamburgh, Angleterre.

Sarah Dawson écoute patiemment George qui lui raconte avec beaucoup d'enthousiasme sa rencontre inattendue avec Miss Darling à North Sunderland : quelle étrange coïncidence c'était, quelle bonne mine elle avait et à quel point elle était humble malgré tout ce que la presse racontait sur elle. Sarah remarque en silence la couleur sur les joues de son frère et elle lit de l'adoration dans son regard quand il parle de Grace. Elle ne l'a jamais vu comme ça quand il évoque Eliza.

Elle sourit pour la première fois depuis la tragédie.

— Si tu n'étais pas fiancé, je croirais que tu as des sentiments pour Miss Darling, George, le taquine-t-elle un peu.

Il nie vigoureusement mais son attitude trahit la vérité. C'est alors que Sarah se souvient des croquis de phare dans les marges de la lettre qu'il lui a envoyée et toute l'admiration qu'il exprimait pour la fille du gardien de phare. Elle se demande ce qui est arrivé à ce courrier. *Perdu en mer, sans aucun doute.*

— Ce n'est pas trop tard, risque-t-elle, sans plus aucun égard pour les convenances, la prudence, les sentiments d'Eliza et la réputation de sa tante.

— Trop tard pour quoi ?

— Pour changer d'avis. (Elle se penche avec des airs de conspiratrice, pose une main tremblante sur le genou de George et baisse la voix.) Eliza est agréable mais c'est une brise, George. Une brise. Ton cœur désire une tempête. Je le sais.

Il se lève et tripote les boutons de son gilet avant d'enfiler son manteau et son chapeau.

— J'ignore de quoi tu parles, Sarah. Mais j'ai bien peur de devoir regagner l'*Olde Ship*. La patronne me fait des histoires quand je suis en retard. As-tu besoin de quelque chose avant que je parte ?

Sarah secoue la tête.

— Mais tu peux me promettre une chose.

— Oui ?

— Réfléchis-y. Aux brises et aux tempêtes. Pense à ta vie, George, et à ce que tu veux vraiment en faire. Elle peut nous être arrachée si vite. Nous devons employer de notre mieux le temps qui nous est imparti. N'est-ce pas ?

Il l'embrasse sur la joue et répond que oui, elle doit avoir raison, avant de refermer la porte derrière lui, songeur.

Sarah est contente de lui avoir dit ce qu'elle pensait.

Cher George. Il s'est montré si bon pour elle. Si attentionné et si prévenant. Elle n'ignore pas qu'il se sent responsable de ce qui s'est passé, même si elle lui a répété mille fois qu'il ne devrait pas. Et Eliza a été très gentille, elle aussi. Comme tout le monde. Ils marchent tous sur des œufs en sa présence, comme si elle était un morceau de porcelaine fine, susceptible de se fissurer et de se briser à n'importe quel moment. Veut-elle manger un peu ? S'est-elle suffisamment reposée ? A-t-elle besoin de quelque chose pour rendre son séjour plus confortable ? Elle sait qu'ils veulent bien faire mais leurs bonnes intentions l'étouffent et elle aimerait qu'on la laisse tranquille.

Elle tolère cependant leur bonne volonté incessante et s'attarde dans cette maison de transition, coincée entre le passé et l'avenir. Elle sait qu'elle est un ajout gênant et inattendu dans la vie des Cavendish. Elle essaie de rester hors de leur passage, elle se fait toute petite et ne réclame rien, mais malgré les chuchotements et les voix assourdies qui la suivent, son chagrin est bruyant et omniprésent, et il fait régner une certaine tension dans les pièces de la maisonnette. Même si elle redoute l'idée de rentrer chez elle à Hull et d'affronter tous les souvenirs qui l'attendent là-bas, elle sait qu'elle doit s'y résoudre. En plus du reste, elle ne dort pas bien ici. Elle entend des voix la nuit : des berceuses et des chants lointains.

Peu de temps après le départ de George, Sarah se souvient du paquet qu'il lui a apporté de la part de Miss Darling. Elle est touchée de découvrir qu'il contient un épais volume : *Instructions à l'usage des gardiens de phare* accompagné d'une lettre. « Je joins à cette missive un pli que j'ai trouvé dans la poche de votre manteau lorsque vous étiez chez nous et un livre que j'avais prévu de vous donner avant votre départ. C'est la copie d'un manuel de consignes pour les gardiens de phare, écrit par

Trinity House. Vous avez dit que Matilda voulait savoir comment les phares fonctionnaient. J'espère que vous garderez cet ouvrage en son souvenir. » Sarah caresse du doigt la dédicace de Miss Darling sur la page de garde. « Pour ma chère Sarah. Pour qu'ainsi vous sachiez. Grace. » Elle ajoute une autre dédicace juste dessous. « Pour ma chère Matilda. De la part de maman. Je t'aime. »

Seule dans sa chambre, elle commence à lire, page après page, heure après heure, elle étudie les tâches et les routines jusqu'à ce qu'elle puisse se représenter Miss Darling en train de nettoyer les lentilles dans la salle de la lanterne avec un plumeau pour ôter la suie et la poussière avant d'épousseter chaque partie du délicat instrument avec un chiffon. De l'esprit-de-vin enlève toute tache d'huile, puis elle polit jusqu'à ce que tout brille. Quand elle a terminé, elle pose une housse sur les verres et tire les rideaux de la salle de la lanterne pour éviter toute décoloration par le soleil.

Ce que Miss Darling fait du reste de sa journée, Sarah en est réduite à l'imaginer, le manuel ne donnant aucune information sur ce que le gardien éprouve ni ce qu'il pense pendant ses longues heures de surveillance. Peut-être que Miss Darling glisse le médaillon sous son oreiller la nuit et qu'elle se souvient des événements de cette horrible nuit. Peut-être qu'elle imagine une vie au-delà de l'île. Peut-être qu'elle brûle de tomber éperdument amoureuse d'un étudiant en art ou peut-être qu'elle n'a qu'une envie : disparaître du devant de la scène et retourner à l'obscurité comme un fragment de verre de mer échoué sur la plage. Quels que soient ses désirs, Miss Darling doit apprendre à être l'héroïne dont tout le monde a besoin. En tant que fille d'ouvrier, Sarah a toujours compris qu'avoir le choix de son destin est un luxe réservé aux classes supérieures. Pour la fille d'un gardien de phare comme pour la veuve d'un marin de la marine marchande, il n'y a que le devoir et l'espoir.

Sarah ajoute quelques lignes à son récit de la catastrophe du *Forfarshire* avant de se coucher. Les ténèbres de sa chambre l'enveloppent tandis que le chant lointain devient de plus en plus fort, jusqu'à ce qu'elle ne puisse plus discerner où il s'achève et où elle commence.

North Sunderland, Angleterre.

Ce soir-là, à la lueur de la flamme vacillante d'une bougie, dans sa chambre du *Olde Ship Inn*, les mains de George Emmerson s'agitent sur une page. Il ne dessine pas particulièrement bien au fusain mais c'est tout ce dont il dispose. Ses pensées tourbillonnent et les paroles de sa sœur tournent dans sa tête. « Eliza est agréable, mais c'est une brise, George. Une brise. Ton cœur désire une tempête. »

Il souffle à plusieurs reprises sur la feuille pour la débarrasser de la poussière avant de brandir son œuvre à distance pour examiner minutieusement ses progrès. Il se montre très dur envers lui-même et n'est content que lorsque son travail est bon. Il est résolu à la capturer, à montrer qu'elle possède quelque chose de différent. *Mais comment ? Comment la recréer sur la page ?* Une taille légèrement inférieure à la moyenne, une silhouette gracile, une grâce qui sied à son prénom. Il esquisse une couronne de boucles châtaines, un teint clair, aussi tendre que du babeurre. Et ses yeux, si sombres et si expressifs, qui révèlent ses émotions sans fard. *Comment capturer sa détermination obstinée ? Son sourire pensif ?*

Il froisse le papier en boule qu'il lance sur le sol. Et il recommence. Encore, jusqu'à ce qu'elle finisse par émerger sur la feuille mais la lumière de la chandelle faiblit et il ne peut pas terminer ce soir. Il écrit son nom au dos, range son matériel et pose le dessin contre la fenêtre où la lumière s'en emparera à l'aube.

Tandis qu'il s'effondre sur son lit et ferme les paupières, sa citation préférée du *Songe d'une nuit d'été* de Shakespeare, lui revient en mémoire : « L'amour ne voit pas avec les yeux, mais avec l'âme ; et voilà pourquoi l'ailé Cupidon est peint aveugle. »

Il continuera demain, acceptant déjà l'idée qu'il ne parviendra peut-être jamais à la représenter vraiment comme il la voit dans son âme ; admettant déjà que cela devra suffire.

24

Grace

Phare de Longstone. Septembre 1838.

Le lendemain matin, au moment où j'éteins les lampes, le ciel prend des nuances de violet et d'ocre au nord. Ma longue-vue dérive de manière répétée et de son propre chef en direction de North Sunderland. Je suppose qu'elle espère apercevoir Mr Emmerson toujours debout dans le port, le morceau de verre de mer à la main. Mais bien sûr, il n'en est rien. Il a des problèmes plus urgents à régler. Des choses qui m'obsèdent alors qu'elles n'ont aucun droit de le faire.

Le choc que j'ai ressenti en apprenant que Sarah Dawson était la sœur de Mr Emmerson, sans parler de l'annonce de son mariage, m'a tenue occupée pendant mon quart la nuit dernière. Mais plus encore que ces révélations, c'est sa présence réelle que je ne peux oublier. Comme un fantôme rappelé à la vie, je l'ai vu et entendu, je l'ai même touché quand il m'a aidé à tirer la barque. C'est cette expérience sensorielle qui persiste le plus et qui me rend folle.

J'ai toujours trouvé idiote la distraction rêveuse de mes sœurs quand elles sont tombées amoureuses. Je les avais accusées de se montrer excessivement théâtrales, et de s'imaginer des symptômes comme les vertiges et l'étourderie. Je me rends compte à présent que je me suis révélée peu charitable envers elles. Je comprends maintenant pourquoi on dit « tomber » amoureux ; parce que la sensation d'étourdissement que je ressens lorsque je pense à Mr Emmerson ressemble à celle qui nous saisit quand on tombe au creux de la vague : mon estomac se trouve momentanément suspendu avant de descendre brusquement dans une embardée qui me donne la nausée.

— Quelle absurdité, Grace.

Je me réprimande en contemplant mon reflet dans la lentille et en ruminant devant mon portrait miniature pris dans sa structure semblable à un pétale.

L'air frais me fera du bien. L'air frais et une promenade rapide arrangeront tout.

L'aube s'est levée sur l'île, lumineuse et fraîche. La brise me revigore tandis que je marche au milieu des rochers, profitant de la marée basse pour chercher de nouveaux coquillages à ajouter à ma collection. Les vagissements et les aboiements des bébés phoques entonnent une mélodie familière qui me rend heureuse et je grimpe plus haut pour les voir. Ils doivent être au moins une centaine réunis sur la plage autour de la baie. Je les observe pendant un long moment, admirant le soin avec lequel les mères s'occupent de leur progéniture. Je me demande ce que ça fait d'élever un enfant, de soutenir une autre vie. Je n'ai jamais ressenti le désir d'être mère, contrairement à mes sœurs, ou à ma mère, qui a mis neuf bébés au monde en neuf ans – et s'est constamment plainte depuis. Je pense que je me satisfais peut-être d'être tante et de laisser l'éducation des enfants à celles qui sont davantage taillées pour le rôle.

Mon humeur étant redevenue plus familière que celle d'une écolière frivole, je regagne le phare pour aider mon père avec les débris du *Forfarshire* qu'il a récupérés ces dernières semaines, et que chaque marée rejette encore. Je me rappelle mon intention d'écrire une lettre bien franche à Mr Smeddle ; je suis toujours furieuse contre lui pour avoir fait imprimer mes réponses à des missives privées, mais cette tâche devra patienter. Père m'attend près de la porte du phare et il m'entraîne sur le côté avant même que j'aie eu la possibilité d'ôter mon manteau et mon bonnet.

— Un gentleman est là pour toi, Grace.

Le rouge me monte aux joues. *Cela pourrait-il être Mr Emmerson ?*

— Un certain Mr Sylvester, envoyé comme représentant par Mr Batty, le propriétaire du cirque.

La déception me fait pâlir aussi vite que j'ai rougi.

— A-t-il dit ce qu'il voulait ?

— Il préfère nous l'expliquer à tous les trois en même temps.

Les visiteurs inattendus semblent être légion récemment, aussi ne suis-je pas surprise d'en voir débarquer un autre. Longstone a vu défiler un flot ininterrompu de badauds et de reporters profitant du beau temps. La traversée rapide à partir de North Sunderland leur permet de faire l'aller-retour entre l'île et le continent en une matinée ou un après-midi. J'ai fini par me méfier des questions des journalistes et du grattement de leurs stylos. Concernant mon « héroïsme », moins j'en disais, mieux c'était. Les hommes en charge de la une inséraient leurs propres mots quoi qu'il en soit et montaient tout en épingle. Mais l'envoyé d'un propriétaire de cirque constituait un développement nouveau et plutôt curieux.

Mr Sylvester est un homme trapu avec une impressionnante moustache en guidon de vélo et des favoris qui lui mangent quasiment tout le visage. Il s'incline à moitié quand j'entre dans la pièce et me tend une petite main affectée que je serre, contente de ne pas avoir eu le temps d'ôter mes gants.

— Miss Darling. Quel honneur de faire votre connaissance.

Son accent écossais est tellement prononcé que je ne saisis pas tout ce qu'il dit. Ce n'est pas entièrement la faute de Mr Sylvester qui, certes, n'articule pas clairement, mais mon esprit s'attarde sur l'accent mélodieux de Mr Emmerson.

— Vous êtes le bienvenu à Longstone, Mr Sylvester, commencé-je en enlevant mon bonnet. J'espère que votre traversée a été agréable.

— Très agréable, merci. C'est le *Tweeside* qui m'a amené. Le capitaine m'a expliqué qu'il faisait trois excursions par semaine autour du « Groupe romantique des îles Farne » comme le proclament ses affiches. Il m'a gentiment permis de débarquer ici avant de se rendre à Berwick. Il lui a fallu toute son autorité pour empêcher les passagers de me suivre.

— Nous connaissons bien le *Tweeside*. (Je souris aussi gracieusement que je le peux en songeant aux pêcheurs profiteurs.) Je connais les affiches.

— Je gage que vous trouvez ces excursions un peu pénibles, remarque-t-il, en cherchant clairement à gagner mes faveurs. Même si je suppose qu'elles se calmeront avec le retour du mauvais temps.

— Je l'espère.

Je n'ai jamais attendu les tempêtes d'hiver avec autant d'impatience.

— Mr Sylvester a apporté de l'argent, Grace, déclare mon père. Il provient d'un spectacle récent du Royal Circus de Mr Batty à Édimbourg. Vingt livres.

— Vingt livres ? D'un cirque ? Je ne comprends pas.

Père invite tout le monde à s'asseoir près du feu tandis que Mr Sylvester s'explique.

— Mon employeur, William Batty, a donné une représentation en votre honneur, Miss Darling. Il souhaite vous reverser les bénéfices de cette soirée, qui a attiré une foule impressionnante. Votre cause est extrêmement louable et nos clients ont volontiers donné.

— Mais je ne défends aucune cause, Mr Sylvester. (Je lance un coup d'œil affolé à mon père qui hausse un sourcil en réponse, aussi perplexe que moi.) Comment les gens savent-ils que les recettes de la soirée étaient dédiées à cette cause ?

Mr Sylvester s'agite sur sa chaise.

— Mr Batty avait fait de la publicité en ce sens. Vous pourriez peut-être penser à cet argent comme un cadeau de la part des braves habitants d'Édimbourg. Ils avaient très envie de faire un don.

Il pose un billet de 20 livres sur la table où nous le contemplons comme s'il s'agissait d'un des fossiles inestimables de Mary Anning.

— C'est très généreux de la part de Mr Batty et des habitants d'Édimbourg, déclare mon père. Vous devez leur transmettre nos remerciements les plus sincères.

Mr Sylvester sort une enveloppe de la poche de son manteau.

— Mr Batty serait très honoré si vous veniez nous rendre visite au cirque, Miss Darling. (Il me tend le pli.) Il a souhaité vous envoyer un petit mot de sa main pour vous demander si vous pourriez envisager de venir remercier les habitants d'Édimbourg en personne.

Je n'aime pas vraiment la façon dont le sourire de Mr Sylvester s'est transformé en rictus mais je suis trop désarçonnée pour trouver une excuse plausible expliquant pourquoi je ne pourrais pas le faire et je m'entends répondre que j'en serais ravie.

— Parfait. Affaire conclue. (Sylvester a l'air trop satisfait de sa personne.) Nous pourrions peut-être aller faire un tour au-dehors, Mr Darling, tandis que votre fille répond à Mr Batty ?

Laissée seule avec encore une lettre à rédiger, je bataille pour trouver les mots justes. *Pourquoi suis-je en train d'écrire au propriétaire d'un cirque en Écosse ? Pourquoi les gens font-ils des dons à une cause dont j'ignore tout, pendant une représentation donnée en mon nom sans que j'en sache rien ?* J'ai l'impression que tout m'échappe horriblement. Je n'ose imaginer tout ce qui se passe ailleurs au nom de « l'héroïne, Grace Darling ». Elle est presque devenue quelqu'un d'autre. Quelqu'un que j'ai jadis connu mais dont je me souviens à peine. À contrecœur et de mauvaise humeur, je rédige quelques lignes pour affirmer à Mr Batty que je rendrai visite à son cirque à Édimbourg pour remercier ceux qui se sont préoccupés de mon bien-être et qui ont manifesté leur admiration pour le rôle que j'ai joué dans le sauvetage. Mon point final est tellement rageur que je transperce presque la feuille.

Je suis bien contente quand Père annonce qu'il va reconduire lui-même Mr Sylvester sur le continent. Ma mère se réjouit, elle aussi, que sa visite soit brève : elle a tout de suite détesté cet homme.

— Je vois que des gens du cirque viennent mettre du sable sur mes tapis, maintenant, hein ? bougonne-t-elle, fâchée. Je suppose que ton père va se précipiter en Écosse avec toi ?

— Je ne peux pas y aller toute seule, Mam.

Elle grommelle quelque chose sur le phare qui tombe en ruine, sur ses articulations ravagées par le vent et marmonne qu'elle ne sait pas ce qui va encore nous tomber dessus, sincèrement, elle ne sait pas.

Ce soir-là, quand Père revient du continent, tout est calme au phare. Mam est devant son rouet. Père et Brooks ravaudent une vieille voile. Je suis assise près de la cheminée avec mon aiguille à raccommoder. Je prends un instant pour assimiler la parfaite normalité de tout ça, une soirée d'automne passée loin des dangers entre les murs épais du phare tandis que la nature se livre à l'un de ses caprices au-dehors. Je suis heureuse et en sécurité, et pourtant je sais qu'il n'en sera pas toujours ainsi. J'imagine la scène sans mes parents, Brooks avec une femme et des enfants autour du feu tandis que mon fauteuil est repoussé vers l'extrémité froide de la pièce. *Une observatrice. Et plus une participante.* L'idée me perturbe, comme souvent depuis quelque temps.

Comme s'il lisait dans mes pensées, mon père suggère que je dorme toute la nuit.

— Je vais partager les quarts avec Brooks cette nuit. Tu as l'air fatiguée, Grace. Tu devrais te reposer.

J'accepte à contrecœur mais avant de me préparer à aller me coucher, je grimpe jusqu'à la salle de la lanterne pour vérifier les réserves d'huile. Tout est en ordre. Mon frère a dû passer avant moi.

Le vent soupire contre les carreaux tandis que les lampes tournent à l'étage, aussi fiables et régulières que jamais. Je pose la tête sur l'oreiller en me demandant si on a autant besoin de moi qu'avant. *L'heure a-t-elle fini par sonner où j'ai plus besoin du phare que lui ne requiert ma présence ?*

Bamburgh, Angleterre.

De la fenêtre de l'étage de la maison de sa cousine, Sarah contemple l'éclat lumineux intermittent du phare de Longstone. Ce sera sa dernière nuit à Bamburgh.

Elle veille en silence jusqu'à l'aube, moment où les lampes s'éteignent. Une autre nuit traversée sans incident. Une autre nuit traversée sans les rêves obsédants qui l'attendent de l'autre côté du sommeil.

Elle s'habille rapidement et sort par la porte arrière devant laquelle patiente le coche réservé par la bonne. Alors que les sabots du cheval claquent sur les pavés, elle fait ses adieux secrets à cette petite ville tranquille et se prépare à affronter le long trajet qui la ramènera chez elle. Dans sa main, elle tient un morceau de verre de mer émeraude pour James et le manuel d'instructions pour les gardiens de phare pour Matilda, les cadeaux de Miss Darling. Sa souffrance la plus grande est de laisser derrière elle les tombes de ses enfants, mais elle emporte leurs vies et leurs souvenirs. Quoi qui l'attende, elle décide que ni leurs noms ni celui de Grace Darling ne tomberont dans l'oubli. Dans sa poche, elle a glissé son récit du naufrage du *Forfarshire*, soigneusement enveloppé dans du papier brun. Elle est contente de l'avoir rédigé et d'avoir déversé son désespoir dans ces pages.

Eliza s'est si bien occupée d'elle qu'elle se sent presque coupable d'avoir semé la graine du doute à son sujet dans l'esprit de George. Si les choses avaient été différentes, elle ne s'en serait pas mêlée mais elle est certaine que le bonheur de son frère ne l'attend pas dans l'étreinte fluette de sa cousine mais qu'il se niche dans les bras d'une femme sur une petite île au milieu de la mer du Nord.

Tandis que le fiacre avance, elle songe à la lettre qu'elle a laissée à la bonne pour Miss Darling. Elle est contente de lui avoir écrit avec autant de sincérité. *À quoi sert de garder pour soi ses pensées et ses sentiments ?* Si elle a bien appris quelque chose pendant les terribles semaines qui viennent de s'écouler, c'est que la moindre chance de bonheur doit être saisie et tenue fermement ; il ne faut pas la laisser pendre et tomber. Pour quelle autre raison aurait-elle été épargnée alors que ses enfants lui ont été si cruellement arrachés ? Elle doit devenir importante, à présent. Elle doit trouver un but.

La lumière matinale se fait de plus en plus vive au fur et à mesure que la voiture s'éloigne de Bamburgh et descend la côte vers le sud, la mer chatoyante à sa droite et son avenir droit devant. Chaque fois que les roues font un tour, Sarah se sent un peu plus légère et un peu plus optimiste. Elle chante une comptine à propos de lavande bleue et de lavande verte ; le balancement l'endort, et elle rêve d'un phare au bord de l'océan Atlantique et d'une nouvelle vie qui l'attend là-bas.

25

Matilda

Newport, Rhode Island. Juin 1938.

On est début juin, et mes journées à Newport se déroulent lentement sous un soleil généreux et sous le parfum des roses et des buissons de genévrier. Les aubes matutinales et les crépuscules tardifs sont de véritables cadeaux pour les touristes et les mariés en lune de miel mais ils me laissent trop d'heures pour sentir le remue-ménage de plus en plus fort que je cache sous mes tailles de plus en plus lâches et mes gilets amples. « Une accélération », explique le docteur en plaçant son stéthoscope contre ma peau.

— On dirait que vous avez une petite chose bien vivante là-dedans, constate-t-il quand je tressaille sous la froideur du métal. Un petit qui ne cesse pas de gigoter.

Il pourrait parler d'un chiot en ce qui me concerne. Je suis toujours incapable de faire un lien émotionnel entre les mouvements que je sens dans mon ventre et le fait que j'ai fabriqué un être humain. *Mon enfant.* Je me suis demandé une seule fois à quoi il ressemblerait avant de repousser cette pensée aussi vite que possible, effrayée à l'idée de la laisser s'installer.

Pendant que je me rhabille derrière le paravent, le médecin m'ordonne de prendre un rendez-vous pour dans un mois environ.

— Vous serez dans votre troisième trimestre, Mrs Collins, constate-t-il avec enthousiasme. Il ne restera plus beaucoup de temps à attendre.

Mon pseudonyme me fait tressaillir. Mon mari fictif se retournerait dans sa tombe en entendant tous les mensonges que je suis obligée de raconter pour m'en tenir à l'histoire inventée de toutes pièces par Harriet, histoire qui est d'ailleurs tellement plausible que je suis presque triste pour le pauvre Mr Collins et sa mort tragique dans un accident de voiture.

J'émerge de derrière le paravent.

— Merci encore, docteur.

Il me jette un coup d'œil derrière ses lunettes à monture noire perchées sur l'arête de son nez rougi par le soleil.

— Je sais que ça vous paraît interminable, Mrs Collins, mais vous aurez bien vite votre bébé dans les bras. (Ses paroles piquent ma conscience parce que je sais que c'est une autre femme qui tiendra mon enfant, pas moi.) Ne vous inquiétez pas. Le petit se porte à merveille et la grossesse suit son cours normal.

Je quitte la salle d'examen dans un état d'hébétement, prends rendez-vous pour le mois suivant et ignore le salut amical de la réceptionniste qui me dit « au revoir » tout en soulevant l'aiguille du gramophone posé à côté du comptoir, aiguille qui s'était coincée au beau milieu d'un disque des Andrews Sisters.

Je parcours à pied la courte distance qui me sépare de la maison en repensant aux paroles du docteur Miller : « La grossesse suit son cours normal. » Rien dans cette expérience ne me paraît le moins du monde normal. Je ne sais même plus ce que signifie normal. Mon corps change de façon terrifiante et mes émotions oscillent de manière alarmante. Je fonds en larmes pour des choses ridicules – joyeuses ou tristes – et je peux passer de l'insouciance au désespoir en une seconde. Même Harriet a commencé à tenir sa langue.

Malgré des débuts ombrageux dans la bâtisse en bois au coin de Cherry Street, Harriet et moi avons trouvé une façon de manger à la même table, de partager la même salle de bains, de respirer la même fumée de tabac et d'être polies l'une envers l'autre. Nous avons l'air aussi différentes que le homard et la palourde mais je soupçonne que nos carapaces coriaces dissimulent plus de points communs que nous ne voulons bien l'admettre. Quand nous sommes ensemble, nous dégageons une énergie, une friction qui fait crépiter la petite maison triste.

Harriet le sent aussi. Je le sais parce que même si elle garde ses distances et fait semblant de se désintéresser de moi, elle écoute et regarde. Quand j'ai mentionné au détour d'une phrase que j'aimais l'odeur de la lavande, du savon à la lavande est apparu dans la salle de bains. Lorsque j'ai fait une remarque sur une fleur particulière aperçue dans le quartier, un bouquet a surgi sur la table le lendemain. Quand je me suis plainte d'avoir des démangeaisons, une boîte de talc a été posée sur mon lit. Lorsque j'ai raconté que j'adorais faire de la bicyclette en Irlande, j'ai trouvé un vieux vélo rouillé adossé au portail le lendemain soir. Elle ne fait jamais de tapage, ne donne pas d'explications et n'attend pas de remerciements. Je devine que c'est sa manière de me faire comprendre qu'elle me voit, m'entend et me remarque.

Cependant, malgré toutes les semaines que nous avons passées ensemble, je ne sais quasiment rien de plus sur Harriet Flaherty qu'avant de quitter l'Irlande. À l'occasion, elle mentionne son père, le vieux Boots, ou le travail des gardiens de phare, et elle se plaint constamment de l'automatisation des lampes et du fait que plus rien n'est comme avant. Mais il y a toujours une distance entre nous. Malgré notre lien familial et le fait que nous ayons été élevées dans les mêmes pièces enfumées près de la cheminée de nos grand-mères, elle m'interdit de franchir le pont qui nous sépare. Harriet, ai-je compris, est comme une île, et je ne possède pas encore la bonne carte pour l'atteindre.

Depuis que j'ai rencontré Joseph au phare, j'ai pensé à lui plus que je ne l'aurais dû. La découverte du portrait incomplet au fond du coffre me donne le prétexte idéal pour répondre à son invitation et aller visiter sa galerie d'art.

Kinsella's Fine Arts se dresse au beau milieu de Bellevue Avenue. C'est un étroit bâtiment en briques rouges avec une façade vert bouteille. Dans une grande vitrine sont exposées des marines encadrées et des scènes sur les quais du port. L'enseigne se balance sur un support en fer ouvragé et on peut lire dessus, en cursives élaborées : « Kinsella's Fine Arts. Portraits, commandes, etc. Renseignements à l'intérieur. » Le vieux tableau emballé dans un papier kraft sous le bras, je pousse la porte et pénètre dans la boutique.

L'intérieur est frais et apaisant. Un disque passe en sourdine sur un vieux gramophone posé dans un coin. Des plantes en pot donnent à la pièce un air de serre victorienne. Un ventilateur agite ses pales au plafond. Un « bonjour » hésitant franchit mes lèvres et j'attends que quelqu'un me réponde.

Joseph surgit d'une petite porte au fond de la salle et un grand sourire illumine ses traits quand il me voit.

— Hé ! L'Irlandaise sauvage ! Je suis ravi de vous voir. Je pensais que vous étiez repartie en Irlande.

Captain se faufile entre ses jambes et se rue sur moi ; ses griffes cliquettent sur le plancher verni. Je me penche pour la caresser et elle fourre sa truffe humide dans mes mains, ce qui me fait rire.

— Désolée. Je voulais passer plus tôt.

Joseph lève les mains.

— Vous n'avez aucune explication à me fournir. Je suis content que vous soyez là. (Il me sourit et je souris en retour.) Alors ? Que pensez-vous de la galerie ?

Je me redresse et pivote pour admirer l'accrochage.

— C'est très joli. Très… élégant. (Je me dirige vers une collection d'aquarelles de phare.) Celles-ci me plaisent beaucoup. Mais j'ignore tout de l'art.

Joseph me rejoint.

— C'est ça qui est génial avec l'art. Tout le monde y voit quelque chose de différent. Vous êtes aussi qualifiée pour les apprécier qu'un expert l'est de ne pas les aimer. Et il apparaît que vous avez l'œil. C'est moi qui les ai peintes.

— Vraiment ?

Je me tourne vers lui, impressionnée par son talent. Un sourire fier fait naître des rides au coin de ses yeux.

— Les phares étaient mon obsession l'année dernière. Cette année, je travaille sur une collection de sérigraphies. Une étude des crustacés et des mollusques.

— Des mollusques ?

Il éclate de rire.

— Je suppose que dit comme ça, c'est un peu obscur !

Je repousse une mèche de cheveux derrière mon oreille, embarrassée.

— L'art n'est pas vraiment mon truc. Je suis certaine que les mollusques sont très intéressants.

Joseph s'assied sur un bureau posé devant le mur et allume une cigarette.

— Vous fumez ? demande-t-il en m'en proposant une.

Je secoue la tête. J'aimerais être le genre de fille insouciante qui fume, boit de la bière à la bouteille et sait s'amuser.

— C'est quoi, votre truc, alors ? poursuit Joseph. Que fait une Irlandaise sauvage pendant son temps libre ?

C'est une bonne question à laquelle je n'ai pas de réponse. *Les déjeuners paroissiaux et les événements caritatifs de ma mère, voilà ce que je faisais pendant mon temps libre. Être la fille respectable de l'homme politique local, voilà ce que je faisais de mon temps libre. Boire du whiskey avec un soldat britannique à l'arrière d'un camion militaire, voilà ce que je faisais de mon temps libre.*

Mon regard se pose sur un exemplaire de *La Foire aux vanités* de Thackeray, qui traîne sur le bureau.

— Je lis, réponds-je, soulagée de me souvenir de quelque chose qui me plaît. J'aime lire. Et marcher. Sur la plage. Je collectionnais les coquillages quand j'étais enfant.

Joseph attrape quelque chose dans sa poche.

— Je le fais toujours. (Il pose une coquille Saint-Jacques sur le bureau.) J'ai ramassé celle-ci ce matin.

Je sors une palourde de la poche de ma jupe et la pose à côté de la sienne.

— Idem.

Il aspire une bouffée de cigarette, l'air songeur.

— On pourrait peut-être aller en ramasser ensemble. Si vous n'êtes pas trop occupée à lire.

Je réponds que oui, peut-être, ça serait chouette et j'appelle Captain pour me donner une contenance.

Joseph descend du bureau et retourne le disque sur le gramophone.

— Vous m'avez apporté quelque chose ou vous vous promenez toujours avec un paquet sous le bras ?

J'avais oublié le tableau.

— Oh. Oui ! C'est un vieux portrait que j'ai découvert dans un coffre dans le phare. (Je défais la ficelle et replie le kraft.) Je trouve cette femme magnifique.

Joseph me prend le tableau des mains et le pose avec précaution sur le bureau pour l'examiner. Il caresse le cadre et coince une loupe devant son œil pour déchiffrer les initiales de l'artiste.

— Elle est jolie, c'est vrai. Elle a quelque chose dans le regard.

— Je suis d'accord. Je la trouve adorable. Cette peinture est de quelle époque d'après vous ?

— Victorienne, sans hésiter. Ça se voit aux vêtements et au style de coquillages sur la bordure. Ce sont des croquis botaniques victoriens typiques. Ce serait une belle pièce si elle était achevée.

— J'aime qu'elle ne le soit pas, dis-je en le rejoignant. C'est inhabituel. J'ai de la peine pour cette femme, à moitié sur le tableau, à moitié ailleurs.

— Peut-être qu'elle s'est effacée avec le temps, suggère Joseph. Son histoire jamais racontée, son nom jamais prononcé. Oubliée au fond d'un vieux coffre qui sent le renfermé. (Il ôte sa loupe.) Quel vieil idiot romantique je fais ! Quoi qu'il en soit, j'ai bien peur que cette toile ne vous rapporte pas une fortune. Je ne reconnais pas la signature de l'artiste.

— Oh, je ne veux pas la vendre. Je pense que le peintre est un parent éloigné. J'avais juste envie de changer le cadre. Pour refaire une beauté au modèle.

— Je peux m'en charger sans problème. D'ici à une semaine ou deux si ça vous va ?

Je réponds que deux semaines, c'est parfait. Je sens déjà le temps s'étirer devant moi, et je me demande combien de tableaux oubliés et de vieilles reliques je peux dénicher pour m'occuper.

Joseph remballe le tableau et jette un coup d'œil à sa montre.

— C'est ma pause de 11 heures. Il y a un *diner* au coin de la rue si vous avez le temps de prendre un café ?

J'ai tout le temps du monde et même si ma raison me dit que ce n'est pas une bonne idée de devenir amie avec ce jeune homme incroyablement charmant, mon cœur la réduit au silence.

Nous allons chez *Bernie* boire du café fort, et Joseph me parle des bonbons au caramel salé qu'on fabrique ici et des belles demeures sur Ocean Drive construites durant le *Gilded Age* qui a suivi la fin de la guerre de Sécession. Une heure s'écoule rapidement en sa compagnie et même si je ne le devrais pas, je flirte un peu avec lui, je ris avec trop d'enthousiasme et je laisse mon pied s'égarer contre le sien sous la table. J'oublie que je suis censée pleurer un époux décédé et j'ignore joyeusement les tortillements dans mon ventre. Je tripote le médaillon pendu à mon cou en mélangeant du sucre à mon café, et j'apprécie la conversation agréable et la possibilité de me détendre.

— C'est quoi, ce pendentif ? interroge-t-il en remarquant que je joue avec comme à mon habitude.

— Un héritage familial, réponds-je en l'ouvrant. Il appartenait à mon arrière-arrière-grand-mère. Son frère était un artiste anglais à l'époque victorienne. Je pense que c'est lui qui a peint le portrait que je vous ai demandé de réencadrer. C'est lui, expliqué-je en désignant la miniature dans la partie gauche du médaillon et nous nous penchons tous les deux en avant afin que Joseph puisse mieux l'examiner.

— Ah. Beau gars. C'est sensass.

— Sarah – mon arrière-arrière-grand-mère – a été sauvée d'un naufrage par un gardien de phare et sa fille, Grace Darling. Nous pensons que l'autre miniature représente Grace. Mais ça pourrait être la femme de George.

Joseph se penche sur la table et s'empare du médaillon qu'il scrute pendant un moment avant de lever les yeux vers moi ; ils sont si près que je vois mon reflet dans ses prunelles.

— Elle est très belle, constate-t-il. (Nous nous dévisageons pendant une seconde puis il recule.) Elle ressemble à la fille sur le portrait inachevé. C'est peut-être la même personne. Il était peut-être amoureux d'elle.

— Peut-être.

Je touille ce qui reste de mon café, le cœur battant à tout rompre. *Pourquoi fait-il aussi chaud tout d'un coup ?*

— Qu'est-ce que vous avez prévu pour le reste de la journée ? s'enquiert Joseph après avoir réglé l'addition.

Il se passe les mains dans les cheveux, qui se hérissent dans tous les sens. Nous sortons du café et je suis contente de respirer l'air frais. La caféine m'a donné le vertige.

— Rien, réponds-je en haussant les épaules. À dire la vérité, j'espérais que Harriet aurait le temps de me faire visiter le coin mais elle est toujours occupée au phare.

— Harriet Flaherty ? Jouer les guides sympas ? Ce n'est pas le genre de la Harriet que je connais !

— Oui, hein ?

J'éclate de rire en constatant ma bêtise.

— Je pourrais vous faire visiter, suggère Joseph. La galerie n'attire pas grand monde quand il fait beau comme ça. Ça me ferait plaisir de vous faire découvrir Newport. Vous proposer un barbecue de fruits de mer pour déjeuner. Faire semblant de posséder la moitié des maisons d'Ocean Drive.

— C'est très aimable de votre part, mais je m'en tirerai très bien toute seule. Sincèrement. J'ai un vélo à présent. Et je me repère plutôt bien.

— Faire du tourisme seul n'est pas très amusant.

Il fourre les mains dans ses poches avant de poursuivre :

— Écoutez, Matilda. Je vais être honnête avec vous. J'ignore la véritable raison de votre séjour ici et je ne cherche pas à la connaître, mais cette histoire de veuve éplorée ? (Il hausse un sourcil.) Même si vous avez quelque chose à prouver à vos parents ou à Harriet, vous n'avez rien à me prouver, à moi. La proposition tient toujours. Sans condition.

Le soulagement que je ressens à l'idée de cesser de faire semblant est presque physique et je sens la tension dans mes épaules se dénouer. J'ai envie de lui révéler la vérité et je brûle de partager le fardeau de mon secret. Mais même s'il est très sympa et incroyablement charmant, je ne le connais pas suffisamment pour anticiper sa réaction. Joseph Kinsella est peut-être en passe de devenir un ami et je ne veux surtout pas le faire fuir avec mes secrets scandaleux.

Il me tend la main.

— Si vous me laissez vous faire découvrir la région, je vous promets de ne vous poser aucune question. Qu'en pensez-vous, Irlandaise sauvage ? Marché conclu ?

Je souris en hochant la tête.

— Marché conclu.

Et sur quelque chose d'aussi simple qu'une poignée de main entre amis, tout change.

Durant les semaines qui suivent, Joseph et moi passons le plus clair de son temps libre ensemble. Il m'emmène me promener sur les quais et me fait découvrir les bâtiments coloniaux de la ville. J'apprends l'histoire des quakers et des tavernes, repaires préférés des pères fondateurs du pays. Je vois les maisons des premiers colons irlandais qui se sont établis dans le Fifth Ward, au sud de la ville. Nous assistons à des matchs de polo et de croquet auxquels je ne comprends pas grand-chose, et mangeons des palourdes et du homard frais. Nous faisons du vélo le long de Bellevue Avenue et d'Ocean Drive, et nous arrêtons pour admirer The Breakers, Miramar, Rosecliff et Marble House – les luxueuses demeures aux prix exorbitants construites par les Vanderbilt et les Astor qui ont fait fortune dans le transport maritime et le chemin de fer avant le krach boursier. Nous suivons le sentier tortueux le long de la baie de Narragansett, Captain nous accompagne fidèlement de son pas lourd, et nous gagnons Easton's Beach et Goat Island.

Lentement mais sûrement, cette cité iodée commence à se frayer un chemin jusqu'à mon cœur et même si mon intuition me dit que ça se terminera mal, un jeune artiste du nom de Joseph Kinsella aussi.

26

MATILDA

Newport, Rhode Island. Juin 1938.

L'AUBE TEINTE LE CIEL DE LAVANDE ET JE ME LÈVE EN même temps que le soleil devient plus chaud. Debout devant la fenêtre ouverte de ma chambre, j'apprécie la douce brise contre ma peau. Je m'empare distraitement d'une poignée de coquillages peints posés sur le rebord. J'admire les motifs complexes et les coups de pinceau minutieux : je ne pourrais jamais créer quelque chose d'aussi délicat et d'aussi précis. Les initiales « CF » sont inscrites à l'intérieur de plusieurs d'entre eux. Dans les plus grands, « Cora » est peint avec des fioritures.

Cora.

Le prénom traverse les murs de cette maison comme un écho que je ne parviens pas à saisir. Durant les rares nuits qu'elle a passées ici, j'ai entendu Harriet le prononcer dans son sommeil. Dans des moments de distraction, elle lui permet de se faufiler dans nos conversations, pour s'interrompre aussitôt brutalement. Un arrêt soudain et total. Qui que soit cette femme, ou qui qu'elle ait été, Cora est aussi présente ici qu'absente, et comme avec un bouton mal cousu sur le point de se détacher, je ne peux m'empêcher de jouer avec et de tirer dessus pour comprendre pourquoi.

Je repose les coquillages, et m'empare de la vieille carte postale posée sur ma table de nuit pour caresser le tableau d'Ida et de Grace. *Une seule et même femme.* Ce n'est peut-être pas inhabituel pour deux personnes aussi semblables de devenir indiscernables au fil du temps ; l'une se fondant dans l'autre jusqu'à ce que l'histoire oublie qu'elles étaient deux individus différents.

Je m'habille rapidement et ne ferme ma jupe qu'à moitié pour laisser de la place à ma taille plus large. Mon ventre est clairement rond à présent. Même s'il n'est pas assez gros pour être remarqué par ceux qui ne le cherchent pas, il est bien présent, surtout le soir, quand j'enfle comme un ballon trop gonflé.

Je me campe devant le miroir et tire sur le tissu de ma jupe, me tournant de profil pour examiner ma nouvelle silhouette étrange. Je laisse le tissu retomber avec un soupir et gagne le rez-de-chaussée en bâillant. La nuit, le bébé se livre à des acrobaties qui me tiennent éveillée longtemps et à cause de mes insomnies, je suis beaucoup plus avancée que prévu dans ma lecture du manuel des phares. Ce que j'ignore encore du fonctionnement des phares à l'époque victorienne n'a certainement que peu d'intérêt.

Je prends un solide petit déjeuner que je termine juste au moment où Harriet revient du phare. Elle me lance un regard curieux en me voyant tout habillée.

— Tu sors de nouveau ? demande-t-elle. Tu ne devrais pas te reposer ?

— Je ne peux pas passer ma vie au lit comme une poupée en porcelaine. Et puis je suis sûre que le grand air me fera beaucoup plus de bien que de rester assise à me « reposer ». Je suis en pleine forme.

Je me sens pleine d'énergie. Rien à voir avec les femmes enceintes que j'avais vues devenir des invalides confinées.

— Tu as rendez-vous avec le docteur Miller à 16 heures.

— Je serai de retour à temps.

— Mmm. Tu as intérêt.

Harriet tire sur sa pipe et se met à tousser.

— Tu ne devrais pas fumer autant, remarqué-je en attrapant mon manteau suspendu à la patère près de la porte. Il paraît que c'est mauvais pour la santé.

Elle se moque de moi.

— Il paraît que tout est mauvais pour la santé. La vie serait sacrément ennuyeuse sans vice.

Elle aspire de longues bouffées de sa pipe puis rejette la fumée dans ma direction. Ayant dit ce qu'elle avait à dire, elle se lève pour allumer la radio en ajoutant :

— Et puis cesse de m'enquiquiner. On dirait Cora.

Encore ce prénom. La même pause. La même tension dans l'air.

Il faut que je pose la question.

— Qui est cette Cora ? Tu en parles souvent.

Une rafale de vent traverse la fenêtre ouverte du salon et agite les rideaux décolorés par le soleil. Harriet s'est figée et elle a presque l'air de souffrir. Je me mords la lèvre, prête à encaisser l'inévitable rebuffade.

— Foutues questions, aboie-t-elle en nous tournant le dos, à moi et aux souvenirs que j'ai réveillés. C'est toujours pareil avec toi.

Elle tripote les boutons de la radio et la pièce s'emplit du bruit de l'électricité statique.

— Je suis désolée. Je me demandais juste…

— Eh bien, arrête.

Je termine mon café et ouvre la moustiquaire.

— Où tu vas ? s'enquiert-elle, un peu adoucie, en s'affalant sur sa chaise. Tu as dû visiter toute l'île à présent.

— Nous allons au phare.

— « Nous », c'est-à-dire Joseph et toi, je présume ?

— Oui.

Harriet me regarde comme si elle s'apprêtait à dire quelque chose, puis elle se ravise.

— Bon. Va-t'en, alors.

Je sors de la maison par la porte arrière et me dirige vers la jetée au bout de la promenade où Joseph est en train de préparer le petit voilier.

Il sourit en me voyant.

— Tu es venue !

— Évidemment. Pourquoi ne l'aurais-je pas fait ?

— N'est-ce pas là l'apanage des femmes ? De changer d'avis ?

— Eh bien, ce n'est pas le mien. Et puis il me tardait trop de faire cette excursion.

Il sourit, radieux.

— Moi aussi. (Il se penche pour déposer un panier dans le bateau.) Tu es jolie, constate-t-il sans lever les yeux. Le bleu te va bien.

Je le remercie et pivote vers la mer pour cacher mon sourire idiot, bien contente d'avoir remplacé la robe verte que j'avais enfilée en premier ce matin.

En entendant ma voix, Captain bondit sur la jetée et manque de me renverser en se jetant sur moi. Je la repousse, craignant qu'elle ne fasse du mal au bébé ou que Joseph ne remarque la rondeur de mon ventre. Je me surprends à faire ça à présent : m'inquiéter pour l'enfant et imaginer à quoi il va ressembler. J'ai beau prétendre ne pas m'y intéresser, je suis en réalité consciente en permanence de la vie que je porte et je me sens de plus en plus responsable d'elle. Mais lorsque je ressens ce genre de lien émotionnel, je suis terrifiée.

Une fois la voile déroulée, nous embarquons, Captain sur nos talons, et Joseph met le cap sur la baie. Le vent et la marée sont généreux, et le voilier glisse aisément sur l'eau. Je ferme les paupières, profitant de la sensation de liberté et je souris pour moi-même en me rappelant le bastingage du *California* auquel je m'étais misérablement cramponnée, Mrs O'Driscoll à mes côtés. Je me demande comment se passe son séjour à Long Island. Je pense souvent à elle, et au petit morceau de papier avec son adresse et le mot écrit dessous. « Courage. »

— Est-ce que l'Amérique te plaît, pour l'instant ? interroge Joseph.

J'enfile mes lunettes de soleil et m'adosse contre la coque, les bras écartés sur le rebord du bateau.

— C'est très sympa. Les gens sont gentils.

— Tu dois manquer à tes parents.

— Pas vraiment. Nous nous sommes disputés avant mon départ.

— Désolé. Mais on dit que l'absence adoucit le cœur.

— Pour ça, il faut d'abord avoir un cœur. Je ne suis pas certaine que ma mère en possède un.

— À ce point, hein ?

Il ajuste la voile et accomplit aisément une manœuvre difficile.

— À ce point, soupiré-je.

J'ai attendu la Saint-Valentin pour le lui annoncer parce que j'espérais bêtement qu'un jour consacré à l'amour atténuerait la nouvelle. J'aurais dû avoir plus de jugeote.

Durant la fraction de seconde qui a suivi les paroles qui me tourmentaient depuis des semaines, j'ai cru lire de l'inquiétude dans ses yeux mais en réalité, la seule chose qui inquiétait ma mère, c'était la réputation de notre famille. Son visage s'est déformé sous l'effet du dégoût et de l'incrédulité. Je ne l'oublierai jamais.

— Ne sois pas absurde, Matilda ! (La fumée s'élevait de sa Mayfair au bout de laquelle la cendre se recroquevillait et mourait, comme les restes de notre relation déjà dysfonctionnelle.) Comme au nom de Dieu pourrais-tu être enceinte ?

— Ai-je vraiment besoin de te l'expliquer ?

Le mépris que je ressentais pour elle était palpable.

J'étais assise au bout de mon lit, raide comme un mannequin de couturier, et elle s'est dirigée vers moi. Allait-elle me prendre dans ses bras ? Me dirait-elle que tout se passerait bien et que nous nous débrouillerions ensemble ? Elle a laissé tomber ses gants sur la coiffeuse et s'est approchée de la fenêtre, les bras croisés sur son chandail et son cardigan jaunes, le dos tourné. Derrière le carreau, les contours caractéristiques du port de Cork. Sur le rebord, ma collection adorée de coquillages.

— Qui est-ce ? a-t-elle demandé.

— De qui parles-tu ?

— Le monstre peu recommandable qui t'a mise dans ce pétrin.

— Ça a de l'importance ?

Elle a pivoté brusquement et m'a lancé un regard noir.

— Bien sûr que oui. Ton père voudra savoir qui a abusé de sa fille.

— Mais personne n'a abusé de moi, Mère. J'ai beaucoup aimé ça, en réalité.

Je savais que j'étais allée trop loin. Je méritais la gifle qui s'est abattue sur ma joue.

— Ça t'amuse peut-être maintenant, Matilda, mais ta vie est gâchée. « Notre » vie est gâchée. À quoi songeais-tu donc ? Tu ne pensais clairement pas à la réputation de notre famille. Tu ne pensais qu'à toi. Comme d'habitude. (Ses mains tremblaient de rage.) J'irai voir sœur Murphy demain matin. Voir ce qu'on peut faire.

Elle a fouillé dans mon armoire et en a sorti une tenue pour la fête qui avait lieu le soir même avant de récupérer ses gants et de les enfiler sèchement.

— Habille-toi et arrange tes cheveux. Je veux que tu sois présentable avant le retour de ton père. Il est très occupé en ce moment, avec les élections qui approchent. Il n'a pas besoin de ces… distractions.

Une distraction. C'était ce que j'étais. J'avais toujours eu l'impression d'être une intrusion gênante dans l'existence de ma mère. Sa réaction à l'annonce de ma grossesse tout comme sa façon de me condamner et de me renier aussi facilement quand j'avais besoin de son aide mettaient en évidence tout ce que je ressentais depuis que j'étais une enfant qui s'inventait des histoires sur les gens dans mon médaillon. Même à cette époque-là, quand je n'avais pas les mots pour exprimer mes émotions, je me sentais comme une invitée indésirable dans ma propre maison.

C'était donc sans surprise qu'elle s'était arrangée pour nous envoyer loin, mon petit problème et moi, nous abandonnant aussi aisément qu'un meuble dont on ne veut pas.

— À quoi penses-tu ?

La voix de Joseph me tire de ma rêverie.

— Pardon. J'étais à des kilomètres.

— De retour en Irlande ?

Je hoche la tête.

— Je peux faire quelque chose pour t'aider ? Un problème partagé, tout ça ?

Je plonge les yeux dans son regard couleur jean élimé plein de bonté.

— J'aimerais bien que ça soit aussi simple.

— Eh bien, simplifie-le. Quand on garde quelque chose pour soi, c'est toujours plus compliqué.

Je lui souris malgré le secret qui pèse lourd dans mon esprit et dans mon cœur.

Cher Joseph. Avec lui, les ennuis ne sont rien d'autre qu'une mouche qu'on chasse. J'aimerais trouver le courage de tout lui avouer mais les mots se dissolvent sur ma langue et nous achevons la traversée vers le phare en silence.

Joseph amarre le voilier au pied de Rose Island. Les coquillages crissent de manière plaisante sous nos pieds lorsque nous remontons le sentier. Ça me rappelle les promenades avec mon père sur la plage de Ballycotton et je me dis que mon enfance n'a peut-être pas été totalement affreuse.

Pendant que Joseph s'affaire dans le phare, je m'installe sur une chaise avec ma boîte de peinture et je commence à esquisser la vue, particulièrement attentive à la façon dont la lumière joue avec la surface de l'eau dans la baie. Les roses roses exhalent un parfum divin. Captain s'installe à mes pieds. J'entends Joseph fredonner une chanson de Nat King Cole par une fenêtre ouverte. Pendant quelques heures merveilleuses, c'est comme si j'avais toujours été là, en sécurité à côté des murs protecteurs du phare, et rien d'autre ne compte.

Les heures s'écoulent rapidement pendant que je peins. Je somnole un moment, réchauffée par le soleil, les pensées tournées vers tout ce qui m'est arrivé depuis que je suis en Amérique. Je songe à Harriet, si grande et si costaud, qui s'est recroquevillée sur elle-même comme un bernard-l'ermite quand je lui ai demandé qui était Cora avant de détaler dans un endroit où elle était seule et où personne ne lui posait de questions indiscrètes. Je pense à ça toute la matinée et ça m'agace comme un enfant têtu qui tire sur la jupe de sa mère.

Alors que Joseph est en train d'ouvrir des huîtres fraîchement pêchées pour le déjeuner, ma curiosité finit par l'emporter.

— Est-ce que je peux te demander quelque chose, Joseph ?

Il lève le regard vers moi en repoussant une mèche de cheveux qui retombe sur ses yeux.

— Bien sûr. Vas-y.

J'hésite un instant parce que je sais que si je lui extorque ce secret, la vérité ne me plaira peut-être pas.

— Qui est Cora ?

Ses mains s'immobilisent une seconde puis il pose l'huître et le couteau. Il s'essuie lentement les mains sur un torchon glissé sous sa ceinture et s'assied en tailleur sur la couverture.

Il me regarde bien en face.

— Pourquoi cette question ? interroge-t-il d'une voix dénuée de son entrain habituel.

— Harriet a mentionné son prénom à plusieurs reprises mais elle a refusé de me répondre quand je lui ai demandé de qui il s'agissait. (J'attends un instant.) Elle l'appelle parfois dans son sommeil et il y a des coquillages peints dans ma chambre avec son nom dessus.

Joseph baisse les yeux vers la couverture. Il est évident qu'il lutte contre ses émotions mais je ne peux pas m'empêcher d'insister.

— C'est clairement quelqu'un d'important. Alors, qui est-ce ?

Il finit par pousser un long soupir.

— Cora était la fille de Harriet. (Il attrape une autre huître sur le plat avant de lever le regard vers moi.) Et j'espérais qu'elle deviendrait ma femme.

27

Harriet

Phare de Rose Island. Juin 1938.

Le passé est un drôle d'endroit, si lointain et pourtant toujours là, prêt à vous faire trébucher sous le poids des souvenirs et des regrets.

Je sens encore l'odeur de la peinture fraîche des bastingages du navire quand j'ai accompli la longue traversée à partir de l'Irlande. Je sens encore le goût salé de mes larmes sur mes lèvres quand j'allais et venais sur le pont en essayant de calmer Cora et de deviner la cause de ses petits sanglots stridents. Je n'avais jamais eu davantage besoin de ma mère et je n'avais jamais senti avec plus d'acuité le gouffre que sa mort avait laissé dans mon enfance.

J'entends encore la panique dans ma voix quand j'ai demandé à une femme avec des enfants plus âgés ce qui d'après elle clochait chez mon bébé. Elle m'a répondu que c'était probablement le vent et elle m'a montré comme le poser sur mon épaule pour lui masser le dos mais Cora a continué à brailler et vagir comme si elle savait que quelque chose n'allait pas du tout et qu'elle ne cesserait pas de pleurer tant que je n'aurais pas trouvé une solution.

Je me souviens des applaudissements de certains passagers lorsque New York avait émergé du brouillard mais la vue de la statue de la Liberté avait provoqué une douleur sourde dans mon cœur. En embarquant à Cobh, je pensais vivre le jour le plus horrible de ma vie, mais débarquer était bien pire. La distance que j'avais parcourue depuis mon départ d'Irlande était accentuée par les accents étrangers, le bruit et l'odeur. La vérité de ce que j'avais fait m'a frappée comme un uppercut dans la poitrine et je suis descendue du bateau le souffle court. Ma culpabilité n'a cessé de me poursuivre depuis.

Mais Cora et moi avons trouvé une solution. Je n'étais pas une mère parfaite, loin de là, mais j'ai fait de mon mieux pour elle. Avec mon père prêt à m'aider de toutes les manières possibles, et même le vieux Boots qui n'avait pas hésité à endosser le rôle de nounou, je n'ai jamais cherché à les remplacer. Je n'avais besoin de personne d'autre, farouchement protectrice que j'étais du petit binôme que nous constituions, Cora et moi.

Mais j'ai toujours été hantée par l'écho de l'Irlande.

Lorsque les longues nuits de veille étaient chassées par les nuages roses, la première chose que je voyais chaque matin, c'était le doux petit visage de Cora, ses joues roses comme les roses d'été, les cheveux étalés sur l'oreiller comme une sirène. Je l'imagine à présent, dans un monde sous-marin, le reflet de la lune parant sa chevelure d'une lueur argentée.

On n'a plus besoin de moi comme avant, mais je me rends toujours au phare, comme un papillon de nuit attiré par la lumière ; je traverse en voletant les petites heures de la nuit, je déplace des objets qui n'ont pas besoin d'être bougés, j'époussette des meubles qui n'ont pas besoin d'être nettoyés, je trouve des façons de me souvenir d'elle et de m'occuper. L'autre issue – rester assise sans rien faire et attirer les souvenirs pénibles – m'effraie trop.

Le ciel s'assombrit tôt et la petite pièce au rez-de-chaussée du phare est plongée dans l'ombre par les nuages qui s'amoncellent. Je m'arrête devant la photo d'Ida Lewis en allant à la cuisine préparer du café. Son image s'est décolorée au fil des ans, effacée par le soleil et le passage du temps. C'est une espèce de gardienne pour moi, quelqu'un que j'ai toujours admiré. Ida était une véritable héroïne américaine, à la vie noble et fière. La mienne est une invention mal cousue entre l'Irlande et l'Amérique, et elle commence à se défaire et à s'effilocher.

Je prépare du café, m'assieds près de la fenêtre pour admirer les nuances perpétuellement mouvantes du ciel et je laisse mes pensées dériver dans le temps en inspirant profondément, les narines envahies par l'odeur iodée de l'océan. Je la vois partout : dans la lumière du soleil et dans l'ombre, dans l'écume blanche des vagues et dans les traînées des brouillards marins. Pendant très longtemps,

Cora avait été ma raison de me lever le matin. *Cora et la lumière.* Les ténèbres de son absence sont insupportables.

Matilda me fournit un but pour le moment, tant qu'elle choisira de demeurer ici. J'éprouve de la curiosité à son égard à présent et j'apprécie les indices qu'elle sème derrière elle. Je sais qu'elle aime chanter en même temps que la radio, et qu'elle apprécie parfum de la lavande et des roses. Je sais qu'elle aime faire du vélo, et collectionner les coquillages qu'elle ramasse sur la plage et range dans une boîte à bijoux près de son lit.

J'apprends ces détails minuscules qui rendent une personne unique.

Des détails que j'aurais dû connaître depuis toujours si les choses avaient été différentes.

28

Matilda

Newport, Rhode Island. Juillet 1938.

Les deux mois que je viens de vivre à Newport auraient aussi bien pu être deux années, tant je sens de différences dans mon cœur et vois de changements dans la protubérance gonflée qu'est devenu mon corps jadis menu. Je ne me plains plus de l'odeur de varech ni ne commente la rapidité avec laquelle les brouillards entrent dans le port et en sortent. Je ne remarque presque plus le gémissement grave de la corne de brume qui me réveillait les premières semaines et je passe à vélo devant les splendides demeures d'Ocean Drive comme s'il s'agissait des boutiques de Ballycotton. L'extraordinaire est devenu ordinaire et Newport ne ressemble plus à une ville dans laquelle je suis en vacances. Je me sens chez moi.

Comme les semaines s'écoulent, il devient clair que je ne peux plus dissimuler ma grossesse. Je passe plus de temps sur Rose Island, contente d'échapper au regard dédaigneux des voisins indiscrets de Harriet. Je préfère passer mes journées toute seule dans le phare à trier le fatras concernant les gardiens de phare rangé dans le coffre, à lire, dessiner ou me promener sur les plages tranquilles. Ici, je peux me détendre, vêtue de confortables robes en coton amples et garder mes pieds gonflés nus pendant que Harriet bricole un vieux mécanisme ou un autre, incapable de se débarrasser de sa nostalgie pour une époque à présent révolue.

Le seul problème, c'est Joseph. Quand il est dans les parages, je reste assise devant la table ou roulée en boule sur un fauteuil avec des coussins savamment disposés. J'ai réussi jusque-là à ne pas attirer l'attention sur mon tour de taille de plus en plus imposant, et qu'il se soit rendu compte de quelque chose ou pas, il a été suffisamment diplomate pour ne rien dire.

Comme j'ai du temps devant moi, j'ai beaucoup pensé à Cora depuis que j'ai découvert qui elle était. Son absence plane dans les pièces du phare et dans la maison de Cherry Street, elle s'assied comme une ombre près de Harriet et marche à mes côtés, à tel point que je m'attends parfois à apercevoir d'autres traces de pas que les miennes dans le sable. Harriet ignore que Joseph m'a tout raconté mais apprendre que sa fille s'est noyée tragiquement il y a quelques années seulement m'a rendue plus tolérante envers elle. Je songe au premier jour de mon arrivée, quand elle m'a ouvert la porte, cassante et inhospitalière. Je la vois sous un autre jour à présent. Je comprends son irascibilité et sa réticence à s'ouvrir. Ce que j'avais pris pour de la mauvaise humeur et de la misanthropie ne sont que de la vulnérabilité et du chagrin. Une mère qui fait le deuil de sa fille.

Je contemple les coquillages peints dans ma chambre, la robe empruntée que j'ai portée le premier jour, les cadres bordés de coquillages et les boîtes éparpillées partout : maintenant je sais qu'ils ont appartenu à une fille adorée.

— Cora était tout pour Harriet, m'a expliqué Joseph après m'avoir révélé qui elle était. Je n'avais jamais vu une mère et sa fille si proches.

La douleur de sa propre perte était évidente quand on parlait d'elle mais lorsque je me suis excusée de réveiller des souvenirs pénibles, il a dit que c'était un soulagement de pouvoir l'évoquer.

— Harriet ne supporte pas de parler d'elle, a-t-il observé, et je déteste avoir l'impression qu'on l'a oubliée. (Il m'a raconté qu'ils avaient été amis d'enfance mais qu'en grandissant, il avait commencé à la voir différemment.) Cora disait que j'étais le frère qu'elle n'avait jamais eu. J'espérais bêtement qu'elle me regarderait autrement un jour.

— Pourquoi bêtement ?

Il a eu l'air un peu timide avant de répondre.

— Elle était trop bien pour moi. Trop intelligente. Trop jolie. Trop impatiente de voir le monde. Elle serait partie voyager si… Enfin. Je suppose qu'on ne saura jamais ce qu'elle aurait vraiment fait.

Plus Joseph parlait d'elle, plus Cora devenait réelle, jusqu'à ce que je finisse par l'imaginer assise près de nous, en train d'écouter notre conversation et de rire aux souvenirs qu'il avait d'elle, un petit peu trop pudique pour entendre l'affection dans sa voix.

— Le pire pour Harriet, c'est qu'il n'y a pas eu de corps à enterrer, a-t-il expliqué.

— On ne l'a jamais retrouvée ?

Joseph a secoué la tête.

— Elle a été emportée par un contre-courant. Harriet se torture à la pensée que Cora est toujours en vie quelque part et qu'elle appelle à l'aide. Elle la cherche encore. Je pense qu'elle ne s'en remettra jamais.

— Et toi ?

— J'ai fait la paix avec ça. Je lui ai dit « adieu ». Que faire d'autre ?

Comme un baume sur une plaie, Joseph a une capacité merveilleuse à soulager les situations même les plus difficiles. Pas étonnant que j'apprécie sa compagnie après avoir subi pendant tant d'années l'hystérie galopante de ma mère. Mais il y a autre chose. Joseph n'a aucune arrière-pensée. Et il m'écoute comme personne ne l'a jamais fait avant lui.

Et c'est pour cette raison que je finis par tout lui avouer.

La journée est encore une fois chaude, et mes joues luisent de sueur le temps que j'atteigne la plage en forme de fer à cheval près du débarcadère. J'étale mon gilet sur le sable et m'installe dessus en pensant à mon passé et en imaginant mon avenir, tout en dessinant négligemment des cercles dans le sable avec mes orteils nus. J'ai appris à aimer cette petite grève tranquille. Je me figure que c'est mon île privée et que personne ne peut me trouver si je n'en ai pas envie.

Je m'allonge et me détends en écoutant le clapotis des vagues et le bruissement de la brise tiède. *Ici, je peux donner du sens aux choses. Je peux réfléchir.*

Respirer.

Dormir.

Le coup de museau humide familier de Captain me réveille en sursaut.

J'ouvre les yeux et me dépêche de m'asseoir, sauf que j'ai oublié que je suis obligée de rouler sur le côté à présent, incapable de bouger aussi facilement qu'avant. Je jette mon foulard sur mon ventre tout en me redressant maladroitement.

— Joseph ! Je ne pensais pas te voir aujourd'hui. Harriet a dit…

Il se tient devant moi, embarrassé, tandis que je reste agenouillée, gênée. Nous attendons tous les deux que l'autre admette ce qui est désormais complètement évident.

Je lui dis qu'il ferait mieux de s'asseoir.

— Tout va bien. Tu n'as pas besoin de…

— S'il te plaît, Joseph. Je te dois une explication.

— Tu ne me dois rien du tout, réplique-t-il en se laissant tomber sur le sable et en repoussant ses cheveux en arrière. Mais si tu as besoin de parler, je suis tout ouïe. (Il agite ses oreilles du bout des doigts.) Ce n'est peut-être pas ce qui est le plus séduisant chez moi mais elles font de moi un auditeur très attentif.

C'est tellement typique de sa part de me rendre les choses faciles, de balayer la gêne et les justifications maladroites.

En pleurant et en m'excusant, je m'ouvre comme une palourde et je déballe tout : ma relation tendue avec ma mère, mon enfance solitaire, l'impression de ne pas être à ma place depuis toujours, mon badinage malavisé avec un soldat britannique et l'envoi en Amérique qui avait suivi. Il ne m'interroge pas, ne me juge pas, il se contente de m'écouter patiemment tout en me frottant le dos et en affirmant que tout va s'arranger.

Une fois que j'ai tout raconté, il me tend un mouchoir.

J'essuie mes larmes et me mouche.

— Comment tu fais ? demandé-je.

— Comment je fais quoi ?

— Tu sais toujours quoi dire, et quand faire apparaître un mouchoir et un chien adorable.

Il sourit.

— Je suppose que c'est à ça que servent les amis.

Je lui explique que ma mère a décidé que je devais abandonner l'enfant dans une agence d'adoption avant de rentrer en Irlande.

— On dirait que ta mère a tout prévu, commente-t-il en s'allongeant dans le sable, appuyé sur les coudes.

— Elle aime à le croire.

J'essuie de nouvelles larmes et roule le mouchoir en boule.

— Et toi ? Quel est ton plan, à toi ? Qu'est-ce que tu veux, Matilda ?

— Honnêtement ?

— Honnêtement.

J'hésite, et rassemble le courage d'être franche avec lui et avec moi-même.

— Quand j'ai découvert que j'étais enceinte, je ne voulais rien avoir à faire avec ce petit. Je ne pouvais même pas penser que c'était un enfant, encore moins « le mien ». Tout ça me terrifiait. Mais maintenant…

Je pose une main hésitante sur mon ventre.

— Tu as changé d'avis ?

J'acquiesce, presque honteuse d'admettre le lien émotionnel que je ressens pour le bébé depuis quelque temps.

— Mais c'est absurde.

— Pourquoi ?

— J'ignore absolument tout de l'éducation d'un enfant. Je n'ai que dix-neuf ans. Je devrais songer au reste de ma vie, et non pas me caser et jouer à la maman. Et puis être la mère de quelqu'un ? Toutes ces responsabilités ? Ça m'effraie.

Joseph avale une longue gorgée de soda.

— Ma mère m'a eu à dix-huit ans et c'est la meilleure mère du monde. Tu pourrais te surprendre, Matilda. Ma mère assure toujours que les choses qui nous effraient le plus sont celles qui font de nous ce que nous sommes.

Je songe à Mrs O'Driscoll.

— Quelqu'un m'a dit quelque chose dans ce goût-là un jour.

— Il est peut-être temps de commencer à écouter, alors.

Il bondit sur ses pieds et me tend les mains. J'hésite avant de les saisir et de le laisser me relever maladroitement. Nous restons immobiles un instant, les mains jointes, la silhouette de ce jeune homme bon et compréhensif se découpant contre l'éclat du soleil.

— Merci de m'avoir tout raconté, dit-il. Ça demande du cran.

Je pousse un long soupir et six mois de tension disparaissent de mes épaules.

— Merci d'avoir écouté.

— Nous avons tous le droit de commettre des erreurs. C'est ce que nous faisons après qui nous met véritablement à l'épreuve. Et pour ce que ça vaut, je suis sûr que tu serais une mère géniale.

Il enroule ses bras autour de moi et me serre contre lui, et pendant quelques secondes parfaites, je cesse de m'inquiéter et de me poser des questions, et je m'autorise à être une jeune femme dans les bras d'un ami avec la mer qui me lèche gentiment les pieds. Pour la première fois depuis que j'ai quitté l'Irlande, je n'ai pas peur.

Nous regagnons le phare pour déjeuner puis je fais une sieste. Quand je me réveille, le soleil est bas dans le ciel. Avant de descendre, j'attrape une conque sur le rebord de la fenêtre et je la presse contre mon oreille. Mon grand-père m'avait un jour affirmé que toutes les mers et tous les océans du monde étaient emprisonnés dedans. J'avais ri, croyant qu'il s'agissait là d'un autre de ses tours, comme les sous qu'il tirait de derrière mes oreilles et pourtant il était bien là, retenu à l'intérieur du coquillage blanc crème : le bruit inimitable de l'océan. C'était la chose la plus magique du monde.

J'écoute le son à présent et je respire au rythme des vagues. Debout dans cette pièce silencieuse, un rayon de soleil s'étirant sur l'océan derrière le carreau, le calme s'abat sur moi et je réfléchis à mes options. Soit je peux accepter le plan de ma mère, abandonner le bébé et rentrer en Irlande comme une bonne fille, soit je peux la défier et élever l'enfant seule, ici, en Amérique.

Ce que je possède, ce que je suis et celle que je vais devenir est loin d'être parfait mais, la main sur le ventre, je me fais enfin confiance pour trouver le courage d'agir comme il faut, quel que soit mon choix.

Au crépuscule, je suis assise devant la fenêtre de ma chambre dans la maison de Cherry Street. Je contemple le faisceau lumineux du phare qui balaie l'eau tandis que le brouillard s'étend ; je saisis à présent comment tournent les lampes et par quels mécanismes elles pivotent et clignotent. Et je comprends mieux les gens qui ont vécu ici. Je sais qu'une douleur profonde s'attarde dans les murs, et passe entre Harriet et moi comme la lumière à travers du verre. Je la sens aussi clairement que le sable entre mes orteils. Une source de tension, enracinée ailleurs mais transportée ici, perturbée à présent par les autres personnes qui occupent les pièces.

Au dîner, Harriet fait une remarque sur mes excursions avec Joseph.

— Joseph Kinsella a beau être une agréable distraction, tu ne peux pas continuer à ignorer cet enfant.

Je pose ma fourchette dans mon assiette et sirote une gorgée de thé glacé.

— Comment ça ?

Elle lève les yeux au ciel.

— Tu sais très bien ce que je veux dire. Je vois très bien ce que tu fais. Tu agis normalement. Tu t'amuses avec ton nouvel ami. En faisant semblant d'ignorer que tu es enceinte de six mois.

Je sais qu'elle me teste de nouveau. Elle me provoque et me cherche comme d'habitude.

— C'est un bon ami. Et il faut bien que je trouve quelque chose pour passer le temps.

— Tu as raison et je ne peux pas t'en vouloir. Mais il faut qu'on prenne des décisions. Pour la naissance.

Je lui réponds que je n'ai pas envie d'en parler et je rapporte mon assiette à la cuisine. Mais je sais qu'elle a raison. Je me sers un verre d'eau que je bois, songeuse.

Harriet finit par me rejoindre. Elle s'adosse à l'encadrement de la porte, d'où elle me regarde en attendant que je la remarque.

— Quoi ? dis-je sèchement en pivotant vers elle.

Et, pour la première fois depuis que j'ai frappé à la moustiquaire ce matin de mai, Harriet Flaherty sourit. *Un vrai sourire.* Et je lis une véritable compassion sur son visage.

— Tu n'es pas la première femme à avoir peur d'accoucher, tu sais. Mais avoir peur ne résout rien.

Je pense à l'étreinte qui sentait délicieusement la tourbe de Mrs O'Driscoll sur le paquebot et je voudrais vraiment que Harriet me serre contre elle en affirmant que tout se passera bien, mais je reste devant l'évier, raide, parce que je crains, si j'admets mes angoisses, de me noyer dedans.

— Je n'ai pas peur, répliqué-je mais j'aimerais bien avoir l'air plus convaincante. Je suis juste fatiguée et je n'ai pas envie d'en discuter maintenant.

Je gagne ma petite chambre froide à l'étage et m'étends sur le lit. Je contemple, hébétée, mon ventre gonflé et observe ma peau qui ondule et se tord tandis que l'enfant virevolte, impatient. Je me tourne sur le côté, et mon regard se pose sur la carte postale d'Ida et de Grace. Je pense à leurs actes courageux et altruistes, et me rappelle comment, si Grace n'avait pas mis en danger sa propre vie, je ne serais probablement pas là du tout. Je songe à Sarah qui a perdu ses deux petits et pourtant me voilà, gâtée et égoïste, qui regrette de porter un enfant en excellente santé et vigoureux.

Je place les mains en coupe sur mon ventre dans un geste protecteur et je ferme les yeux. Dans la lumière teintée de rose d'un coucher de soleil parfait, je m'autorise à admettre ma plus grande peur. Je ne crains pas d'accoucher, je redoute d'abandonner à une autre mon bébé résistant et résolu. C'est ça qui m'effraie le plus.

Je finis par comprendre que je ne dois pas avoir peur d'élever un enfant seule : je dois affronter ça avec le même courage que celles qui m'ont précédée : mon arrière-arrière-grand-mère, Grace Darling, et même Harriet. Je retourne le médaillon que je porte autour du cou pour lire l'inscription au dos : « Même les plus courageux ont eu peur un jour. » Et en cet instant tranquille dans une petite maison de Newport, sur Rhode Island, je laisse les craintes d'une jeune Irlandaise se transformer en courage et je sais ce que je vais faire.

29

Grace

Phare de Longstone. Octobre 1838.

Les artistes vont et viennent avec les marées, interminables vagues envoyées par Smeddle pour répondre à la demande du public, qui veut mon portrait, et aux commandes spéciales qu'il a garanties à ses amis haut placés. Ces hommes se mettent en travers du chemin de ma mère, avec leurs chevalets et leurs boîtes remplies de tubes de peinture, de fioles de pigments et d'huiles, sans parler de leurs nombreux pinceaux, de leurs couteaux à palette et de la térébenthine qu'ils utilisent pour nettoyer leurs pinceaux et qui donnent la migraine à tout le monde.

En tant qu'homme farouchement pragmatique, mon père n'a guère de temps à perdre avec ces artistes, leurs idéaux romantiques et leurs manières méticuleuses. Comme la lecture de romans, il considère l'art comme un vice des classes supérieures. Même si je ne me montre pas aussi méprisante et que j'admire leur talent, je suis très mal à l'aise d'être le centre de leur attention.

Henry Perlee Parker est le premier à nous rendre visite. Bruyant, amateur de whiskey ne tolérant pas les espaces confinés, il trouve la lumière de Longstone épouvantable et la pièce trop exiguë. Il conclut que les phares sont romantiques de l'extérieur mais qu'ils ne sont pas taillés pour l'art.

Je trouve le processus du portrait ennuyeux. Ce n'est pas naturel de se retrouver enfermée pendant des heures, d'avoir peur de déglutir ou de ciller et d'à peine oser respirer. Mon dos et mon cou sont douloureux, mes pieds et mes mains me démangent, demandant à être occupés. J'essaie de me distraire pendant les poses en me récitant des passages de la Bible ou en contemplant les oiseaux par la fenêtre mais ça me donne encore plus envie d'être au-dehors avec eux. Le temps ne tardera pas à se détériorer, favorisant peu les promenades. Même ma mère remarque que ma peau a pâli à force d'être tout le temps cloîtrée à la maison.

— Ils n'auront pas besoin de me sculpter si je reste assise encore longtemps, bougonné-je. Je vais finir par me transformer en statue.

— Tu devrais être contente que tant de gens veuillent te peindre, rétorque-t-elle. Tu as un visage admirable et tout le monde ne peut pas en dire autant.

— J'admire le tien, intervient mon père en embrassant ma mère sur la joue, ce qui est rarissime.

Mam rougit juste à l'endroit où Père l'a embrassée, et on dirait que Mr Parker y a dessiné un rond rose avec l'un de ses pinceaux. Elle se tient un peu plus droite toute la journée, incapable de dissimuler son grand plaisir.

Les jours passent, amenant plus d'hommes. Après Mr Parker et un certain Mr Carmichael, c'est au tour de David Dunbar, un sculpteur, puis à celui d'un peintre de Londres, à qui lord Panmure a commandé mon portrait ainsi que celui de mon père. Un homme très agréable, Mr Musgrave Joy, réside chez nous pendant une semaine, bloqué à cause du mauvais temps. Mr Reay de Newcastle manque de se noyer en venant lorsque son bateau coule au large de Holy Island. Ils sont pour la plupart polis et patients mais il me tarde le jour où le dernier d'entre eux remballera ses huiles et qu'aucun artiste ne nous dérangera plus.

À la suite d'un changement de temps et d'une petite annonce de mon père dans le journal local annonçant que dorénavant, quiconque désireux de se procurer mon portrait était prié d'acheter la copie d'une gravure ou d'une toile déjà en circulation, les visites d'artistes cessent. Les jours d'automne de plus en plus courts s'égrènent plus librement, la température chute et ce cher vieux phare subit les coups des vagues déchaînées tout en nous protégeant en son sein. Quand la mer est ainsi démontée, les pêcheurs ne peuvent pas sortir et pendant quinze parfaits jours, Longstone n'appartient de nouveau plus qu'à nous. Les tempêtes qui ont attiré une attention inopportune sur notre humble foyer nous offrent à présent la solitude que j'ai appelée de tous mes vœux ces dernières semaines. Cependant, alors que je m'occupe des lampes et que je prends mon quart, mon esprit suit le faisceau lumineux en direction du continent et de Sarah Dawson, dont j'ai reçu un courrier le jour où le premier artiste est arrivé. Bouleversée, exaltée et perturbée par son contenu, je l'ai relu une dizaine de fois depuis. Les mots de Sarah ont peint un tableau que mon cœur a peur d'examiner de trop près.

Chère Miss Darling,

Je m'en vais dans peu de temps pour regagner ma maison à Hull (adresse ci-dessous) mais avant de partir, je voulais vous remercier pour m'avoir rendu ma lettre et pour le cadeau très attentionné qu'était le manuel. J'en ai déjà beaucoup appris sur la maintenance des lampes. Lorsque Matilda et moi nous retrouverons au paradis, j'aurai bien des choses à lui enseigner.
Je dois vous dire autre chose avant de rentrer à Hull. Voyez-vous, Miss Darling, dans la missive que vous m'avez renvoyée – et que vous avez trouvée, trempée, dans la poche de mon manteau –, mon frère, George, parle de vous. Il m'avait raconté avoir rencontré la fille d'un gardien de phare lors d'une excursion à Dunstanburgh. Depuis mon retour de Longstone, il vous a souvent évoquée avec les plus grands égards.
Vous ignorez sans doute que George est fiancé à l'une de nos cousines, Eliza Cavendish, qui vit à Hope Street, à

Bamburgh où j'ai logé ces dernières semaines. Je ne veux pas causer de chagrin à Eliza mais je serai incapable de trouver le repos tant que je ne vous aurai pas dit que George lutte avec sa conscience. Alors que sa main est promise à Eliza, son cœur ne bat que pour vous.
Ne me jugez pas durement pour avoir partagé cette information avec vous. Je ne souhaite aucun mal à Eliza mais quand on a perdu tous ceux qui comptent, on voit la vie sous un jour différent. Nous devons saisir toutes les chances de bonheur, même si ça nous paraît difficile. Vous pouvez choisir d'ignorer ma lettre ou agir en conséquence. Vous seule savez si vous éprouvez de l'affection pour George. Quoi qu'il en soit, je vous souhaite le meilleur, Miss Darling.
Je serais très honorée d'avoir de vos nouvelles de temps en temps si vous avez le temps d'écrire.

Votre amie,
Sarah Dawson

La semaine suivante, le vent change de direction : un souffle glacial venu du nord-est chasse les tempêtes vers le sud, et nous amène un petit bateau de pêche sur une mer animée d'un gris d'ardoise.

Je suis en train de me promener, pleine d'allant, sur le Whin Sill, le rocher volcanique noir qui forme notre île. J'enjambe les affluents et les fissures des criques en prenant soin de ne pas glisser sur la mousse et les algues. L'eau sous mes pieds est claire et pure ; l'air autour de moi est gorgé de l'odeur des algues et du chant bruyant des phoques gris. C'est revigorant d'être loin des sujets ennuyeux que sont la correspondance, les portraits et les mèches de cheveux à couper.

J'observe l'embarcation qui approche avec ma longue-vue et mon cœur se serre à la pensée qu'il s'agit encore d'une nouvelle cargaison de badauds ahuris avides de me toucher de leurs propres mains si j'ai le malheur de m'arrêter pour les saluer. Mais au fur et à mesure que la barque s'approche, je découvre qu'elle est presque vide : elle ne contient que le rameur et un gentleman de haute taille dans une redingote noire, assis, raide, à l'arrière du canot, les yeux fixés fermement sur la ligne d'horizon.

Même de loin, je sais qu'il s'agit de Mr Emmerson.

Le bateau ralentit en atteignant le ponton. Invisible de mon point de vue élevé, je regarde Mr Emmerson se lever et chanceler, en équilibre instable, tandis que la barque flotte sur la houle. Il donne des instructions au marin, touche le bout de son chapeau, secoue l'écume qui recouvre son manteau et se hisse hors du canot, aussi vacillant qu'un chaton qui vient de naître.

Je lisse mes cheveux sous mon bonnet en regrettant de ne pas avoir choisi une robe plus jolie ce matin et je me précipite vers le poulailler pour m'occuper avec des tâches inutiles tout en répétant ma surprise. *« Ça alors. Mr Emmerson. Quelle surprise ! » « Mr Emmerson. Quel plaisir de vous voir ici ! » « Bonté divine ! Mr Emmerson. Qu'est-ce qui vous amène à Longstone ? »*

Lorsqu'il surgit en haut des marches qui mènent au débarcadère, je lève la tête, la main en visière pour protéger mes yeux de l'éclat du soleil sur l'eau. Pendant un instant, les mots me manquent complètement, mais je me ressaisis suffisamment pour dire :

— Mr Emmerson ! Quelle surprise !

Sa peau a la pâleur caractéristique de quelqu'un qui souffre du mal de mer. Jambes écartées, mains sur les hanches, il avale de grandes goulées d'air.

— Miss Darling. Pardonnez-moi pour cette arrivée surprise et dans un tel état.

Ce n'est pas vraiment la rencontre romantique que j'ai – à ma plus grande honte – imaginée durant les heures intimes de la nuit, quand de telles choses paraissent possibles. La lumière du jour jette un œil moqueur sur mes rêveries ridicules.

— Suis-je vert ? Car je me sens vert, halète-t-il en inspirant profondément.

J'essaie de réprimer un sourire ; je ne veux pas me moquer de lui.

— Vous êtes plutôt… décoloré, j'en ai peur. La mer était-elle animée ?

— D'après le pêcheur, elle est immobile comme l'eau d'un lac aujourd'hui, mais oui, elle était beaucoup trop animée pour un irrécupérable marin d'eau douce dans mon genre.

— Certains ont besoin de plus de temps que d'autres pour avoir le pied marin. Il vaut mieux regarder la mer du phare que le phare de la mer.

Il parvient à se redresser complètement, un sourire aux lèvres.

— Je ne saurais être plus d'accord.

J'insiste pour qu'il prenne le temps de se remettre. Je commente le temps, la dernière migration des mouettes, la colonie de phoques gris et lui dis combien je suis reconnaissante d'admirer une telle vue en me levant tous les matins. Je lui demande des nouvelles de sa sœur, qui, il me le confirme, est rentrée à Hull. Le contenu de la lettre de Sarah pèse inconfortablement dans mon esprit.

Après dix minutes de brise marine revigorante et de terre ferme, Mr Emmerson affirme qu'il se sent beaucoup mieux.

— Entrez donc, dis-je d'une voix normale malgré les tambourinements de mon cœur. Je vais vous préparer une tisane d'orties. C'est le meilleur remède contre la nausée. Ma mère ne jure que par lui et elle en a testé de nombreux au fil des ans.

— Vous êtes fort aimable. Et je suis très embarrassé.

— Inutile. Nous avons vu bien pire. Il faut au moins deux heures à Ellen Herbert pour se remettre quand elle vient nous voir. Elle ne jure que par les propriétés revigorantes d'un verre de madère ou deux.

Tandis que je conduis Mr Emmerson vers le phare, une sensation familière bien trop présente ces derniers temps papillonne dans mon ventre. Je m'oblige à me ressaisir, et nous pénétrons dans la chaleur accueillante de la salle commune où j'ôte mes gants et mon bonnet avant de présenter notre invité à mes parents.

— Voici Mr Emmerson. Le frère de Sarah Dawson.

Mr Emmerson salue mes parents avec son charme et son humilité habituels.

— J'ai bien peur d'être un peu tourneboulé par la traversée. Votre fille est une infirmière très patiente.

Tandis que ma mère s'agite, et compose une impressionnante assiette de pain, de fromage et de viande, j'attise le feu. Il me faut deux fois plus de temps que d'ordinaire ; j'ai l'impression d'avoir deux mains gauches et je laisse tomber à grand bruit le tisonnier contre l'âtre.

— J'espère que vous me pardonnerez mon intrusion, Mrs Darling. Mr Darling. J'ai cru comprendre que vos journées étaient ponctuées par des envahisseurs ces derniers temps.

Les jambes étendues devant lui, Mr Emmerson a l'air de s'être assis près de notre cheminée toute sa vie.

Père confirme que nous sommes devenus une attraction de choix depuis quelque temps.

— Mais les amis sont toujours les bienvenus, interviens-je parce que je crains qu'à peine arrivé, Mr Emmerson ne se sente obligé de partir. Mr Emmerson est un bon ami de Henry Herbert, expliqué-je. Il étudie l'art à l'université de Dundee.

Mam, dont les sens sont toujours en alerte, détecte quelque chose dans l'air.

— J'en déduis que vous vous êtes déjà rencontrés ?

— J'ai croisé votre fille alors qu'elle se promenait au château de Dunstanburgh avec les Herbert il y a quelques mois de cela. J'ai été fascinée par la vie de Miss Darling à Longstone. C'est peu courant de rencontrer une gardienne de phare. (Il avale une gorgée de sa tisane d'orties.) Et puis, bien sûr, les événements liés au *Forfarshire* vous ont amenés à prendre soin de ma sœur.

Nous observons un silence respectueux en souvenir de cette nuit.

— Je ne vous remercierai jamais assez pour votre courage et votre compassion.

Un hochement de tête de la part de mon père suffit.

— Comment va-t-elle ? demande-t-il.

— Certains jours sont plus faciles que d'autres. Elle est rentrée à Hull et affirme qu'elle se sent plus heureuse chez elle, entourée par les souvenirs de ses enfants. Elle m'a dit qu'elle était en train de devenir experte dans le fonctionnement des phares grâce au manuel que Miss Darling lui a gentiment envoyé. Elle est surprise par le nombre de procédures à suivre.

— C'est une profession extrêmement réglementée, renchérit mon père. Il y a beaucoup plus à faire qu'allumer une lampe une fois par jour. C'est plus qu'une occupation, une véritable obsession. Un peu comme votre peinture, j'imagine.

Mr Emmerson lui adresse un sourire chaleureux.

— Vous avez parfaitement raison.

— Des artistes nous ont beaucoup occupés, récemment, constaté-je.

— Je m'en doute. J'ai pu constater leurs efforts.

— « Efforts » ? répété-je en riant. Ils sont aussi mauvais que ça ?

Mr Emmerson s'agite un peu.

— Je suis de mauvaise foi. Disons qu'ils manquent un peu d'énergie.

— Oh ? (Je ne peux m'empêcher d'être légèrement déçue.) Et dire qu'ils ont passé tellement de temps ici.

Son regard croise le mien.

— Ne soyez pas inquiète. Les portraits sont acceptables, mais qui a envie de peindre un tableau « acceptable » ? Qui a envie de faire « quoi que ce soit » d'acceptable ? (Il sirote une longue gorgée de tisane, perdu dans ses réflexions, tout en faisant tourner sa tasse.) Lorsque j'ai déclaré cela à ma sœur, elle a répondu que je devais cesser de critiquer les faiblesses des autres et vous peindre moi-même. Elle s'est montrée inflexible. C'est par son fait que je suis ici, conclut-il.

Mes pensées se tournent de nouveau vers la lettre de Sarah. J'espère que Mr Emmerson ne remarque pas la couleur qui envahit mes joues.

— Notre Grace en a ras le bol d'être peinte, remarque brusquement ma mère en débarrassant la table. Il y a plein de portraits en circulation. Mr Darling l'a dit dans une lettre qui a été imprimée dans le *Courant*. Vous devriez peut-être prendre rendez-vous avec Robert Smeddle.

— Mam ! m'écrié-je en lui lançant un regard irrité. Mr Emmerson n'est pas un artiste ordinaire. C'est le frère de Mrs Dawson. Il me fallait faire une pause pendant quelques jours, c'est tout. (Je reporte mon attention vers Mr Emmerson.) Vous n'avez pas besoin de prendre un rendez-vous. Je serais ravie que vous fassiez mon portrait. Tout de suite, si vous le souhaitez. Avez-vous apporté votre matériel ?

Jetant un coup d'œil en direction de mes parents, Mr Emmerson confirme qu'il s'est montré assez présomptueux pour apporter tout ce dont il avait besoin.

Mon père m'adresse un sourire entendu, amusé par ma soudaine contradiction : pas plus tard qu'hier, j'ai clamé que j'espérais ne plus jamais avoir à poser pour un ennuyeux tableau de toute ma vie.

— Si vous voulez bien m'excuser, je dois aller vérifier les lampes, dit-il. Peut-être aimeriez-vous vous joindre à moi, Mr Emmerson ?

Comme un père fier de son bébé, mon père ne peut pas laisser passer l'occasion d'exhiber sa merveilleuse salle de la lanterne.

Mr Emmerson répond que ça lui ferait très plaisir.

J'explique que je dois me rendre en barque à Brownsman pour rapporter des provisions de notre potager.

— Je serai de retour dans une heure. Nous pourrons peut-être commencer à ce moment-là ?

Mr Emmerson a l'air un peu hésitant.

— Vous êtes sûre que ça ne vous dérange pas ?

— Absolument. Une autre séance de pose ne me fera pas de mal. Je suis beaucoup moins agitée qu'il y a un mois.

Il sourit.

— Eh bien, voilà un heureux accord.

Sa façon de le dire provoque un tremblement dans mes doigts qui m'empêche de nouer les rubans de mon bonnet. Je les laisse détachés et quitte le phare en dissimulant un sourire radieux sous mes gants puis je gagne le hangar à bateaux en marchant comme une imbécile ivre.

30

Grace

Phare de Longstone. Octobre 1838.

Mr Emmerson ne me demande pas de rester assise comme une statue. Les joues dorées par la lueur du feu, il m'explique qu'il veut me représenter exactement comme la première fois qu'il m'a vue.

— Avec le vent sur vos joues et la mer qui se reflète dans vos yeux. Je trouve que les portraits posés manquent cruellement de vie, ajoute-t-il en enfilant son manteau. Je suppose que vous ne vous asseyez pas souvent raide comme une statue pour jeter un regard songeur par la fenêtre ?

— Pas souvent, non, réponds-je en gloussant.

— Exactement. C'est pourquoi je voudrais vous observer dans votre état le plus naturel, quand vous n'êtes pas le portrait de Grace Darling mais quand vous êtes simplement vous-même.

Il scrute le ciel par le carreau pour vérifier qu'il ne va pas pleuvoir. N'apercevant aucun nuage, il tape dans ses mains avec détermination.

— Pouvez-vous sortir vous promener ?

Je lance un regard en direction du cellier où ma mère fait semblant de ranger les conserves.

Elle passe la tête dans l'encadrement de la porte pour nous regarder.

— Je vous surveillerai de la fenêtre. Je viendrais bien avec vous mais le vent est rentré dans mes os hier et je n'arrive pas à me débarrasser de son souffle glacial.

J'enfile ma cape en attendant que Mr Emmerson prenne son matériel dans le petit sac de voyage qui l'accompagne mais il franchit la porte les mains vides.

— Et vos affaires ? m'enquiers-je. Vos pinceaux et vos couleurs.

Il s'esclaffe.

— Un véritable artiste peint d'abord avec ses yeux et son esprit, Miss Darling. (Il s'efface.) Après vous. Avec un peu de chance, nous apercevrons peut-être un dragon de mer.

Tout en marchant, je lui parle du dernier fossile que j'ai trouvé après la tempête.

— Vous devez avoir une belle collection, remarque-t-il en glissant sur un paquet d'algues si bien que je manque de tendre le bras pour le retenir. Chaque marée doit charrier son lot de nouveautés.

— Je possède la plupart des coquillages communs sur ces îles mais j'adorerais découvrir des spécimens rares pour déconcerter ces messieurs de la Royal Society.

— Et vous êtes tout à fait la jeune fille pour ça ! J'imagine déjà leur expression consternée lorsque vous leur montrerez des choses qu'ils n'ont jamais vues auparavant. (Il s'exprime avec enthousiasme, et son accent est parfois difficile à suivre à cause du fracas des brisants et du vent qui forcit.) Vous n'êtes guère différente de Miss Anning et de ses dragons de mer, après tout !

Je lui donne le nom de différents oiseaux de mer, des algues et des plantes qui poussent dans le coin : le lychnis rose, l'amsinckia et l'herbe au scorbut dans laquelle les macareux creusent leur terrier.

Je ramasse des coquillages variés que j'étale sur un rocher plat et je lui explique que certains sont des bivalves et d'autres des gastéropodes.

— Les bivalves sont des coquillages jumeaux accrochés ensemble. Comme les moules. Ils me font penser à des gentlemen corpulents habillés pour dîner avec un haut-de-forme et une queue-de-pie. Puis nous avons les coques et les coquilles Saint-Jacques – des dames qui dansent avec leurs longues jupes flottantes. (Mes descriptions font rire Mr Emmerson.) Les huîtres et les vénus sont les douairières majestueuses, poursuis-je. Je suppose qu'elles ressemblent à un petit médaillon quand on les ouvre.

— Comme celui que ma sœur vous a donné.

— Oui. (J'ouvre une palourde.) Et aussi vide, malheureusement.

— Mais il ne le restera pas. Il doit contenir quelque chose que vous chérirez. Nous trouverons. (Son enthousiasme me fait sourire.) Et voici certainement les gastéropodes, ajoute-t-il en s'emparant d'une porcelaine.

— Oui. Ils ressemblent à des coquilles d'escargot. (Je lui tends un bulot et un bigorneau.) Mais même dans les grands groupes, il y a de nombreuses variétés de couleurs. Au début, on croit qu'ils se ressemblent tous mais quand on les observe de plus près, on découvre qu'ils sont tous différents. Vous voyez ? Peut-être très légèrement, mais ils sont tous uniques. C'est la même chose avec les phares.

— Comment ça ?

— Chaque structure est unique. Chacun est aussi particulier qu'une empreinte digitale. Chaque lampe éclaire différemment des autres et sa façon de clignoter ou de rester fixe est unique. Chaque tour possède un symbole afin que de jour les marins les reconnaissent et puissent naviguer en fonction. C'est comme une conversation intime entre la lumière et le marin. Une communication sans mots.

Mr Emmerson attrape plusieurs coquillages pour les examiner.

— Je n'avais jamais été sensible aux humbles coquillages avant mais vous avez raison. Chacun est magnifique à sa manière.

— Il y a tellement de beauté sur ces îles, déclaré-je en me redressant. Je sais que certains pensent que nous menons une vie rude et simple, dépourvue de ce que les gens considèrent comme normal sur le continent. Mais nous avons tout ce dont nous avons besoin ici. Chaque saison amène son lot de joies et de défis. Chaque jour est différent du précédent.

Mr Emmerson ne dit rien ; il se contente de me regarder. Ce n'est que lorsque j'ai fini de parler que je remarque sa façon de m'observer, la tête légèrement inclinée sur le côté, les yeux un peu plissés.

— Êtes-vous en train de me peindre, Mr Emmerson ?

Ce sourire. Ce regard doux.

— Oui, Miss Darling. Absolument.

Je ne peux croire que les romans d'amour de Mary-Ann contiennent une scène aussi parfaite ni aussi émouvante. Incapable d'articuler deux pensées, je suggère que nous fassions demi-tour avant que la marée monte et nous isole.

Tout en marchant, je m'arrête de temps en temps pour examiner les flaques et j'oublie les titres des journaux ; j'oublie que je suis Grace Darling, héroïne des îles Farne. Pour le reste de l'après-midi, je suis juste une jeune femme ordinaire qui se promène avec un jeune homme et scrute les flaques entre les rochers comme si c'était la chose la plus naturelle du monde.

— Pensez-vous que vous pourriez abandonner tout ça ? interroge soudain Mr Emmerson. Passer vos journées dans des marchés bondés et entendre vos voisins se chamailler ? Si j'avais été élevé dans un endroit aussi libre et isolé que celui-ci, je ne suis pas certain que j'y parviendrais.

Sa question pique ma conscience, et la lettre de sa sœur me revient en mémoire. Je ne peux m'empêcher de me demander si ses paroles possèdent un sens caché.

— Je ne l'ai jamais vraiment envisagé, réponds-je avec sincérité, en espérant que mon expression ne trahit pas mes émotions comme c'est si souvent le cas. Mes sœurs me taquinent parce que je suis dévouée au phare et à mes parents. J'aime bien me rendre sur le continent mais il me tarde toujours de regagner mon île.

Ma peau me picote et une migraine sourde prend possession de mon front. Soupçonnant un changement de pression atmosphérique et remarquant la façon dont les mouettes s'installent sur les rochers, je sens approcher le mauvais temps.

— Le temps tourne, Mr Emmerson. Nous devrions rentrer.

Sans attendre de réponse, et effrayée par ce qui pourrait se passer si nous restions plus longtemps seuls sans chaperon, je tourne les talons et marche d'un pas résolu vers le phare.

Durant l'heure qui suit, il devient évident qu'une tempête se prépare et que le pêcheur ne reviendra pas chercher Mr Emmerson. Pour une fois, j'accueille avec plaisir les nuages sombres, le vent violent et la tourmente qui s'amoncelle au-dessus de la salle de la lanterne en même temps que ce qui prend place dans mon cœur.

Avant de me retirer pour la nuit, je ravaude un filet de pêche, contente d'avoir une tâche difficile à accomplir pour détourner mon attention de la présence de Mr Emmerson à l'autre bout de la pièce.

— Puis-je te parler, Gracie ? demande mon père à voix basse.

Je pose mon aiguille.

— Bien sûr, Père. Qu'y a-t-il ? Encore une mèche de cheveux ? Je serai chauve d'ici à Noël à ce rythme !

Il me prend la main en souriant.

— J'ai reçu ce matin des nouvelles de mes supérieurs à Trinity House. Ils ont revu le règlement. Dorénavant, tous les phares devront avoir un assistant officiel en plus du gardien.

Nous sentions venir ces changements depuis quelque temps. Comme je sais ce que mon père s'apprête à m'annoncer, je lui épargne l'angoisse de le faire.

— Et tu vas donner le poste à Brooks.

Il hoche la tête, le regard baissé.

— J'en ai bien peur.

— Peur ? Mais c'est une merveilleuse nouvelle. Père et fils, s'occupant de la lumière. Qu'est-ce qui pourrait être mieux ?

Ses yeux se plissent en un sourire tendre et le soulagement s'élève de lui comme la fumée d'un feu de cheminée.

— J'avais peur que tu ne sois déçue. Que tu n'espères être mon assistante.

Je lui presse les mains avec affection.

— Et j'aurais été la fille la plus fière du pays si on m'avait autorisée à occuper cette position. Mais les choses ne se passent pas comme ça, n'est-ce pas ? (Je reprends mon aiguille.) Je féliciterai Brooks dès qu'il descendra de la salle de la lanterne.

Tandis que mon père se lève, je lui pose une question.

— Est-ce que je peux quand même toujours vous aider tous les deux ? De manière informelle ?

— Ma chère Gracie. Ce phare ne fonctionnerait pas sans toi. Ma chérie, tu es la lumière autour de laquelle nous tournons « tous ».

Tandis que le bruit de ses bottes s'éloigne dans l'escalier, je ramasse le filet pour chercher les trous mais il est impossible de ravauder un ouvrage aussi délicat quand on a les yeux pleins de larmes. Je prends congé sous prétexte d'aller chercher mes fossiles pour les montrer à Mr Emmerson et déverse ma déception dans les soixante marches qui mènent à ma chambre parce que, malgré les paroles rassurantes de mon père, je sais que le phare fonctionnera sans moi.

Quant au fait que je puisse fonctionner sans lui, c'est un tout autre sujet.

31

Grace

Phare de Longstone. Octobre 1838.

La lune du chasseur plane bas sur l'horizon et la mer agitée scintille sous sa lumière enchanteresse. Incapable de dormir à cause de la tempête qui frappe l'île depuis quatre jours et quatre nuits, assise à la fenêtre de ma chambre, je me souviens des vieux contes de marins qui prétendent que les anneaux autour de la lune sont annonciateurs de pluie. Nous remercions le ciel qu'il n'y ait pas eu d'autres naufrages par ce temps épouvantable, et je suis aussi contente que la tourmente ait rallongé le séjour de Mr Emmerson à Longstone. Rien que pour ça, je ne peux pas vraiment souhaiter que le ciel s'éclaircisse et que la mer se calme.

Sa présence apporte une gaieté inattendue dans le phare et comble un manque dont j'ignorais l'existence. Nous le sentons tous. Ma mère, surtout, est ravie d'avoir un autre jeune homme à dorloter. Ses fils lui manquent depuis qu'ils ont gagné le continent et elle est contente d'avoir une autre bouche affamée à nourrir. Mon père semble un peu plus léger grâce à Mr Emmerson, ou plutôt George, comme il insiste que Père l'appelle, jetant allégrement les formalités aux orties. Une autre paire de bras est toujours la bienvenue, surtout à cette époque de l'année, et Mr Emmerson se montre très désireux d'aider et d'apprendre. J'aime les écouter débattre de politique et de philosophie. Ils discutent brièvement de la seconde enquête sur la catastrophe du *Forfarshire* et commentent le fait que le capitaine Humble a été reconnu entièrement coupable pour ne pas avoir mouillé à Tynemouth afin de faire réparer la chaudière. En apprenant que la catastrophe aurait pu être facilement évitée, je ressens le deuil de Mr Emmerson avec plus d'acuité.

— Trinity House fait pression sur le gouvernement pour qu'il change les lois maritimes, explique Père. On peut espérer qu'aucune vie n'a été perdue en vain et que nous apprendrons une chose, si petite soit-elle, de chaque naufrage. Je suis certain que viendra un temps, peut-être après notre mort, où il n'y aura plus aucun naufrage par négligence.

Je tire un sentiment de complétude silencieux de la présence de Mr Emmerson ; les heures que nous partageons pendant qu'il peint sont aussi agréables que celles que nous passons loin l'un de l'autre. J'accomplis mes tâches avec entrain, encouragée parce que je sais que nous nous retrouverons pour le dîner. Je me surprends à écouter le bruit de ses pas dans l'escalier tous les matins et j'anticipe son salut joyeux qui me met de bonne humeur pour toute la journée. Nous passons nos soirées dans une atmosphère de camaraderie tranquille, en sécurité et au chaud dans le phare tandis que la tempête cingle les rochers à l'extérieur. Je me surprends à penser à plusieurs reprises que si l'existence maritale ressemble à ça, alors je ne devrais pas repousser cette idée aussi vite. La vérité, c'est que George Emmerson s'est intégré au quotidien de Longstone aussi facilement qu'un lacet dans une bottine, ce qui rend encore plus difficile à accepter la pensée que les liens temporaires que nous avons formés vont bientôt devoir être défaits et retissés dans la vie d'autres personnes.

Mr Emmerson n'a pas une seule fois mentionné ses fiançailles et je n'ai posé aucune question. Cependant, Eliza Cavendish souffle dans le phare comme un courant d'air irritant, laissant derrière elle un frisson sur ma nuque. J'ai beau caler d'innombrables tapis en bas des portes et contre le cadre des fenêtres, elle persiste à se faufiler partout, tourmentant mes pensées et ma conscience, piquant mon sens moral et me questionnant sur mes principes chrétiens. Ce n'est pas mon genre de penser du mal des autres, mais l'énergie de la tempête et la compagnie de Mr Emmerson m'ont rendue folle.

Pour occuper les longues heures de confinement, Mr Emmerson travaille sur des esquisses et des portraits. Je gigote beaucoup moins que lors de mes premières séances de pose avec le pauvre Mr Perlee Parker et les autres, et j'apprécie le processus maintenant que j'ai appris à rester assise sans bouger, à détendre ma mâchoire et à ne pas m'arracher la peau des ongles. Je m'assieds près de la fenêtre, les chevilles croisées, le cou et les épaules détendus, le visage incliné légèrement sur la gauche afin que la maigre lumière qui se répand du ciel tourmenté tombe directement dessus.

Mr Emmerson s'installe sur son tabouret, la palette à la main, il jauge la lumière et les angles de ma pose, il marmonne pour lui-même, comme il est enclin à le faire quand il est concentré.

— Pourriez-vous tourner votre…

Je tourne un peu la joue vers lui.

— Merci. Vous êtes une très bonne élève, Miss Darling.

— J'ai appris qu'il ne servait à rien de renâcler et de s'agiter. Le travail avance beaucoup plus vite sans mes interruptions.

— L'art ne peut pas être précipité, Miss Darling. Comme la marée, il prend le temps qu'il lui faut.

Un léger sourire aux lèvres, je prends la pose, mais malgré l'immobilité de mon corps, mes sens sautillent comme ceux d'une écolière frivole tandis que j'écoute le chuintement de son pinceau sur la toile, le patient tapotement pour les détails et le long balayage des coups plus amples. La pièce sent l'huile de lin qu'il utilise pour mélanger les pigments et la térébenthine dont il se sert pour nettoyer ses pinceaux. Mr Emmerson a l'habitude de tapoter du pied en travaillant et de se lécher les lèvres quand il est concentré. Je l'entends déglutir, s'éclaircir la voix, renifler de satisfaction et émettre des « tut-tut » de frustration. Sans qu'ils me touchent jamais, je sens tous les coups de pinceau effleurer ma peau comme une plume. Sans jamais le regarder, je sens ses yeux posés sur mon visage. De cette manière silencieuse et intime, les heures s'écoulent tandis que le vent se déchaîne follement au-dehors.

Lorsqu'il est content du travail accompli pendant la session, il toussote trois fois et, comme si le sortilège était brisé, j'émerge de mon immobilité.

— Bonté divine ! Je dois aller m'occuper des lampes, constaté-je en remarquant que le jour décline à toute allure. Je vais demander à Brooks de vous tenir compagnie. Vous pourriez lui enseigner encore une ou deux ballades ? Père serait ravi de jouer de nouveau du violon.

— Avec grand plaisir.

Je suis heureuse de voir que mon frère apprécie le caractère facile et la bonne humeur de Mr Emmerson. Brooks est aisément impressionné par le répertoire de ballades et d'invraisemblables contes empruntés au folklore écossais de notre hôte.

— Je vous prie de bien vouloir excuser mon frère par avance, dis-je. Il a tendance à préférer les airs plus grivois.

Mr Emmerson éclate de rire.

— Je lui ressemblais quand j'étais plus jeune. Plein d'énergie et d'ambition.

— Il a bon cœur et il apprend vite. Il va être nommé assistant et il prendra la fonction de gardien quand Père ne pourra plus l'assumer, expliqué-je d'une voix dans laquelle on entend du regret.

Mr Emmerson devine la vérité.

— Vous auriez aimé prendre ce poste, n'est-ce pas ?

J'arbore mon plus beau sourire.

— Une femme ne décide pas de son destin, Mr Emmerson. Les hommes dans sa vie le font à sa place.

La pause dans notre conversation souligne cette remarque de manière plus prononcée que je ne l'aurais voulu.

— Les tempêtes ont un certain quelque chose, pas vrai ? observe Mr Emmerson en rangeant son matériel et je lui sais gré de changer de sujet.

— Comment ça ?

Je pose les mains sur ma nuque pour soulager la douleur causée par les doigts persistants d'un courant d'air glacé.

— Une telle énergie. Une insistance à être entendues et senties. Il est presque impossible de ne pas en être affecté. Je me sens un peu sauvage moi-même.

Je lisse ma jupe et remarque que son ourlet s'effiloche : *Il faudra que je la raccommode.*

— La mer transporte avec elle, il est vrai, une certaine passion lorsque le vent souffle de cette manière. L'île n'est jamais aussi vivante que pendant une véritable tourmente. Les visiteurs qui viennent l'été trouvent les îles jolies avec leurs eaux turquoise et leurs brises tièdes mais je préfère le chaos des mois qui suivent avec les tempêtes de neige et les éclairs crépitant dans l'air.

Mr Emmerson nettoie ses pinceaux avec soin.

— Je suis parfaitement d'accord avec vous. Après avoir passé ces quelques derniers jours ici, je pense que cette tempête ne me quittera jamais. (Il se redresse, et sa silhouette s'interpose devant la lumière qui transperce la fenêtre.) Je commence à comprendre ce que vous avez dit quand vous avez expliqué que le phare envoûtait tous ceux qui y venaient. Il y a quelque chose dans cette île, cet endroit, vous...

Ses paroles vacillent comme la flamme d'une bougie et ses pensées coupables privent son visage de toute couleur.

Je m'immobilise au bas des marches et pivote à demi tout en gardant les yeux rivés sur le sol.

— L'envoûtement est une maîtresse volage, Mr Emmerson. Nous devrions tous nous méfier d'elle. (Je soulève l'ourlet de ma jupe pour éviter de trébucher en gravissant l'escalier.) Si vous voulez bien m'excuser, on a besoin de moi dans la salle de la lanterne.

Dans la petite chambre sous celle de Miss Darling, George Emmerson ne trouve pas le sommeil. Il se tourne et se retourne dans les draps jusqu'à ce qu'il finisse par ressembler à une momie prisonnière de ses émotions et de son indécision. Ses pensées ne s'égarent que brièvement en direction d'Eliza, qui doit sans aucun doute se désespérer de son bien-être et s'imaginer qu'il s'est noyé, emportant tous ses projets d'avenir. Il vaudrait peut-être mieux qu'il ait réellement fait naufrage ou qu'il ait échoué sur une île loin de ces rivages où il pourrait passer le reste de sa vie tout seul plutôt que d'affronter la réalité déconcertante des sentiments qu'il éprouve pour Miss Darling.

Il entend les paroles de sa sœur que le vent transporte, comme si elle était juste là devant la petite fenêtre. « Eliza est agréable, mais c'est une brise, George. Une brise. Ton cœur désire une tempête. Je le sais. » Même dans l'obscurité totale de la pièce, il dessine, dans son esprit, Miss Darling. Il distingue avec précision la rondeur de sa joue, l'angle de ses yeux, la forme de ses oreilles parfaites qui ressemblent à des coquillages. Il sait qu'il doit quitter Longstone dès que le temps le permettra mais il est reconnaissant que ces jours lui aient été donnés. Cependant, Miss Darling s'est montrée très claire : elle n'a aucun désir de se marier ni de vivre sur le continent. Elle a des devoirs envers sa famille et le phare, comme il en a envers Eliza. Dévouement et obligation – ces choses qui les éloignent en les liant de manière irrévocable aux autres. On ne peut pas briser une promesse. Il ne le lui demanderait jamais.

Se résignant à l'impossibilité de dormir, il se lève et gagne la fenêtre d'où il contemple le reflet de la lumière sur l'eau. Il sait que Miss Darling est de quart dans sa chambre, de laquelle elle grimpe à intervalles réguliers dans la salle de la lanterne pour remplir le réservoir d'huile et couper les mèches afin que la lumière brûle vivement lors des heures les plus sombres. Il sent une folie s'emparer de lui et il sait que la tempête qui fait rage dans son cœur ne sera pas réduite au silence tant qu'il n'aura pas exprimé ses sentiments.

32

Grace

Phare de Longstone. Octobre 1838.

Dans la salle de la lanterne, je remplis les réservoirs d'huile pendant que le vent hurle. L'écume vole contre les carreaux où elle se fracasse comme des cailloux. Ça me rappelle l'histoire spectaculaire que m'a racontée mon père : une nuit d'hiver, les vagues étaient tellement monstrueuses qu'elles s'étaient abattues sur la salle de la lanterne et le phare tout entier avait oscillé sous la force des bourrasques. Ce sont les contes qui ont peuplé mon enfance, ceux que je réclamais encore et toujours, et que j'écoutais, fascinée, assise près du poêle, le regard plein de crainte et d'excitation ; j'aurais souhaité qu'une telle tempête se reproduise. Contrairement à mes sœurs, qui ne partageaient pas mon amour pour les pires tourmentes hivernales, j'adorais le temps le plus terrible, à la fois fascinée et terrifiée par la fureur des flots. Mon père avait dit un jour que si je me coupais, ce ne serait pas du sang qui coulerait de mes veines, mais ce serait la mer du Nord. « C'est comme ça chez les vrais insulaires, avait-il déclaré. On ne fait qu'un avec la mer ; on est partie prenante du va-et-vient des tempêtes. »

Je ne suis pas dans la salle depuis longtemps lorsque des pas se font entendre. Comme je présume qu'il s'agit de Brooks venu me relever, je suis stupéfaite de voir Mr Emmerson surgir en haut des marches.

— Mr Emmerson ! (Troublée par sa présence, je serre étroitement mon châle autour de mes épaules et me bats contre le médaillon qui s'est pris dans un fil.) Vous m'avez fait peur.

Il m'adresse un sourire contrit, le visage éclairé par la lampe qu'il a posée en équilibre instable sur la marche la plus haute.

— Pardonnez-moi, Miss Darling. Je suis certain que je n'ai absolument pas le droit d'être ici mais la tempête m'empêche de dormir et j'avais très envie d'admirer la lanterne dans toute sa gloire.

Je ne sais pas si je devrais le renvoyer ou apprécier son intérêt.

— J'ai bien peur de vous avoir surprise et interrompue, poursuit-il, alors je vais vous dire « bonne nuit ». (Il ramasse sa lampe et tourne les talons.) Pardonnez mon intrusion, je vous prie.

— Puisque vous êtes là, vous pouvez aussi bien rester, proposé-je. (Je regrette mes paroles à peine ont-elles franchi mes lèvres.) Il serait dommage que vous ayez monté toutes ces marches pour les redescendre aussitôt.

— C'est vrai, n'est-ce pas ?

Son sourire pétillant est aussi troublant que d'habitude et je souris en retour malgré la situation totalement inconvenante dans laquelle je me trouve.

Il gravit maladroitement la dernière marche en s'excusant de nouveau.

— Depuis que votre père m'a montré l'équipement, je suis comme un enfant avec un nouveau jouet. Je voudrais juste le voir fonctionner. (Il contourne lentement les lampes.) C'est vraiment extraordinaire. Voyez comme les prismes s'emboîtent pour envoyer le rayon lumineux encore plus loin. Ça me rappelle une leçon de physique. L'angle d'incidence…

— … est égal à l'angle de réflexion, achevé-je.

— Précisément. La loi universelle de la science.

Encore ce sourire espiègle. Il causera ma perte.

Aussi calmement que possible, malgré le martèlement presque audible de mon cœur, je me livre à un exposé savant sur la lampe Argand et les lentilles de Fresnel, et je lui explique comment la suie de la flamme des bougies tamise la lumière si on ne les nettoie pas régulièrement.

— Les lentilles de Fresnel ont une surface à échelons qui courbe la lumière, dis-je. Je les ai toujours trouvées magnifiques.

— Elles le sont. Comme des pétales de rose qui se déploient les uns autour des autres. Jolis si on les prend un par un, mais spectaculaires quand on les multiplie et qu'on les agence aussi intelligemment.

— Mon père était un peu sceptique au départ, poursuis-je. (Je me tiens à l'écart pendant que Mr Emmerson contourne les lampes.) Un physicien écossais a convaincu Trinity House d'adopter les nouvelles lentilles. La lumière va beaucoup plus loin grâce à elles.

— C'est extraordinaire.

Il se redresse et pivote vers les fenêtres. Sa tête touche presque le plafond.

— Quel privilège d'être ici.

Pendant un instant nous demeurons seuls avec nos pensées tandis que le vent mugit.

— Le temps est vraiment venteux ce soir, ajoute-t-il. Ça rend téméraire, vous ne trouvez pas ? Ça me donne envie de courir en rond et de chasser les nuages. (Il s'interrompt et me regarde, une lueur d'excitation farouche dans les yeux.) On pourrait ?

— Quoi donc ?

— Sortir.

J'éclate de rire, choquée par sa suggestion.

— Par ce temps ? Vous seriez soufflé jusqu'à Dundee, Mr Emmerson !

— Eh bien, au moins, je n'aurais pas à supporter le calvaire d'une autre traversée en bateau. Vous me rendriez un grand service !

Son enthousiasme est tellement contagieux que je me sens sur le point de céder. La sauvagerie de la tempête s'est glissée sous ma peau, à moi aussi. Je lance un coup d'œil en direction de la porte qui mène à la plate-forme circulaire qui entoure la salle et qui nous permet de nettoyer les fenêtres quand le temps est dégagé.

— Puisque vous êtes là, je suppose que vous feriez aussi bien d'expérimenter toute la force des éléments. Mais le vent va vous couper le souffle, je vous préviens.

Mr Emmerson sourit de toutes ses dents.

— Eh bien, espérons que j'en aie plein en réserve.

J'ouvre la porte et invite Mr Emmerson à me suivre au-dehors. Nous sommes instantanément ballottés et repoussés si violemment que nous devons nous cramponner à la grille métallique pour nous stabiliser. Je pousse un cri puis éclate de rire devant l'absurdité de la situation.

Mr Emmerson essaie de parler mais ses paroles sont balayées et il doit se contenter de me dévisager en riant avec le vent tandis que nous sommes balancés d'avant en arrière comme une paire de poupées de chiffon. Une soudaine rafale m'envoie valser sur le côté et Mr Emmerson tend le bras pour m'aider à regagner mon équilibre. Mes cheveux me fouettent le visage de manière frénétique et je suis de nouveau bousculée. Heureusement que le bras de Mr Emmerson est enroulé autour du mien comme une ancre, m'attachant à lui, et pendant un moment féroce et merveilleux, je n'ai qu'une envie, rester au sommet de mon cher phare avec Mr Emmerson et la mer du Nord déchaînée qui tonne comme des canons en contrebas.

Toute cette vigueur m'injecte une audace étrange, et quand Mr Emmerson se penche vers moi je ferme les yeux, prête à recevoir ce baiser que j'ai imaginé dans mes pensées les plus intimes et les plus secrètes. Mais ses lèvres ne se posent pas sur les miennes, elles se pressent contre mon oreille et je sens la caresse tiède de son souffle contre ma peau tout en saisissant les mots :

— … merveilleux, Miss Darling ! C'est absolument merveilleux !

Dans le vacarme, j'ignore s'il parle du phare, de la tempête ou d'autre chose.

— Il faut rentrer, hurlé-je, à peine capable d'articuler trois mots à cause du vent.

Nous titubons comme deux marins ivres vomis par une taverne et nous luttons contre la force du vent pour ouvrir la porte avant de pénétrer, chancelants, dans la salle de la lanterne, à bout de souffle mais hilares.

Mr Emmerson lisse ses cheveux, que le vent a échevelés.

— J'ai bien peur de ressembler à un pensionnaire de l'asile psychiatrique, Miss Darling.

— Alors moi aussi, répliqué-je en riant tout en rajustant mon châle et en coinçant une mèche de cheveux derrière mes oreilles, le souffle court. Quelle folie !

— Mais une folie magnifique, Miss Darling.

— L'île finit par être contagieuse, tôt ou tard.

Son sourire silencieux met le feu à l'étincelle de fascination que j'ai ressentie le jour où nous nous sommes rencontrés à Dunstanburgh. Je la sens dans la brûlure de mes joues fouettées par le vent et au plus profond de mon ventre.

Désireuse de me retrouver à tout prix sur un terrain familier, j'explique à Mr Emmerson que mon père nous a donné des leçons d'astronomie à mes sœurs et moi, dans cette même pièce.

— J'enviais mes frères pour avoir eu le droit d'aller à l'école à Bamburgh mais ce n'est plus le cas maintenant.

— Je ne peux envisager meilleur lieu pour étudier les étoiles. Croyez-moi, il n'y a pas pire endroit pour l'apprentissage qu'une salle de classe glaciale et un professeur impatient de se servir de sa baguette.

— J'imagine. J'ai beaucoup de chance d'avoir été élevée ici.

Mr Emmerson se tourne vers moi pour me regarder.

— Pas étonnant que la perspective d'échanger tout ça pour une maison grise et rectangulaire sur le continent vous rebute ?

J'entends dans l'inflexion de sa voix la même question que lorsque nous nous sommes promenés un peu plus tôt. C'est une question pour laquelle je n'ai pas de réponse toute prête et pourtant elle est là, suspendue entre nous comme les toiles d'araignée entre les poutres du plafond.

Je pousse un soupir las en me demandant si Mr Emmerson peut entendre les regrets contenus par ce souffle.

— Ce ne serait certainement pas un échange facile, Mr Emmerson. Et je n'ai pas vraiment envie de m'appesantir sur cette idée alors qu'on a toujours besoin de moi ici.

J'essaie de me concentrer sur la tempête qui fait rage derrière les fenêtres mais je vois seulement comment pourraient être les choses si les circonstances étaient moins compliquées. *Me permettrais-je alors d'abandonner tout ce que je suis pour découvrir ce que je pourrais devenir ?*

Mr Emmerson fixe sur moi un regard gêné.

— Bien sûr. Nous devons toujours faire passer le devoir avant tout.

Et sur ces mots, aussi sûrement qu'une rame qui heurterait avec maladresse le plafond du hangar à bateaux, les brins de ce qui aurait pu être se cassent net et les fragments restants s'agitent dans le vent.

L'esprit et le cœur emballés, je reporte mon attention sur ma tâche.

— Je dois me rendre dans la salle de veille pour enregistrer les marées.

Il acquiesce.

— Je vous ai assez dérangée comme ça. (Il tourne les talons et remarque une conque posée sur une corniche près de la porte.) Votre coquillage préféré, je présume ? J'en ai vu beaucoup dans le phare.

— Mon père me racontait que la mer du Nord vivait à l'intérieur, expliqué-je en m'emparant du coquillage pour le porter à mon oreille. Il disait que même quand j'étais loin, tant que j'avais une conque avec moi, je pourrais entendre la maison. (Je souris à l'idée des vagues imaginaires prisonnières de la coquille et la tends à Mr Emmerson.) Prenez-la en souvenir du temps que vous avez passé ici.

Il hésite.

— Voudriez-vous parler dedans, Miss Darling ?

Je ris.

— Parler dedans ? Mais pourquoi ?

Le regard résolument plongé dans le mien, il pose sa main sur le coquillage.

— Pour que je puisse entendre votre voix même quand vous êtes loin.

Une vague de chaleur me monte au cou et aux joues.

— Mr Emmerson, je…

— Pardonnez-moi, j'en ai trop dit. Je ne suis pas moi-même ce soir. (Il ramasse sa lampe et entame la descente des marches.) Votre père assure qu'il s'attend à ce que la tempête s'arrête cette nuit.

J'opine, incapable de penser ni de prononcer une parole.

— Toutes les tempêtes finissent par passer, Mr Emmerson. Même les plus passionnées et les plus obstinées.

Le petit acquiescement que je lis dans ses yeux est la seule réponse requise.

J'attends jusqu'à ce que l'écho des pas de Mr Emmerson ait disparu pour me laisser tomber sur le tabouret, étourdie comme quelqu'un qui prend la mer pour la première fois. Tandis que le vent qui hurle contre la fenêtre exprime ma douleur à ma place, j'accepte que quelles que soient les illusions dont me berce mon cœur, quelle que soit la certitude de Sarah Dawson concernant les sentiments véritables de son frère, il n'en reste pas moins que George Emmerson est fiancé et sur le point de se marier, et la plus violente tempête de tout le Northumberland ne peut pas et ne doit pas briser cet engagement.

À 4 heures du matin, Brooks vient me relever et je me glisse dans mon lit où je demeure éveillée jusqu'à l'aube, non plus perturbée par le vent mais par son absence. La tempête a cessé et Mr Emmerson va partir à son tour.

Après tout, je ne lui ai donné aucune bonne raison de rester.

33

Grace

Phare de Lonsgtone. Novembre 1838.

Le matin du départ de Mr Emmerson, la mer est calme et la brise aussi douce qu'un chuchotement enfantin. J'assiste au lever du soleil de la salle de la lanterne en me rappelant le matin tranquille de septembre où les oiseaux qui étaient entrés dans la salle commune avaient été l'objet d'une plaisanterie de la part de mon père et moi qui ignorions qu'avant le lendemain, un drame sans pareil se serait déroulé.

Je suis frappée, juste deux mois plus tard, par les surprises incessantes que nous réserve la vie. Nous avons beau étudier des cartes et des plans, nous avons beau nous croire capables d'interpréter les changements météorologiques, la forme des nuages et le mouvement des vagues, nous ne savons jamais ce que le jour apportera et nous ne pouvons pas anticiper toutes les éventualités. Nous devons nous contenter, lorsqu'un malheur terrible s'abat sur nous ou lorsqu'une délicieuse surprise se déploie, de choisir notre façon d'y réagir : nos décisions fugaces prises en une fraction de seconde trouveront un écho durant toute la durée de notre existence.

Après m'être occupée des lampes, je profite du beau temps pour me promener le long des mares résiduelles. Le fond de l'air est frais, et mes joues sont rapidement enflammées par la morsure du vent et par mes efforts lorsque j'escalade les rochers. Je ne me soucie guère de la température glaciale, je suis juste heureuse d'être au-dehors. Debout au bord de la mer, je fais des ricochets et contemple les ondulations qui se propagent. Je suis fascinée par la force invisible qui les projette bien après que le caillou a disparu de ma vue. J'aimerais pouvoir en faire autant : retrouver les jours tranquilles d'invisibilité lorsque Grace Darling était une jeune femme banale connue uniquement de sa famille et de quelques proches.

Perdue dans mes pensées, je n'entends pas Mr Emmerson approcher et ne me rends compte de sa présence que lorsqu'il est à mes côtés. Il garde le silence un instant et nous contemplons le chemin lumineux que dessine le soleil sur la surface de l'eau.

— Quel contraste, remarque-t-il. Difficile de croire que la tempête a fait rage pendant une semaine.

Je pivote vers lui. La lumière matinale pare son visage d'or, et efface la confusion et le doute que j'y ai lus cette nuit.

— C'est toujours ainsi avec l'île, Mr Emmerson. Parfois, c'est un lion et parfois un agneau. Les jours se suivent et ne se ressemblent pas.

— Je suis tombé sous le charme de Longstone, Miss Darling. Je vous envie, vous qui pouvez dire que tout ça vous appartient.

— Oh, ça ne nous appartient pas, Mr Emmerson. Nous en sommes juste les gardiens pour un temps. Quand le moment viendra, le phare et l'île passeront aux mains d'un autre gardien et de sa famille et ainsi de suite. Et les gens ne sauront jamais que les Darling ont un jour vécu ici.

Il se penche pour ramasser une poignée de cailloux qu'il lance distraitement dans la mer.

— Mais vous êtes ici pour l'instant, et j'ai apprécié l'hospitalité de votre famille plus que je ne saurais le dire. Je suis navré de devoir m'en aller.

— Et nous serons navrés que votre siège à table soit vide ce soir.

La légèreté de ma réponse masque la profondeur de mon chagrin.

— Je suis certain que votre mère sera contente d'avoir une bouche de moins à nourrir. J'ai bien peur d'avoir interrompu le cours de vos vies de manière inattendue.

— C'était une interruption des plus agréables, Mr Emmerson. (Je jette un caillou dans l'eau avant d'épousseter le sable de mes mains.) Mais vous devez profiter de la marée pour rentrer. Je suis sûre que vous avez été regretté pendant votre séjour chez nous. D'autres se réjouiront de votre retour.

La perche que je lui tends pour évoquer ses fiançailles avec Eliza est aussi effrontée que l'appât qui se balance au bout de l'hameçon d'un pêcheur mais il ne la saisit pas.

Il lance un autre caillou, lui faisant décrire un grand arc de cercle. Nous le regardons s'écraser dans l'eau et je fais une remarque sur les fascinantes ondulations de la mer.

— J'aime ce sentiment de continuité, dis-je. Un petit acte de rébellion contre l'inévitable fin.

Les vagues me lèchent les pieds et les galets s'entrechoquent tandis que l'eau les recouvre avant de les entraîner à contre-courant. *Le flux et le reflux de la marée. L'éternel mouvement de la mer.* J'aperçois au loin mon père en train de préparer le canot pour reconduire Mr Emmerson sur le continent. Je le vois tousser et batailler : ce qui était jadis pour lui une tâche facile est devenu épuisant.

Le soleil en pleine ascension illumine le visage de Mr Emmerson lorsque je pose les yeux sur lui. Je souris malgré le regret que je lis dans ses prunelles.

— Mon père prépare le bateau.

Il acquiesce en silence et nous tournons le dos à la mer. Nos bottes crissent sur les coquillages tandis que nous empruntons le chemin qui mène au hangar, nos ombres allongées derrière nous, et le sentiment de ce qui aurait pu se passer s'attarde dans notre sillage.

Avant que Mr Emmerson ne monte dans la chaloupe, je sors une petite conque de ma poche.

— Un souvenir, déclaré-je en le lui tendant. Afin que vous entendiez toujours la mer du Nord.

Ma voix se brise un peu et ma main tremble. Il sourit, de ce sourire éclatant que j'ai revu tant de fois dans mon esprit.

— Et je vous offre ceci en retour, dit-il en me pressant une coquille de moule dans les mains. Pour remplir les compartiments vides de votre médaillon.

Incapable d'ajouter quoi que ce soit, je serre fermement le coquillage dans ma paume et regarde mon père diriger le bateau autour des îles jusqu'à ce qu'il disparaisse de ma vue. Le vent fait gonfler ma jupe et flotter les rubans de mon bonnet. Le ciel prend la couleur des roses d'été, et je sens que les nuages lourds sont gorgés de neige.

Les saisons se succèdent, et je dois tourner la page à mon tour.

Plus tard, dans l'intimité de ma chambre, j'ouvre la coquille de moule : elle contient deux miniatures magnifiques peintes sur de l'épais papier. L'une représente Mr Emmerson. L'autre, moi-même, debout devant le phare. Mon cœur se brise et s'envole lorsque je retire les portraits de leur coquille pour les insérer avec soin dans le médaillon, dans lequel ils se glissent parfaitement. Je le referme et l'enfile. Je maintiens le bijou sur ma poitrine en essayant de maîtriser l'émotion qui m'emplit le cœur, en sachant ce qui aurait pu être et ne sera jamais.

Je reste dans ma chambre jusqu'au crépuscule, puis je gagne la salle de la lanterne pour allumer les lampes. Protégée par l'étreinte solide du phare, je me mets au travail, apaisée par le bruit de la mer derrière les vitres comme par la voix d'une mère qui calme son nourrisson. « Tout est pour le mieux, répète-t-elle. Tout est pour le mieux. »

Ce soir-là, je rédige deux lettres à la lueur de la bougie. La première est adressée à Robert Smeddle. Je l'informe qu'en accord avec mon père, j'ai décidé de ne plus poser pour aucun artiste, et je lui annonce que je n'ai plus besoin de son aide pour répondre à mon courrier, dont je suis tout à fait capable de m'occuper seule.

La seconde missive est pour Sarah Dawson. Je la remercie de s'être montrée si franche avec moi à propos de son frère et de m'avoir expliqué qu'il était fiancé. Je lui affirme que j'ai beaucoup d'affection pour George et que j'apprécie énormément sa compagnie mais que je ne peux en aucun cas m'autoriser à jouer un rôle dans la rupture d'un engagement. Je lui dis que je souhaite à Mr Emmerson et Miss Cavendish beaucoup de bonheur.

J'aimerais bien croire à mes propres mots.

C'est la fin de l'après-midi, le soleil rasant sur Dundee illumine les flèches de l'église, et répand une lumière généreuse et dorée dans la petite chambre de George. Il s'empare de ses crayons et commence à dessiner ; son visage est aussi net que si elle était debout devant lui et ses traits lui sont à présent très familiers. Mais ce n'est pas seulement sa figure qu'il ne parvient pas à oublier. C'est sa résolution et sa détermination, qui coulaient d'elle comme du miel d'une cuillère. Elle est si menue, et pourtant sa personnalité et son caractère sont immenses.

Il porte la conque à l'oreille pour écouter, d'abord le flux régulier des vagues puis l'écho radieux de son rire prisonnier à l'intérieur du coquillage. Il ferme les yeux et s'imagine comme le phare, grand et intrépide. Les faisceaux lumineux deviennent ses bras et comblent les kilomètres pour pouvoir la toucher encore une fois.

Son mariage avec Eliza Cavendish est peut-être inévitable. Leur union a été décidée par leurs parents dès l'enfance et leurs vies ont tourné autour du principe qu'ils se marieraient un jour. Il apprécie beaucoup Eliza, il l'aime, même, mais de la même façon qu'il aime sa sœur – un amour enfanté par l'habitude. Il n'éprouve pas pour Eliza la passion qu'il sait maintenant exister. Lorsqu'il ferme les paupières, ce n'est pas Eliza qu'il voit et il ne se repasse pas leurs conversations en boucle. Son esprit, son cœur et son âme ne sont pleins que d'une femme : Miss Darling.

Et il doit à tout prix l'oublier, ce qui le torture.

Comme le gardien de phare au petit matin, il doit éteindre la flamme qui brûle si fort dans son cœur et laisser la marée du devoir l'emporter.

Mais il doit d'abord écrire tout ce qu'il a été incapable de dire en personne à Miss Darling. Il attrape une plume et une liasse de feuillets, et il déverse ses émotions sur la page comme une grande marée qui se répand sans fin. Ce n'est que lorsque l'encre est épuisée et que le torrent a cessé qu'il scelle la lettre, écrit « Grace » sur le devant et la pose sur son bureau à côté du portrait qu'il a fait d'elle. Il n'est pas terminé et pourtant son inachèvement capture parfaitement ce que lui-même ressent. C'est le début de ce qui aurait pu être, un instant saisi et relâché, la représentation d'une amitié qui doit rester secrète ; une question sans réponse, un voyage sans destination.

Tandis qu'il contemple la vitre mouchetée par la pluie, il comprend soudain que l'amour, comme l'art, n'atteint peut-être jamais l'idéal qu'on se fixe, que la quête infinie de la perfection est source de souffrance et rarement de satisfaction. Quand le printemps sera venu, il épousera sa cousine et amie d'enfance, et il trouvera un moyen d'être en paix, exactement comme l'artiste doit finir par se contenter de l'image peinte sur la toile parce que c'est le mieux qu'il puisse faire en cet instant.

Il place l'enveloppe contre le dos du portrait, mesure la toile et la cloue sur le châssis arrière. Il enveloppe ensuite le tableau dans une couverture et le range avec soin dans un coffre placé sous la fenêtre. Puis il souffle la chandelle, plongeant la pièce dans l'obscurité.

La lumière est éteinte.

C'est fini.

34

Matilda

Newport, Rhode Island. Août 1938.

Tandis que l'été s'écoule, les journaux et les reportages à la radio spéculent sur l'éventuelle invasion de la Tchécoslovaquie par les nazis et sur la rencontre à Munich entre le Premier Ministre britannique et Hitler.

Je lis les derniers titres en mordant dans une pêche mûre dont je laisse le jus couler sur mon menton. J'entends la voix de ma mère me reprocher mes manières barbares. « Utilise un couteau, Matilda. Sucer et manger bruyamment, c'est inélégant. » Je suis bien contente que ses stupides préoccupations soient aussi loin de moi, et je fais encore plus de bruit. Harriet ne s'en rend même pas compte.

— Tu crois qu'il va y avoir une autre guerre ? demandé-je.

— Mmm ?

— Les journaux. Ils ont l'air de sous-entendre que la guerre est inévitable.

Harriet hausse les épaules.

— Oui. Qu'est-ce que j'en sais ? Je me contente de lire les gros titres et d'écouter la radio, exactement comme toi.

— J'ai entendu dire que Mussolini avait chassé les Juifs d'Italie et que si Chamberlain ne parvient pas à un accord avec Hitler, la guerre sera inévitable. C'est pas génial, tout ça.

— Non. Mais si ça devait arriver, on accomplirait tous notre devoir, comme la dernière fois.

Je songe aux terreurs nocturnes de mon père. Au tremblement incontrôlable de ses mains.

— C'était horrible ?

Harriet pose les yeux sur moi mais je sais qu'en réalité, son regard est tourné vers le passé.

— Tu ne peux pas imaginer, Matilda. S'il y a une autre guerre, je préfère marcher dans l'océan et ne plus jamais revenir.

— Ne dis pas des choses pareilles.

— Je dis ce que je veux. Quand on a traversé l'enfer une fois, on ne veut surtout pas le revivre.

Elle remplit derechef sa tasse, et alterne les gorgées de café et les longues bouffées de la cigarette coincée entre ses lèvres. Je me mords la langue. Je sais qu'il vaut mieux ne pas faire de commentaires sur ses vices.

Les travers et les habitudes de Harriet me sont familiers à présent. Ce qui m'horripilait quand je suis arrivée ne me dérange plus désormais. Comme un couple marié, nous nous sommes accoutumées à la compagnie l'une de l'autre, et j'apprécie de plus en plus ses manières étranges. Comme la vieille théière que j'utilise tous les matins, Harriet est pleine de fissures et de défauts. Elle ne cache rien sous des sourires faux ou des airs maniérés et guindés. Elle est comme elle est, et c'est assez rassurant. Je n'ai pas besoin de faire semblant avec elle. Je peux être moi-même et plus je passe de temps ici, plus je sens mon véritable moi émerger.

— Quel est ton programme du jour ? demande-t-elle.

Je me coiffe devant le miroir, essayant de fixer mes boucles fines avec des épingles. J'aimerais bien que ma coiffure soit sophistiquée comme les Américaines élégantes que je croise.

— Je vais retrouver Joseph au débarcadère. Il va sur l'île peindre la charpente. Je lui ai proposé de l'aider.

— Joseph par-ci, Joseph par-là, me taquine-t-elle. C'est un type très chouette. Je ne peux pas te reprocher d'avoir jeté ton dévolu sur lui.

— Je n'ai jeté mon dévolu sur personne, protesté-je sans conviction.

Elle me lance un regard entendu mais n'insiste pas.

— La marée va baisser. Ne te laisse pas surprendre.

Je le lui promets, ravie qu'elle s'inquiète pour moi.

Je gagne lentement le port en appréciant la chaleur du soleil sur mon visage tandis que je me dandine maladroitement. Mrs O'Driscoll n'a évoqué que des miracles, et a omis de préciser que j'aurais du mal à me mouvoir et que les deux derniers mois, j'aurais l'impression d'être un ballon de plage. Quand j'atteins la jetée, je suis épuisée et contente de pouvoir m'asseoir et me reposer.

Joseph a apporté le tableau. Il est enveloppé dans du papier kraft et m'attend dans le canot.

— Il est très beau une fois restauré, annonce Joseph. J'espère qu'il te plaira.

Je suis impatiente de voir le résultat mais je décide de patienter jusqu'à ce que nous soyons au phare pour le regarder : j'ai peur que de l'eau ne l'éclabousse.

— Et il y a autre chose, ajoute Joseph en retirant une petite enveloppe de sa poche arrière. Ta dame victorienne avait un secret. Quand j'ai ôté le fond, j'ai trouvé ceci.

Je lui prends le pli des mains. Le papier est jauni et moisi, un peu taché par l'âge. Le prénom « Grace » est écrit dessus d'une écriture soignée.

— Le portrait est bien celui de Grace, murmuré-je presque pour moi. (Au dos de l'enveloppe, un sceau de cire est toujours en place, protégeant son contenu.) Elle n'a jamais été ouverte.

— Non. Et d'après ce que j'ai pu observer, le tableau était dans son cadre originel. Le nom de Grace et la date 1838 sont inscrits au dos.

— La lettre a été cachée là quand la toile a été encadrée, alors ? Par l'artiste lui-même ?

Joseph opine, le regard rieur.

— C'est romantique, pas vrai ?

Le bateau oscille, et un souffle de brise froisse ma jupe. Je fais courir des doigts curieux sur la vieille enveloppe dont je retourne le papier fragile entre mes mains.

— Si le portrait a bien été peint par George Emmerson, alors il était peut-être amoureux de Grace mais comme il ne pouvait pas le lui dire, il a préféré lui écrire une lettre à la place.

— Alors ? réplique Joseph. Tu vas l'ouvrir pour voir de quoi il retourne ?

J'éclate de rire et la glisse dans ma poche.

— Pas tout de suite. Elle a attendu cent ans. Elle peut bien attendre un peu plus.

Une fois dans le phare, je suspends le portrait dans son nouveau cadre sur le mur à côté d'Ida Lewis.

— Te voilà revenue à ta place, Grace, dis-je. Dans un phare. Tu mérites qu'on te voie et qu'on parle de toi au lieu de demeurer cachée au fond d'un vieux coffre qui sent le renfermé.

J'admire les traits précis et l'intensité de son regard. Celui qui l'a peinte l'a vraiment vue et comprise, et probablement aimée. Je jette de nouveau un coup d'œil à l'enveloppe : mes doigts me démangent de l'ouvrir ; cependant, je répugne à m'immiscer dans les pensées de quelqu'un d'autre. Je la pose sur la table et sors me promener.

Elle reste sur la table toute la journée. Comme une pause alléchante entre le passé et le présent.

Après le déjeuner, Joseph n'y tient plus. Il la pousse dans ma direction.

—Allez. Voyons ce qu'elle contient. Je vois bien que tu meurs d'envie de le découvrir.

Je prends une profonde inspiration.

—Je pense que c'est plutôt toi qui veux à tout prix le savoir ! Bon, d'accord. Allons-y.

Je romps le cachet avec soin, déplie les feuilles que contient l'enveloppe et commence à lire. Grace me surveille tandis que les mots d'une lettre rédigée un siècle plus tôt sont enfin libérés. Je lis en silence, et l'aveu intime d'un jeune homme amoureux se déverse des pages pour se nicher dans mon cœur.

—C'était bien George Emmerson.

Je suis étrangement émue en parvenant à la fin et je passe les feuillets à Joseph afin qu'il les lise à son tour. Nous gardons le silence pendant un moment pour donner aux mots de George le respect qu'ils méritent. Je replie la missive, la glisse dans l'enveloppe et la coince derrière le portrait de Grace. *Qu'elle aurait pensé en découvrant ces aveux ?*

—C'est triste qu'elle n'en ait jamais rien su, commenté-je. Je me demande ce qui s'est passé.

Dans l'après-midi, je trie les articles de journaux conservés dans le vieux coffre, et je lis les histoires fascinantes de femmes courageuses qui ont gardé les lumières allumées le long des côtes américaines en temps de guerres et de tempêtes. De ces femmes dont la vie était censée être aussi rigide et aussi étroitement lacée que les corsets qui les empêchaient de respirer, je suis surprise de découvrir qu'elles ont transgressé sans hésiter les convenances pour assurer ce qui était jadis le travail de leurs pères ou de leurs maris.

J'épluche des témoignages sur des femmes comme Hannah Thomas, qui a tenu le phare de Gurnet Point durant les longues années de la guerre d'Indépendance, Kate Walker à Robbins Reef, au large de Staten Island, et la jeune Abbie Burgess, dans le Maine, qui s'est occupée du phare alors que son père était égaré dans la tourmente. À elles toutes, ces femmes ont sauvé des centaines de vies et ont récupéré les corps rejetés sur le rivage de ceux qu'elles n'ont pas pu secourir. Elles ont assisté aux pires tempêtes jamais enregistrées, elles vivaient dans des environnements profondément hostiles et leur priorité était de faire brûler les lampes. Sur des îles isolées, seules dans leurs tours de lumière, ces femmes ingénieuses ont trouvé l'indépendance et un but, et j'éprouve pour elles une admiration sans bornes.

Et je les comprends un peu. Dans les pièces exiguës du phare, on a la place de penser. Dans les salles gigantesques dans lesquelles j'ai grandi en Irlande, il me semblait étouffer et je me suis toujours sentie toute petite. Ici, j'ai l'impression d'être une géante, j'ose avoir des opinions, faire des plans d'avenir et éprouver de l'espoir. Exactement comme les générations de gardiennes de phare dont je découvre l'existence, le phare me donne une raison d'être.

Tandis que Joseph s'affaire, je parcours la plage en forme de fer à cheval puis je m'assieds, seule, pour contempler les oiseaux et les bateaux. L'enfant pèse particulièrement lourd aujourd'hui, et je m'allonge, fatiguée, sur l'herbe, les bras écartés comme des ailes. Le vent danse entre mes doigts jusqu'à ce que je m'imagine qu'il m'emporte et m'élève dans les nuages, où je peux aller où je veux et être qui je veux.

Trop tôt, Joseph annonce qu'il est temps de partir. Tandis qu'il contourne le cap en ramant avec assurance et que le phare s'éloigne, je me promets d'élever mes filles comme des femmes fortes et indépendantes et non comme des bibelots décoratifs. *Mon enfant aura des espoirs et des rêves–un avenir–, et il me tarde de partager tout ça avec elle.*

Je prends une profonde inspiration et refoule mes larmes, submergée par l'émotion.

— Tout va bien ? demande Joseph en remarquant mes joues mouillées.

— Tout va pour le mieux, réponds-je en m'essuyant les joues. C'est juste... Tu sais.

Il sourit.

— Je sais.

Je pose les mains sur mon ventre et le tapote du bout des doigts. En échange, elle me donne des coups de pied : elle me met au défi de la reconnaître, de l'aimer et d'avertir le monde de son arrivée.

Ma fille.

35

Harriet

Newport, Rhode Island. Août 1938.

Matilda Emmerson…

Mon passé et mon avenir, endormie dans une chambre à côté de la mienne.

J'avais oublié ce que ça faisait de vivre avec quelqu'un ; j'avais oublié à quel point c'était à la fois irritant et gratifiant d'appartenir à une famille. J'entends le craquement des ressorts de son matelas quand elle se tourne et se retourne la nuit, incapable de trouver une position confortable à présent que son ventre est aussi rond. Je l'entends tousser, je distingue le doux bruit de ses pas quand elle va aux toilettes à minuit. Je l'écoute avec autant d'attention qu'une jeune mère surveille le souffle de son nourrisson dans le berceau à ses côtés.

Devant la fenêtre, je regarde l'éclat assourdi du phare de Rose Island à travers le brouillard naissant. Joseph a pris un autre tour de garde afin que je puisse veiller sur Matilda.

Le temps s'écoule. Chaque lever et chaque coucher de soleil rapproche l'heure de la délivrance, et éloigne Cora. Un jour, le calendrier marquera un autre anniversaire et j'aurai passé plus de temps sans elle qu'avec elle. *Seize ans. C'est tout ce que j'ai eu. Ce ne sera jamais assez.*

À l'aube, je sors le bateau pour gagner l'endroit où je l'ai perdue. Seule avec les vagues, je laisse finalement se déverser les années de chagrin que j'ai emprisonnées jusqu'à ce que mon corps soit douloureux. *Pourquoi n'ai-je pas pu la sauver alors que j'en ai sauvé tant d'autres ?*

J'ai été bien des choses depuis quarante ans. Une fille. Une gardienne de phare. Une mère. Une lâche. Je songe aux gens que j'ai secourus, chacun formant un répit temporaire dans ma culpabilité parce que chaque fois qu'on sauve la vie de quelqu'un, les échecs de sa propre existence n'ont plus d'importance, du moins pour un temps. Mais l'ombre de mon passé m'a toujours attendue, comme une tempête qui s'amasse à l'horizon, que l'on ne sent pas encore mais que l'on voit et que l'on entend.

Et maintenant, la tempête est là.

Matilda Emmerson.

Il faut que je le lui dise. Il faut que je trouve le courage de lui révéler qui elle est vraiment, parce que même si je ne mérite ni son pardon ni sa compréhension, elle mérite de connaître la vérité.

36

Matilda

Newport, Rhode Island. Août 1938.

J'ai toujours été curieuse, posant trop de questions, me mêlant toujours des affaires des autres. Après que j'ai passé autant de temps toute seule, il n'est guère étonnant que j'aie développé une obsession pour la vie des autres. Enfant timide, j'écoutais les conversations, parfois cachée sous les tables, parfois perchée, raide, à côté de ma mère. Je suivais les chuchotements et les révélations qui faisaient le tour de la table en même temps que le sucrier et le pot à lait jusqu'à ce que j'oublie que je n'étais pas censée écouter. « Pourquoi a-t-elle fait ça ? » questionnais-je brusquement. Ma mère me lançait un de ses regards les plus noirs puis expliquait en riant à ses amies horrifiées que j'étais une petite fille étrange et qu'elle ignorait où elle avait bien pu me trouver, vraiment.

Mais cette petite fille bizarre a grandi, et ma curiosité a grandi avec moi, elle m'a accompagnée de la nursery à l'école, elle restait dans mon sillage quand j'allais à la messe, elle me suivait comme une ombre partout où j'allais tandis que j'observais l'affection entre les mères et leurs filles, me demandant ce que j'avais bien pu faire pour que ma mère soit aussi froide avec moi.

C'est peut-être cette curiosité latente qui m'accompagne depuis l'enfance qui me pousse à gagner la chambre de Harriet. C'est peut-être un petit sentiment de rébellion qui me fait ouvrir sa porte. Et c'est peut-être l'impression tenace qu'il me manque quelque chose qui m'ordonne d'entrer et de refermer la porte en silence derrière moi.

Ce n'est pas le genre de pièce que je m'attendais à découvrir. Elle est propre et ordonnée, le lit est recouvert d'un édredon jaune pâle, et une pile de livres et un cendrier débordant de mégots sont posés sur la table de chevet. Des photos encadrées fixées aux murs montrent Harriet beaucoup plus jeune, un bébé dans les bras. Sur un des clichés, elle est debout devant le phare, sur d'autres, elle se trouve sur la plage en forme de fer à cheval, ou à côté du bateau ou dans le port. Sur toutes les images, elle sourit, heureuse, presque méconnaissable. Un homme plus âgé se tient parfois à ses côtés–*son père, je suppose*–et un homme encore plus vieux apparaît sur d'autres photos. *Boots, peut-être ?* Je présume que le bébé est Cora.

Je fais le tour de la chambre sur la pointe des pieds. Sur la coiffeuse, je trouve une dizaine de photos d'une jolie fillette qui regarde l'objectif, radieuse, des coquillages dans les mains. Sur la table de nuit, il y a un seul cadre de la même enfant, devenue une magnifique jeune fille de mon âge, peut-être un peu plus jeune, devant le phare, un petit chien blanc dans les bras. J'attrape la photo pour l'examiner de plus près, et je ne peux détacher mon regard d'elle parce qu'elle me paraît si familière. *L'ovale de son visage. La courbe douce de ses lèvres. L'implantation de ses cheveux en forme de cœur.* J'ai l'impression de me voir dans un miroir.

Je me fige en entendant un grincement dans l'escalier. Avant que j'aie le temps de réagir, la poignée de la porte pivote, et Harriet pénètre dans la pièce. Elle est aussi sidérée de me voir que je le suis.

— Qu'est-ce que tu fiches ici, bon sang ?

Je suis tellement abasourdie que je ne sais pas quoi répondre.

— J'étais juste...

Elle se précipite vers moi et m'arrache le cadre des mains.

— Juste quoi ? En train de fouiner ? Qu'est-ce que tu cherches, exactement, Matilda ? Un cadavre dans le placard ?

— Non. Je suis juste... je suis curieuse.

Elle range la photo dans un tiroir qu'elle referme brutalement. Le claquement fait trembler le miroir suspendu à une chaîne à côté de la porte.

— Je t'invite chez moi et c'est comme ça que tu me remercies ? Tu n'as rien à faire ici, rétorque-t-elle d'un ton menaçant.

Il faut que je le lui dise, ne serait-ce que pour lui expliquer pourquoi je me suis mise à fureter dans sa chambre.

— Je sais pour Cora.

Elle me contemple fixement ; son regard me traverse.

— Quoi ?

— Je sais pour Cora. Ta fille. Joseph m'a tout raconté – mais uniquement parce que je le lui ai demandé.

Elle me tourne le dos et se dirige vers la fenêtre. Elle pose les mains à plat sur le rebord, et j'observe ses épaules monter et descendre : elle respire par à-coups. J'ai en partie peur d'elle, et en partie pitié d'elle.

— Je suis navrée, Harriet. Je ne voulais pas te bouleverser. Mais tu l'appelles dans ton sommeil et chaque fois que tu l'évoques tu te refermes comme une huître, c'est pour ça que j'ai questionné Joseph. (Je soupire, soulagée par mon aveu.) Et comme je sais, tu n'as plus besoin de faire semblant.

Harriet tire son paquet de cigarettes de la poche de son pantalon et en allume une avant de balancer le paquet sur le lit.

— Tu ne sais rien du tout, Matilda. Tu ignores absolument tout.

— Je sais qu'elle s'est noyée, objecté-je, désespérant de la voir se confier. (Les mots planent entre nous.) Tu peux me raconter si tu veux. Si tu ne veux pas, je promets de ne plus jamais poser de questions.

Pendant un long moment, Harriet reste parfaitement immobile, le visage tourné vers la fenêtre. Je me mords la lèvre inférieure tout en jouant avec mon médaillon. Je n'aurais jamais dû entrer dans sa chambre ; j'ai détruit toute la confiance qui nous unissait. Je suis sur le point de quitter la pièce quand elle se met à parler.

— Elle avait un petit chien. Pepper. Il la suivait partout. J'ai ri quand je l'ai vu sauter dans l'eau pour chasser un morceau de bois flotté mais il a été entraîné dans un courant et Cora l'a suivi. J'ai tout vu de la salle de la lanterne. Le temps que je sorte le canot, ils avaient tous les deux été emportés au large. J'ai ramé de toutes mes forces, mais je ne les ai jamais rattrapés. Je n'ai pas pu la sauver.

— Harriet, je suis vraiment désolée.

Elle pivote, la figure aussi pâle que les nuages qui encombrent le ciel derrière le carreau.

— Maintenant, tu sais. (Elle porte sa cigarette à sa bouche d'une main tremblante.) J'ai vu ma fille se noyer. Maintenant, je te suggère de quitter ma chambre avant que je dise quelque chose que je pourrais regretter.

Je referme la porte en silence derrière moi.

Je demeure assise dans ma chambre pendant longtemps, juchée au bout de mon lit. Je fais tournoyer mon pendentif et les mots gravés au dos appuient sur ma conscience tandis que le bébé me donne de violents coups de pied. « Même les plus courageux ont eu peur un jour. » Ça me rappelle qu'il ne me reste plus qu'un mois et qu'il n'y a que Harriet pour m'aider. Et juste au moment où nous commencions à nous comprendre, j'ai tout gâché. *Comme d'habitude. Je suis maladroite, je pose trop de questions et je suis pénible.*

Je finis par entendre Harriet ouvrir la porte et traverser le palier. Elle s'arrête devant ma chambre. *Entre, s'il te plaît.*

Arrange tout. Mais elle poursuit son chemin vers le rez-de-chaussée. Un instant plus tard, j'entends la moustiquaire s'ouvrir et se refermer, et Harriet s'éloigne.

Je me lève et m'approche du miroir pour contempler mon reflet. J'étudie l'ovale de mon visage, la courbe douce de mes lèvres et l'implantation en forme de cœur de mes cheveux sur mon front. Je m'affale de nouveau sur le lit, le cœur battant, et je ressuscite des conversations et des souvenirs. J'essaie de comprendre ce que veut me dire la voix tenace qui pose les questions auxquelles je n'ai pas le courage de répondre : *Si Cora me ressemble à ce point et si elle était la fille de Harriet, alors, qui suis-je ?*

Volume III

phare : *(nom commun)*
source de lumière ou d'inspiration

« Je remercie Dieu, qui m'a permis d'accomplir tant de choses. Je pensais qu'il s'agissait de mon devoir, puisque personne ne pouvait m'aider, mais je regrette de ne pas avoir pu en faire davantage. »

Grace Darling

37

Grace

Phare de Lonsgtone. Novembre 1838.

Distraite par les artistes, les tempêtes et Mr Emmerson, j'avais complètement oublié Mr Sylvester et le cirque de Mr Batty, mais l'arrivée du bateau apportant les provisions et le courrier me rappelle leur existence de manière inopportune.

Je ne sais que penser de la lettre la première fois que je la lis. C'est un courrier très franc de la part d'une certaine Mrs Margaret Kirk, envoyée au nom d'un groupe de dames d'Édimbourg. Elle y a joint une coupure de presse du *Caledonian Mercury* qui est la copie imprimée de la missive que j'ai envoyée à Mr Batty et dans laquelle il se vante de ma future visite au cirque. Mrs Kirk exprime son opinion à propos de mes relations avec Mr Batty : elle affirme que c'est un homme en qui on ne peut pas avoir confiance et qu'elle craint qu'il n'utilise mon nom à son avantage. « N'envisagez pas, même une seconde, de vous exhiber de cette façon, Miss Darling… Nous sommes en train de collecter des fonds pour votre cause et nous éprouvons une véritable inquiétude à l'idée que la bonne volonté dont font preuve les gens respectables de cette ville soit souillée par votre association avec cet affreux saltimbanque. »

Je relis le message de Mrs Kirk, les mains tremblantes, en essayant de comprendre de quoi elle parle. Je cours rejoindre mon père dans le hangar à bateaux, des larmes d'humiliation aux yeux. Il examine la lettre en silence et j'en profite pour la lire une troisième fois par-dessus son épaule. À la troisième lecture, je la trouve encore pire.

— Regarde, Père. Mrs Kirk dit que le public croira que je recherche la célébrité et que mon nom sera sali. Je me sens tellement idiote.

Il replie la feuille, la glisse dans sa poche et se lève.

— Tu ne dois pas te sentir bête, Grace. Pas une seconde. Le seul idiot ici, c'est Batty et ses actions peu scrupuleuses. Comment ose-t-il ?

J'ai rarement vu mon père aussi furieux. Il sort en trombe du hangar, affirmant que Batty est un profiteur sans vergogne, et je le suis en courant.

— Je vais lui écrire immédiatement – et aux journaux aussi – pour expliquer que tes intentions étaient parfaitement honorables, contrairement à celles de Batty et de son représentant peu recommandable.

Une fois sa lettre rédigée à la hâte, mon père gagne le continent dans l'après-midi pour la poster, me laissant à Longstone ruminer les paroles de Mrs Kirk.

Quand il revient, je me suis un peu calmée. Il me fait asseoir et m'avoue qu'il a reçu d'autres requêtes similaires à celles de Mr Batty.

— Je ne voulais pas te perturber avec ça, Grace. Pas alors que les artistes étaient là. Mais je pense que tu as le droit de savoir.

Il me tend un courrier d'un organisateur de spectacles londoniens qui explique, avec force détails, qu'il envisage de produire une pièce de théâtre mettant en scène la tragédie du *Forfarshire* et qui me sollicite pour jouer mon propre rôle. « Je me demande si elle devrait porter la même robe que le jour du sauvetage. »

J'en crois à peine mes yeux. *Dois-je être horrifiée ou amusée par une proposition aussi ridicule ?*

— Je sais à quoi ces gens jouent, Grace, poursuit mon père. Ils voient le profit qu'ils peuvent tirer de ton courage. Ce ne sont que des goélands charognards qui suivent les pêcheurs de harengs pour dévorer des restes. (Il affirme qu'il leur a répondu avec fermeté que je ne monterais jamais sur une scène ni autres absurdités.) Ne t'inquiète pas, Grace. Ils finiront bien par s'intéresser à autre chose.

Mais une humeur sombre s'abat sur Longstone ce jour-là. Même ma mère résiste à l'envie de dire qu'elle nous avait prévenus. Rien ne peut me remonter le moral. Ni les bébés phoques, ni les portraits miniatures cachés dans mon médaillon. Je ne me suis jamais sentie aussi éloignée de l'héroïne courageuse pour laquelle tout le monde me prend.

Je ne suis rien de plus qu'une idiote naïve qui ne comprend rien au monde réel et qui est facilement dupée par des hommes sans scrupules.

Comme les écueils à marée basse, je suis exposée. *Une curiosité. Rien de mieux qu'une bête de cirque exhibée à la vue de tous.* Un malaise persistant se niche au creux de mon ventre alors que le soleil disparaît à l'horizon et que les lampes dessinent un sentier lumineux sur l'eau noire. La marée descend et m'emporte, comme si la véritable Grace Darling n'existait pas du tout.

Durant les jours qui suivent, mon humeur s'améliore grâce à une série de nouvelles agréables. La première nous parvient sous la forme d'une enveloppe portant le sceau royal.

Je regarde mon père l'ouvrir d'une main tremblante. Il lit la lettre en se frottant le menton tout en répétant en boucle : « Eh bien, si je m'attendais ! »

Ma mère craque et la lui arrache pour la lire. Père s'empare de mes mains et m'explique que c'est un courrier de la reine Victoria, qui, après avoir lu dans *The Times* le compte-rendu du naufrage du *Forfarshire* et du sauvetage, nous offre 50 livres en témoignage de son estime.

Une fois qu'elle a digéré le contenu du pli, Mam se laisse tomber sur un fauteuil près du feu tout en s'éventant avec le courrier.

— Une lettre de la reine ! De la reine !

C'est trop pour elle et elle va s'allonger.

— Bon débarras pour les gens comme Mr Batty, constate Père, un éclat malicieux dans le regard. C'est la royauté qui s'intéresse à toi, à présent, Grace.

Je ne peux étouffer mon plaisir. En tant qu'ardente admiratrice de notre jeune souveraine, je suis extrêmement honorée qu'elle ait pensé à moi. Je lis la missive tant de fois que je suis capable de la réciter par cœur à la fin de la journée.

Mais ce n'est pas tout. Mon père m'apprend que le duc de Northumberland nous a écrit aussi. Le duc – un gentilhomme de la famille Percy – et sa femme, la duchesse Charlotte, sont bien connus dans la région. Leur famille habite l'impressionnant château d'Alnwick, non loin de la côte. La duchesse a été la gouvernante de la jeune Victoria avant qu'elle devienne reine, et elle est très aimée et respectée.

— Le duc dit qu'il est au courant de ce qui est arrivé au *Forfarshire* et de notre sauvetage, et qu'il a écrit au duc de Wellington à Trinity House, explique mon père. Il nous donne 10 livres à chacun et il veut nous décorer au nom de la Royal Humane Society, dont il est le président. Nous devrons aller au château d'Alnwick en personne pour recevoir des médailles en or.

Je m'assieds près de la cheminée pour me réchauffer les mains et les pieds, et écouter mon père lire la lettre à haute voix. Quand il parvient à la fin, il se penche et le feu danse dans ses yeux.

— Nous sommes invités au château, Gracie !

J'ai admiré la forteresse à de nombreuses reprises de la fenêtre de l'étage de l'épicerie de mon oncle Marsden, sur Narrowgate, en ville. Je n'aurais jamais imaginé y être invitée. Cette idée m'emplit d'excitation et d'appréhension.

— Et Mam ? demandé-je. Il ne la mentionne pas ?

Père secoue la tête.

— Rien que nous deux. De toute façon, tu connais ta mère. Elle se fiche complètement des invitations dans des châteaux pour rencontrer des ducs et des duchesses. (Il cligne de l'œil.) Elle comprendra.

38

Grace

Château d'Alnwick. Décembre 1838.

Le jour de notre rendez-vous au château, je me réveille et constate que la mer est miséricordieusement calme. Je me suis fait du souci toute la semaine, incapable de choisir ma tenue, et inquiète à l'idée de me comporter comme il faut en présence du duc et de la duchesse. Mais j'ai surtout été préoccupée par le temps, craignant que nous ne soyons obligés d'effectuer la traversée même si la mer était agitée. Heureusement, nous n'avons pas à prendre de décision de cet acabit.

Mon père prépare le canot tandis que ma mère m'aide à enfiler ma plus jolie robe rose et prend le temps de tresser soigneusement mes cheveux en couronne sur le sommet de mon crâne. Je tressaille sous ses gestes brusques mais tâche de ne pas me plaindre. Ses nerfs sont suffisamment mis à rude épreuve sans que j'en rajoute en râlant.

Après avoir dit « au revoir » à Mam et lui avoir promis de bien nous comporter, nous mettons la barque à l'eau et prenons la direction du continent. Ma mère reste loyalement sur le ponton jusqu'à ce qu'elle finisse par disparaître, happée par une légère brume.

— On n'a pas fini d'en entendre parler, tu sais, remarque Père en ramant vigoureusement.

— Parler de quoi ?

— De ce jour où nous avons été des invités importants au château et où Mam n'a pas été conviée.

Nous pouffons à l'unisson.

— Pauvre Mam. Elle aurait adoré venir, n'est-ce pas ?

— Pauvre Mam, rien du tout, oui. Elle aurait adoré se vanter auprès de tous ceux qui auraient eu le malheur de l'écouter. Elle aurait fatigué la pauvre duchesse ! C'est mieux comme ça.

Il a raison, bien sûr. Je me détends en compagnie de mon père alors qu'en présence de ma mère, je m'agite. Nous ramons de concert, contents d'être sur les flots ensemble. Des phoques curieux suivent le bateau, et les mouettes crient pour nous accompagner.

Nous progressons rapidement vers North Sunderland, d'où nous prenons le coche pour parcourir les vingt kilomètres qui nous séparent d'Alnwick. Il s'est écoulé presque une année depuis ma dernière visite à mes cousins et j'ai oublié combien le château est impressionnant. Tandis que la voiture brinquebale le long des rues pavées près des remparts de la forteresse, je regarde par la fenêtre, impatiente d'avoir une meilleure vue. Nous franchissons le gigantesque portail gardé par des murs d'enceinte et des tourelles. La zone devant la grille est encombrée de marchands, de mères tourmentées accompagnées d'enfants agités, de dames et de gentlemen calmes, et de soldats à cheval. Cette foule forme un contraste tellement saisissant avec la solitude de notre île que je ne peux m'empêcher de rester bouche bée. Mon père observe tout en silence, avec son humilité habituelle.

— Est-ce que tu crois qu'on va nous offrir du thé et des gâteaux, Grace ?

— Je l'espère, réponds-je en souriant. Je suis affamée.

Il me prend la main, joyeux comme un enfant le matin de Noël.

— Qui l'aurait cru ? Invités par le duc. Tu es nerveuse ?

— Un peu, admets-je. J'espère qu'ils ne vont pas en faire tout un plat.

— Bien sûr que si. C'est ce que font les ducs et les duchesses. Mais nous nous montrerons patients, polis et reconnaissants pour le temps qu'ils nous consacrent. Le duc est un homme très aimable. Je sais que tu lui feras forte impression.

Après nous être présentés, nous sommes escortés dans le château et nous gravissons un escalier massif au plafond très haut. J'essaie de ne pas tout examiner fixement mais mes yeux vont et viennent tandis que nous suivons notre guide. Nous empruntons de longs corridors, et mes chaussures s'enfoncent dans des tapis doux. Nous passons devant d'énormes portraits dorés des membres de la famille Percy dont les expressions sont si parfaitement saisies que j'ai l'impression que leurs regards nous suivent. L'air est riche du parfum des fleurs de serre déployées dans des vases en porcelaine posés sur de vastes socles. Père me presse le bras, et ses lèvres s'agitent un peu : il s'efforce de contenir un sourire ravi.

Nous pénétrons dans un salon somptueux, décoré de riches brocarts dorés et de velours cramoisi où nous sommes présentés au duc et à la duchesse avec une dignité sans tapage. Le duc est impressionnant dans son uniforme militaire et la duchesse est la femme la plus élégante que j'aie jamais vue dans sa somptueuse robe bleu nuit au col en dentelle compliquée. J'ose à peine la regarder quand elle s'adresse à moi.

— Miss Darling. Quel honneur de vous rencontrer.

Son sourire est si chaleureux et ses manières se révèlent si aimables que ma timidité et mon inquiétude s'évanouissent aussitôt. Je fais la révérence comme ma mère me l'a appris, bien contente d'avoir répété. Seul mon genou vacille imperceptiblement. Près de moi, mon père s'incline avec déférence avant que le duc ne l'entraîne sur le côté pour lui parler du changement des lois maritimes à la suite de la catastrophe du *Forfarshire*. La duchesse me réserve toute son attention et exprime son admiration pour mon courage.

— C'est une terrible tragédie. Nous avons tous été stupéfaits d'apprendre le rôle que vous avez joué dans le sauvetage, Miss Darling. Même la reine a été impressionnée par votre bravoure. Étant elle-même une jeune femme très déterminée, elle a été ravie par votre courage. Je suis certaine qu'elle aurait sauté dans le bateau pour vous aider à ramer si elle avait été présente.

Je souris, la remercie et lui exprime toute ma reconnaissance pour le soutien de la reine. C'est une bien maigre réponse pour un tel honneur.

—Je pense que bien peu de gens auraient été aussi téméraires que vous, poursuit la duchesse. Mon mari s'est montré catégorique: il tenait absolument à vous récompenser par une médaille en or.

—Nous sommes très honorés, madame. Mais tous les gardiens de phare de la côte anglaise auraient agi comme nous.

—Peut-être, mais je suis persuadée que les neuf survivants ont eu de la chance en s'échouant non loin du phare de Longstone et non d'un autre. J'ai été particulièrement attristée par l'histoire de cette pauvre femme qui a perdu ses enfants. Avez-vous de ses nouvelles?

—Oui, nous nous sommes écrit. (Je pâlis à l'idée de notre dernier échange, qui concernait l'amour, George et Eliza.) Mrs Dawson a fait preuve d'une vaillance exceptionnelle, madame. Je songe souvent que c'est son histoire que les journaux devraient raconter, et que c'est elle qui devrait recevoir des médailles et des louanges.

Je suis toujours hantée par l'image de ces petits corps en haillons, avachis sur le rocher, la mer léchant leurs bottes.

La duchesse pose sa main sur la mienne.

— Et c'est exactement pour cette raison que tout le monde vous admire autant, Mrs Darling. Non seulement vous vous êtes montrée incroyablement brave mais en plus vous êtes d'une humilité à toute épreuve.

Nous discutons pendant un bon moment parce que le duc et la duchesse veulent entendre notre récit des faits. Je laisse Père s'en charger mais quand la duchesse me pose des questions et m'interroge à propos de mes pensées sur le sujet, je réponds aussi librement que possible, de plus en plus détendue. Quand ils sont satisfaits, et après qu'ils nous ont décerné les médailles de manière formelle, nos hôtes se préparent à nous dire « au revoir ». La duchesse m'offre un châle en cachemire.

— Je serais très heureuse de penser que vous le portez en vous occupant de vos lampes, Miss Darling. J'ai toujours admiré le travail des gardiens de phare. Je l'admire encore davantage après vous avoir rencontrés, votre père et vous. J'ai été vraiment ravie de faire votre connaissance.

Je la remercie vivement.

— Je le porterai avec fierté, madame.

Mon père et moi sommes escortés jusqu'à une pièce où l'on nous sert du thé, des gâteaux et des mets fins comme nous n'en avons jamais vu. Tout est fait pour que nous soyons à l'aise et que nous nous sentions les bienvenus, et nous échangeons des sourires en mangeant, ahuris d'avoir quitté notre humble foyer au phare pour tout ça.

Après ces rafraîchissements, on nous fait faire le tour des appartements du château. Je suis particulièrement impressionnée par la vaste bibliothèque ; c'est la première fois que je vois autant de livres. Nous visitons aussi l'armurerie et la chapelle, les salles d'apparat et une autre imposante galerie de portraits. Tout en marchant, Père m'explique que le duc a exprimé le souhait de devenir mon tuteur.

— Il a été troublé d'apprendre les intrusions que tu as subies récemment, avec Batty et les autres. Il propose de créer et de gérer un fonds pour s'occuper de l'argent qu'on t'envoie, et pour te protéger de toute autre ingérence dans ta vie privée.

C'est un développement surprenant mais loin d'être inopportun.

— C'est une offre très généreuse, dis-je. Ce serait un vrai soulagement de laisser le duc se charger de ce genre de choses.

— Oui, acquiesce mon père. C'est dommage que la situation en soit arrivée là mais je lui ai répondu que j'étais entièrement d'accord et qu'une telle action était nécessaire.

Nous avons beau être reconnaissants de l'exceptionnelle courtoisie avec laquelle nous sommes traités, je sens mon enthousiasme décliner quand nous entrons dans une énième pièce magnifique. Je devine que mon père ressent la même chose. Nous sommes tous les deux un peu soulagés lorsque la visite touche à sa fin.

Alors que nous regagnons les grilles du château, nous évoquons tout ce que nous avons entendu, vu et mangé, chacun se souvenant de détails que l'autre a oubliés. Mais mon excitation diminue rapidement lorsque je comprends qu'une foule s'est massée devant les remparts. Quand nous tentons de sortir, on me pousse et me bouscule en criant avec ardeur : « Hourra pour Miss Darling », et des applaudissements spontanés s'élèvent tandis que nous sommes engloutis par une vague de gens qui m'acclament. Des mains essaient d'agripper ma jupe et mon châle, et je me cramponne à mon père, le cœur battant à tout rompre. Père remercie calmement pour moi et leur demande de s'écarter. La cacophonie et la ferveur de la foule m'effraient et me déroutent.

Nous finissons par atteindre le coche et par grimper en toute hâte dedans, mon père après moi. Il presse le cocher de fermer la porte et de se dépêcher. Mon cœur tambourine sous ma cape et mes mains tremblent lorsque je les pose sur mes genoux. Les roues se mettent en branle, et nous nous éloignons, le bruit des vivats et des applaudissements s'affaiblissant au loin, mais je suis secouée par ce qui vient de se produire.

Père enroule son bras autour de mes épaules, rassurant.

— Ça part d'une bonne intention, Grace. Ils veulent seulement te montrer leur admiration.

Je soupire.

— Je sais, Père, et je ne veux pas paraître ingrate, mais j'aurais préféré qu'ils s'abstiennent. Je voudrais qu'ils arrêtent. Je voudrais que tout ça cesse.

Il me presse l'épaule.

— Il va falloir supporter ça encore un peu, chaton. (Il se frotte la barbe.) On aurait peut-être dû emmener Mam avec nous, finalement. Elle les aurait fait fuir en brandissant son rouleau à pâtisserie.

L'image de ma mère en train de franchir la grille du château en courant, son rouleau à la main, me fait tellement rire que je finis par pleurer, de frustration et de soulagement.

Père essuie mes larmes du bout du pouce.

— Je préfère ça. Laisse-toi aller, Grace. Libère tout ça. Ça passera, je te le promets. Comme les tempêtes et les saisons, rien ne reste identique à jamais.

Dans la diligence qui nous ramène à North Sunderland, mon père m'explique en détail la tutelle du duc : ce dernier se chargera de ma correspondance, et tous les dons à venir passeront par les mains de ses propres avocats. Je suis particulièrement ravie d'entendre que le duc a décidé de nommer trois membres du château de Bamburgh pour s'occuper de mes affaires : Robert Smeddle ne pourra plus s'en mêler.

Malgré la manière perturbante dont s'est terminée la journée, j'essaie de ne plus y penser et je ferme les yeux, bercée par le balancement de la voiture et réconfortée par la silhouette familière de l'épaule de mon père contre ma joue. Bientôt, je n'entends plus que le martèlement du sabot des chevaux et les grincements du coche, et je me laisse glisser dans l'étreinte bienvenue du sommeil.

Ce soir-là, après avoir raconté notre visite à Mam dans le moindre détail – la version abrégée de mon père épuisé ne lui convient pas du tout –, je prends le premier quart après le coucher du soleil. Après cette journée bien remplie, j'éprouve du plaisir à admirer le ciel passer du violet au bleu marine. Je scrute la voûte céleste, à l'affût de la première étoile qui percera l'obscurité, puis de la suivante et de celle qui la suit encore, jusqu'à ce que le ciel soit entièrement enténébré et qu'un plafond étoilé s'étale au-dessus de moi.

La lampe tourne et mon esprit avec. Je songe aux événements du jour et au-delà, à la récente tempête et au séjour inattendu de Mr Emmerson. Malgré son départ, sa profonde affection pour Longstone s'attarde dans mon cœur et ses paroles traînent dans ma mémoire. « L'angle d'incidence est égal à l'angle de réflexion. La loi universelle de la science. » La loi universelle de l'amour, elle, ne bénéficie d'aucune explication scientifique. Elle est aussi insondable que les profondeurs de l'océan et que la hauteur des cieux, et je dois trouver ma place entre les deux, sans lui.

J'ouvre le médaillon pour admirer les miniatures qu'il contient. Je pense aux mèches de cheveux absentes qui se dissimulaient jadis à l'intérieur et à Sarah Dawson, qui doit à présent trouver sa place dans le monde sans ses enfants. Je me demande comment elle va et je décide de lui écrire quand le matin sera venu.

Les jours vides de Sarah Dawson se déroulent en silence dans sa maison sur les quais de Hull. Elle a trop de temps pour méditer, et parfois elle ne sait plus quelles parties de sa journée sont réelles et lesquelles sont des inventions de son esprit agité.

Le courrier de Miss Darling lui a fait plaisir même si elle a été déçue d'apprendre qu'il n'y aurait pas d'histoire d'amour avec George. Sarah comprend que Grace ne ressemble pas aux femmes du continent, désireuses d'attirer l'attention d'un gentleman et prêtes à tout pour être certaines de se marier. Grace, quoique menue, possède une grande force de caractère qui n'a pas besoin d'être soutenue par l'affection d'un homme.

C'est décidé, donc. Au printemps, George épousera Eliza Cavendish et Miss Darling restera sur son île. *C'est dommage*, songe Sarah, convaincue que George et Grace auraient été beaucoup plus heureux ensemble que séparément. Mais elle s'en est suffisamment mêlée. C'est au tour du destin à présent. Quant à elle, elle doit essayer de raccommoder tous les fragments de sa vie qu'elle peut ramasser dans la maisonnette de Quay Street, où elle entend toujours les rires de ses petits résonner dans leurs chambres vides et où elle sent toujours l'étreinte chaude de son mari quand elle est seule dans l'arrière-cuisine.

Aussi sûrement qu'un homme en train de se noyer se cramponne à un débris flottant, Sarah s'agrippe désespérément à ses souvenirs. Ce sont eux qui la maintiennent à flot dans un océan de chagrin. Elle n'a plus qu'eux. Si elle lâche le passé qu'elle a partagé avec son époux et ses enfants, elle ne trouvera jamais un avenir sans eux.

Elle s'empare d'une feuille, trempe sa plume dans l'encrier et commence à coucher ses souvenirs sur le papier. Elle décrit la trop courte vie de sa famille en phrases simples jusqu'à ce qu'elle soit satisfaite. Ils sont là, écrits à l'encre, John, Sarah, James et Matilda Dawson, enregistrés de manière permanente pour qu'on ne les oublie jamais, et que leur histoire soit souvent racontée dans les années et les décennies à venir.

Elle s'endort alors, et rêve de la mer et de l'endroit où celle-ci pourrait l'emporter.

39

Matilda

Newport, Rhode Island. Août 1938.

Durant les moites nuits d'été, lorsque la chaleur m'empêche de dormir, je pose le menton sur le rebord de la fenêtre et respire l'air marin par le carreau ouvert tout en regardant la lumière du phare tourner de l'autre côté de la baie. Je suis fascinée par la façon dont le rayon lumineux modifie la couleur des choses. Les rochers noirs deviennent bleu marine. La mer bleue prend les nuances d'un hématome de cinq jours, vert et violet. Dans ces moments tranquilles et simples, je m'imagine rester ici avec le bébé : ce plan me paraît parfait mais l'annoncer à Harriet n'est pas si facile. Quand elle lit en silence ou qu'elle est de bonne humeur, les mots me brûlent les lèvres. « Penses-tu… ? » « Serait-il possible… ? » « Pourrais-je… ? » mais je ne parviens pas à rassembler le courage de les prononcer ; j'ai peur qu'elle ne plisse les yeux et pince les lèvres. Et ensuite, quoi ?

Après qu'elle m'a surprise dans sa chambre, les choses ont été crispées entre nous pendant quelque temps, l'atmosphère était gonflée et tendue comme une montgolfière sur le point d'exploser. Nous n'en avons pas reparlé depuis, toutes deux trop méfiantes pour aborder le sujet. Je ne peux cependant pas m'empêcher de songer à la photo de Cora. Chaque fois que je me vois dans le miroir, mon reflet exige une réponse aux doutes et aux questions qui embrument mes pensées. J'ai le sentiment que Harriet veut me dire quelque chose ; il lui arrive souvent de s'immobiliser en quittant la pièce ou en se dirigeant vers la cuisine, mais ce qu'elle veut me dire s'envole et nous continuons à vivre dans notre étrange petit monde, et nous essayons de faire de notre mieux en laissant les questions informulées et sans réponse.

Au fur et à mesure que l'accouchement approche, mon sommeil devient fragmenté et peu reposant. Mon corps déformé ne trouve pas de position confortable et mon esprit est un tourbillon de « et si ? » et de « peut-être ». Pendant la journée, je nettoie et range, pleine d'énergie. Harriet affirme que c'est l'instinct de nidification qui me pousse à tout préparer pour l'arrivée du bébé mais je suis certaine que c'est plutôt l'instinct de compenser son ignorance flagrante des tâches ménagères. Je me rends aussi utile que possible au phare, je suis Harriet comme son ombre et j'apprends les petites besognes qui émaillent ses journées. Quand elle en a assez de mes interminables interrogations, je me retire dans la petite chambre confortable où je continue à trier le fatras de journaux et de souvenirs que contient le coffre. Lorsque je suis trop fatiguée ou trop incommodée pour revenir au port, nous passons la nuit dans le phare. Je dors beaucoup mieux là-bas, tandis que Harriet fait les cent pas dans la salle de veille.

Pendant le dîner, si elle est d'humeur attentive, je raconte à Harriet mes dernières découvertes dans le coffre, et je lui montre les albums que j'ai soigneusement compilés avec les coupures de presse de sa grand-mère et du vieux Boots. Je lui lis la transcription d'une lettre, écrite par Grace Darling à un noble local, le duc de Northumberland, qui était apparemment son tuteur. « Je ne me suis pas encore mariée parce qu'on assure que l'homme est le maître et il y aurait beaucoup à dire sur les mauvais maîtres » mais certains mots ont été raturés et remplacés par « et j'ai entendu dire qu'il valait mieux réfléchir longtemps avant d'agir ».

Harriet éclate de rire.

— Elle a l'air très raisonnable. Le mariage, c'est surfait. (Elle me lance un coup d'œil par-dessus son livre.) Les maris sont difficiles à gérer, Matilda. Tu es mieux sans, si tu veux mon avis.

— J'en déduis que tu ne t'es jamais mariée ?

— Moi ? Mariée. Tu imagines ?

— Non. Pas vraiment.

— Il ne pourrait rien m'arriver de pire. J'ai échangé des vœux avec ce tas de cailloux. Je n'ai pas de temps à consacrer à un époux. Si j'étais toi, je ne serais pas pressée d'en trouver un, non plus. Ils provoquent beaucoup plus de tracas qu'ils ne le méritent. Même Joseph Kinsella.

Je rougis violemment et nie penser à Joseph ou à un autre, d'ailleurs.

— Ne t'inquiète pas. Je ne cherche pas de mari. Ma vie va être suffisamment compliquée comme ça, je n'ai pas besoin d'en rajouter.

— Bien. (Harriet pose son roman et se penche vers moi.) Ne laisse jamais un homme te dicter ce que tu peux ou ne peux pas être, ni te dire que tu n'es pas assez bien, ni assez jolie, ni assez intelligente. Tu vas affronter le monde et faire quelque chose de ta vie, tu entends ?

Ses paroles sont étonnamment sincères et contiennent une émotion que je n'ai jamais décelée chez elle.

— Oui. J'entends bien.

Et c'est vrai.

Lorsque le soleil se couche, ce soir-là, parant la mer des teintes de l'automne de la Nouvelle-Angleterre, j'enroule une couverture sur mes genoux et continue à lire les articles conservés dans le coffre, contente de passer encore une nuit avec Harriet dans le phare. Plus j'en apprends sur les femmes courageuses qui ont alimenté les lumières pendant des décennies, plus je les admire et les comprends, et plus leur passé couleur sépia ne me semble pas si lointain et leur vie pas si étonnante que ça. Je songe à mon quotidien à Ballycotton : les déjeuners guindés de ma mère, les exigences sans fin de bonnes manières, chaque jour une ennuyeuse répétition du précédent : être une fille dévouée, trouver un bon parti, entretenir la réputation de la famille. J'ai toujours eu la sensation d'être une spectatrice qui regardait par un carreau embué, jamais tout à fait capable de comprendre ce qui se passait ni en quoi ça me concernait. Entourée par les eaux calmes de la baie de Narragansett et les murs du phare, j'ai l'impression de tout comprendre. Ici, la vie prend tout son sens, alors même qu'elle devrait me paraître absurde.

Je finis de fouiller le coffre et tombe sur une liasse de vieilles lettres attachées par une ficelle. Je les feuillette, émerveillée de découvrir un récit de l'histoire des Dawson de Hull, rédigé de la main de Sarah Dawson. *Mon arrière-arrière-grand-mère.* Je me penche attentivement sur ses mots, surprise d'être aussi émue en lisant ses souvenirs de ses enfants, de son mari et de l'époque joyeuse qu'ils avaient connue avant que la tragédie ne s'abatte sur eux. D'autres pages sont glissées au milieu, titrées *Naufrage du Forfarshire, septembre 1838* mais je ne peux rien déchiffrer d'autre que les noms de James, de Matilda et de Grace Darling. Le reste n'est qu'un fatras illisible de taches d'encre et les pensées incompréhensibles d'une mère accablée. Je les range dans le coffre. J'aurais presque préféré ne pas tomber dessus.

Cette nuit-là, je rêve d'une jeune fille dans la tempête qui s'éloigne à la rame d'un phare pour aller secourir les survivants d'un naufrage, dont une mère et ses deux petits. Mais elle ne parvient pas à les rejoindre à temps et la mer les avale tandis que le vent souffle en rafales autour d'elle.

Au moment où elle fait faire demi-tour au canot, prête à tout pour regagner la sécurité du phare, je vois son visage. C'est moi. Les hurlements du vent sont les miens. Mais j'ai beau m'égosiller, désespérée, personne ne vient me sauver. Les vagues deviennent de plus en plus hautes et elles finissent par se fracasser sur la barque, trempant ma jupe et m'entraînant dans les profondeurs de la mer.

Je me réveille en sursaut et m'assieds, les mains moites. Les draps sont trempés et ma chemise de nuit aussi. C'est alors que la première contraction me percute.

— Harriet, crié-je. Harriet ! (Elle apparaît aussitôt et je suis tellement contente qu'elle soit là.) J'ai perdu les eaux. Le bébé arrive.

40

Matilda

Newport, Rhode Island. Septembre 1938.

La douleur me submerge en vagues régulières qui atteignent des pics et me coupent le souffle. Je me recroqueville sur le lit, les genoux contre la poitrine et je tire sur les draps pour essayer de lui échapper, mais en vain.

Harriet insiste pour que je me lève.

— Il faut que tu marches. Ça fera venir le bébé plus vite, crois-moi.

Je dois lui faire confiance. Je me lève avec difficulté, voûtée comme une vieille femme.

— Je ne suis même pas au terme. Il me reste encore un mois.

Ma peur se transforme en panique. *Je ne suis pas prête. Je ne vais pas y parvenir.*

— Les bébés n'en font qu'à leur tête. Ils arrivent quand ils sont prêts et on dirait bien que celui-là est pressé. Que tu le veuilles ou non, je vais t'aider à accoucher ici et maintenant. Plus vite tu accepteras cette idée, mieux ça vaudra.

Une autre onde de souffrance m'envahit et cramponnée au cadre de lit, je m'appuie sur le métal froid en priant pour que ça s'arrête. Entre deux contractions, Harriet pose une bouillotte sur mes reins. Quand elle cesse de faire effet, elle met du jazz à fond sur le gramophone. Nous fredonnons en même temps qu'Ella Fitzgerald et ma voix atteint des crescendos improvisés toutes les dix minutes tandis que je chante pour estomper la douleur.

— Ne te retiens pas, conseille Harriet. Hurle et gémis. Jure s'il le faut. Il n'y a personne pour t'entendre.

Je lui obéis. Ma gêne est réduite au silence par le besoin d'évacuer la douleur. Je hurle dans l'édredon et rabats ma chemise de nuit sur mon ventre, incapable de supporter le frôlement du tissu contre ma peau. Je veux à tout prix que tout ça soit terminé, que l'enfant sorte et je ne songe même pas à ce qui va se passer ensuite. Je veux juste que la souffrance cesse.

Les heures passent, et je finis par avoir l'impression que la nuit et la douleur ne s'achèveront jamais. Harriet ne quitte jamais mon chevet. Je me demande si ma mère, dans de telles circonstances, aurait agi de même. Dans les moments plus calmes entre deux contractions, j'interroge Harriet sur la durée de son propre travail. C'est la première fois que nous parlons de Cora depuis qu'elle m'a surprise en train de fouiner dans sa chambre. Nous sommes toutes deux trop épuisées pour nous disputer encore à ce sujet.

— Deux jours, répond-elle. À quelques heures près.

— Deux jours !

Je profite d'une autre contraction pour crier mon incrédulité tandis que j'arpente la chambre en long et en large avant de m'adosser au mur jusqu'à ce que la souffrance diminue un peu.

— J'ai commencé beaucoup plus lentement que toi, explique-t-elle tout en m'aidant à compter pendant la contraction et en m'enjoignant de respirer lentement – inspire, expire, inspire, expire. Et j'avais deux enfants à mettre au monde.

Une autre contraction s'empare brutalement de moi avant que j'aie le temps de répondre. Mon dos et mes flancs me brûlent à cause du mouvement constant de mes muscles. Des larmes coulent de mes yeux. J'essaie d'accueillir la souffrance plutôt que de la combattre et de surfer sur la vague comme les surfeurs que j'ai vus s'emparer des vagues sur les plages de Newport. Mon corps déjà exténué par l'effort tremble comme une feuille.

— Personne ne savait qu'il y en avait deux, reprend Harriet en s'affalant sur le fauteuil près du lit, aussi épuisée que moi. J'avais déjà mis un temps fou à comprendre qu'il y en avait un.

Je devine que l'heure est aux confidences et je l'encourage à poursuivre tandis qu'elle me tamponne le visage avec un linge humide.

— Qu'est-ce qui est arrivé ? demandé-je.

— La guerre. J'avais dix-neuf ans. Le même âge que toi. C'était un gars du village, l'un des chanceux à être revenus de France à la fin du conflit. Il ne lui a fallu que quelques minutes désespérées et maladroites pour évacuer des années de souffrance. Il a sangloté comme un môme après. M'a avoué que c'était sa première fois. (Je respire pendant la contraction suivante et compte jusqu'à vingt en priant pour en terminer rapidement.) Le pauvre idiot est mort de la grippe espagnole avant que je découvre que j'étais enceinte de lui.

Je me hisse hors du lit pour m'obliger à marcher malgré l'envie impérieuse de m'allonger.

—Qu'est-ce que tu as fait quand tu t'en es rendu compte ?

—Je me suis arrangée pour qu'on… tu sais… s'occupe de l'enfant, mais mon père m'a suppliée de changer d'avis.

—Il voulait que tu le gardes ?

Je songe au regard déçu de mon père et à la façon dont il a refermé la porte en silence derrière lui, m'excluant de son existence par la même occasion. *Comme tout aurait été différent s'il m'avait soutenue.*

—Après tant de morts pendant la guerre, Pa a dit que chaque vie nouvelle était plus importante que jamais. Il m'a fait asseoir un soir et m'a parlé d'un de ses cousins dont la femme ne pouvait pas avoir d'enfants. À l'époque, les choses étaient encore pires que maintenant pour les mères célibataires. Comme je n'étais pas mariée, j'ai accepté que son cousin et son épouse élèvent le bébé comme si c'était le leur.

Je respire pendant une autre contraction, relâchant la douleur dans de longues inspirations tandis que je fais les cent pas devant la fenêtre en respirant au rythme du faisceau lumineux.

— Tout se serait bien déroulé si je n'avais pas changé d'avis, poursuit-elle. Ce que je n'avais pas envisagé en acceptant le plan de mon père, c'était que la petite vie qui s'agitait en moi m'affecterait à ce point. Plus j'approchais du terme, plus j'étais résolue à élever cet enfant seule.

— Qu'a dit ton père ?

— Je pense que d'une certaine manière, il comprenait, mais il a affirmé qu'il était trop tard pour que je revienne sur ma décision. Que tout était arrangé. La femme de son cousin avait déjà révélé à tout son entourage qu'elle était enceinte et elle s'était claquemurée. Il m'a expliqué qu'elle avait une maladie des nerfs et que si je ne lui donnais pas l'enfant, elle ne s'en remettrait pas. (Harriet s'interrompt pour aspirer une longue bouffée de cigarette.) Ce que tout le monde ignorait, c'était que j'attendais des jumelles. J'ai mis au monde deux petites filles parfaites. Presque identiques. J'ai supplié Pa de me les laisser toutes les deux mais je savais que j'aurais du mal à en élever une toute seule, alors deux n'en parlons pas.

Elle pose les yeux sur moi : son regard s'adoucit et j'y vois briller une lueur d'affection.

— En abandonner une a été la chose la plus difficile que j'aie faite de toute ma vie.

Je pense à la photo de Cora en subissant une autre contraction. Harriet me frotte les reins en cercle pour essayer de chasser la douleur. Presque aussi inéluctablement que les vagues de souffrance implacables me permettront de mettre bientôt mon bébé au monde, je sais que la conclusion de l'histoire de Harriet changera tout.

Pendant un moment, aucune de nous deux ne dit mot. Je grimpe sur le lit, ma chemise de nuit trempée de sueur. Je bois quelques gorgées d'eau et presse un linge humide sur mon visage pendant que Harriet disparaît un instant avant de revenir armée d'une spatule en bois.

— Tu es presque prête à pousser, annonce-t-elle. Mords là-dedans quand les contractions arrivent.

Je la dévisage, les yeux écarquillés.

— Est-ce qu'il ira bien ?

— Le bébé ? Évidemment. Obéis et tout se passera pour le mieux.

La souffrance devient immense et plus rapide, et je pousse instinctivement à chaque nouvelle vague. Harriet m'apaise pendant une contraction intense et m'assure qu'il n'y en a plus pour longtemps.

— Qu'est-ce qui est arrivé à l'autre enfant ?

J'ai peur de la réponse, mais j'ai aussi peur d'esquiver encore la vérité.

— J'ai fait une hémorragie après la naissance. Quand je me suis réveillée à l'hôpital, il n'y avait qu'un bébé dans le berceau. Mon père avait amené l'autre chez son cousin. Dès que j'ai été rétablie, on a quitté l'Irlande pour commencer une nouvelle vie ici, à Newport. Ce voyage a été le plus long de mon existence. (Je pousse de nouveau.) J'ai pensé à cet enfant tous les jours depuis. Les années ont passé et mon père n'avait aucune nouvelle de son cousin. Il n'a jamais répondu à ses courriers. J'ai appris par un autre parent que la fillette était en bonne santé. Je n'en ai pas su davantage. Ça et son nom. Je l'avais appelée Grace Rose mais la femme du fameux cousin a changé son prénom.

Le prénom de Grace Rose tourne dans ma tête. *Pourquoi est-il aussi familier ?*

— Comment elle l'a appelée ?

Harriet m'ordonne de pousser. Je mords la spatule et pousse aussi fort que possible, le corps en feu sous l'effet de la souffrance et de l'épuisement.

— Harriet, haleté-je. Comment elle l'a appelée ?

Alors que les derniers instants de travail me volent mes mots, tout s'éclaire. *La manière dont Harriet me regarde et s'occupe de moi depuis mon arrivée. La façon dont ma mère s'est toujours comportée comme une étrangère. La ressemblance frappante entre Cora et moi.*

Je pousse quand Harriet me dit de pousser, je halète quand elle me dit de haleter, jusqu'à ce que, dans un dernier effort insoutenable, mon bébé glisse entre mes jambes. Après ces longs mois et ces heures de travail, tout se réduit à cet instant de soulagement. Comme si j'avais été sous l'eau, je me sens refaire surface lorsque ma fille est placée dans mes bras et je peine à comprendre que cette petite personne m'appartient.

— Elle est parfaite, chuchoté-je. Absolument parfaite.

Harriet pose la main sur ma joue et tourne doucement mon visage vers le sien.

— Elle l'est. Absolument parfaite. (Elle prend une profonde inspiration tandis que la mer soupire derrière la vitre.) Ils ont nommé ma fille Matilda. Matilda Sarah Emmerson.

41

Grace

Phare de Longstone. 1840.

La nouvelle année apporte un ciel rose et la première neige de l'hiver. Le vent du nord me mord les joues quand je m'occupe des poules, plus reconnaissante que jamais pour la cape imperméable que le duc et la duchesse m'ont offerte à Noël. Ils se sont montrés extrêmement généreux avec moi depuis notre visite au château. Ma mère adore la théière en argent dont ils lui ont fait don et elle l'utilise au moins quatre fois par jour. J'aime tout autant ma montre. Elle est splendide même si elle me rend trop consciente de l'écoulement du temps et de la distance croissante entre la vie simple que je menais jadis et les complications perpétuelles que me vaut l'attention publique.

La tutelle du duc m'a au moins libérée de l'intrusion incessante de Robert Smeddle. Je réponds à mon courrier une fois par semaine. Je reçois beaucoup moins de lettres à présent et ce n'est plus une tâche aussi fastidieuse qu'avant. Le duc m'écrit souvent pour me tenir au courant du fonds et des sujets légaux concernant l'argent qu'il gère en mon nom. J'ai accepté de recevoir 5 livres tous les six mois, pas davantage. Comme je l'ai dit dans une missive récente adressée au duc : « Je n'ai jamais attendu ni désiré la prospérité, monsieur. Je souhaite seulement continuer à faire mon devoir et à être une bonne fille. »

Même si la fascination du public a un peu diminué – Dieu merci –, durant l'été précédent, les pêcheurs opportunistes ont repris leurs excursions en bateau, les quais grouillant de gens impatients d'apercevoir l'héroïne de Longstone. Réticente à me rendre sur le continent, où mes apparitions causent toujours une attention fâcheuse, je passe de plus en plus de temps au phare, occupée à entretenir les sept pièces, et à assister mon père et mon frère quand c'est nécessaire.

Je corresponds souvent avec ma sœur Thomasin, dont je me suis toujours sentie très proche, et qui s'est montrée très compréhensive et pragmatique l'année dernière. Elle seule connaît mon affection secrète pour George Emmerson : elle a fini par m'extorquer la vérité. Elle sait que ça me peine et me ravit à la fois d'avoir de ses nouvelles par Sarah Dawson. Le temps guérit, dit-on, et pourtant je ressens toujours la morsure du regret quand j'ouvre mon médaillon pour contempler les minuscules portraits et que je me souviens du matin calme où Mr Emmerson a pressé la coquille de moule dans ma main.

Sarah m'a annoncé le mariage de George et d'Eliza l'été précédent ; il avait été repoussé parce que Eliza était tombée gravement malade pendant l'hiver. Avoir manqué de la perdre semble avoir renforcé l'affection de George pour sa jeune épouse. « Le mariage, a écrit Sarah, a été très joyeux. Nous avons beaucoup dansé et nous nous sommes bien amusés. Comme vous le savez, Miss Darling, j'avais des doutes sur cette union mais ils sont très heureux ensemble et George est tout à fait installé, à la plus grande surprise de tous. Je pense qu'ils ne vont pas tarder à fonder une famille. Eliza ne cache pas son désir d'avoir beaucoup d'enfants, et George a toujours été un oncle très investi auprès de James et de Matilda. Ce serait formidable de le voir devenir père. »

Je lui réponds que je suis ravie par d'aussi bonnes nouvelles et que je me réjouis d'apprendre qu'une fois ses études terminées à Dundee, George a pris la direction d'une petite galerie à Durham, où Eliza et lui se sont établis. Je ne lui avoue pas que j'ouvre souvent le médaillon pour examiner les miniatures ni que je me remémore régulièrement le séjour de Mr Emmerson à Longstone.

Les premières semaines de l'année nous apportent une heureuse nouvelle : Mary-Ann attend un enfant pour l'été. Elle a déjà perdu quatre bébés et elle est très inquiète, ce qui est compréhensible. Nous faisons de notre mieux pour la rassurer mais nous sommes tous préoccupés, surtout ma mère. Je prie pour que l'enfant naisse en bonne santé et pour que Mary-Ann surmonte les dangers de l'accouchement. Une autre raison, s'il en fallait une, pour éviter de se marier.

Comme l'hiver relâche son étreinte sur les îles Farne, et que les macareux et les mouettes regagnent leurs zones de nidification, nous avons la chance de voir une couvée d'adorables canetons trottiner partout. Je les observe dès que j'en ai le loisir, et j'aime les gazouillis et les pépiements avec lesquels ils communiquent. Les tempêtes hivernales sont finies et le soleil me réchauffe les os : je sens une légèreté d'esprit que je pensais perdue à jamais. Mais les joies du printemps sont de courte durée, et une profonde mélancolie s'abat sur la famille lorsque nous apprenons la mort du mari de Mary-Ann. Mam insiste pour qu'elle revienne vivre à Longstone afin que nous puissions nous occuper d'elle pendant les derniers mois de sa grossesse. La pauvre est inconsolable. Nous faisons tout ce que nous pouvons mais elle pleure en permanence, le visage blême, le regard dépourvu de son éclat habituel. C'est un bien triste spectacle de voir son ventre gonflé et de savoir que cet enfant ne connaîtra jamais son père. C'était un homme bon. J'ai l'impression que ce sont toujours les meilleurs qui partent en premier.

Malgré une naissance difficile au cours de laquelle nous l'assistons du mieux possible, Mary-Ann met au monde une petite fille rose et potelée dans le courant de l'été. Elle la baptise Georgiann, en hommage à son défunt mari, George. Je suis fascinée par la façon dont la fillette se tortille dans mes bras et miaule comme les chatons que nous élevions sur l'île de Brownsman. Je reste avec elle pendant des heures, ravie de la voir recourber ses doigts incroyablement délicats autour du mien avec autant d'assurance. Je l'aime déjà. Lorsque Brooks nous annonce qu'il compte épouser une admirable jeune fille de Craster, ma mère s'attelle à son rouet toute la journée afin de fabriquer suffisamment de fil pour coudre les robes et les bonnets dont nous aurons besoin.

À l'automne, Brooks et sa femme, Jane, s'installent avec nous à Longstone. Nous sommes plus nombreux à chaque grande marée et je devine que nous allons accueillir un nouveau membre : Jane erre dans le phare comme un fantôme, l'odeur de la couenne de porc la fait vomir, et son teint est aussi gris que celui des phoques. Mam est aux anges d'avoir à nouveau sa famille autour d'elle mais je ne partage pas son enthousiasme.

Je prends les choses à la légère dans les lettres que j'écris à Thomasin, remarquant que le jour de marché à Bamburgh doit être moins bondé que le phare, qui résonne de bavardages et d'exigences interminables. Avec autant d'opinions à prendre en considération et autant de bouches à nourrir, je ne me sens plus vraiment moi-même. Cela fait bien longtemps que je n'ai pas eu le temps de chercher des fossiles ni de me concentrer sur un recueil de poèmes. Je suis irritable, facilement distraite et inhabituellement susceptible. Mais je ne peux entièrement blâmer les miens pour ma mauvaise humeur. Depuis que Sarah m'a appris qu'Eliza était enceinte, je suis perturbée. Dans ma réponse, j'ai exprimé ma joie mais mes mots trahissaient ma jalousie et le regret qui habite mon cœur.

Durant les longues heures de veille, je me demande si j'aurais pris une décision différente si ma famille s'était installée dans le phare un an plus tôt. *Me serais-je sentie moins obligée de rester et d'aider mes parents s'il y avait eu autant de bras secourables qu'aujourd'hui ? Aurais-je encouragé l'évidente affection de Mr Emmerson à mon égard ?*

Mais ces pensées sont stériles. De la même manière que Knut le Grand n'a pas pu arrêter la marée, je ne peux changer le destin ni défaire ce qui a été fait.

Une lettre en provenance de Longstone illumine la journée de Sarah Dawson, même si celle-ci est un peu troublée de lire que le poids de la notoriété pèse lourdement sur les épaules de Miss Darling. « Je vous avoue sans honte que je voudrais en être débarrassée, Sarah. Je la traîne comme la vachère traîne son joug, et elle m'affaiblit. Je ne me sens pas moi-même. » Pour une jeune femme qui a passé sa vie dans l'ombre, il n'est finalement guère surprenant qu'elle soit mal à l'aise en pleine lumière.

Comme elle n'a plus personne sur qui veiller, Sarah est contente d'avoir trouvé une place de cuisinière et de bonne chez un relieur de la ville, Eamonn Flaherty. La cadence de l'accent irlandais de Mr Flaherty plaît à Sarah. C'est un homme bon, lui-même veuf, et il la traite avec le plus grand respect, presque aussi honteux d'avoir besoin d'une femme pour s'occuper de lui que l'est Sarah de laver ses sous-vêtements. Alors qu'une amitié hésitante se développe entre eux, Mr Flaherty lui parle des champs verts de l'Irlande et de son espoir de retourner vivre dans le phare dont est chargé son père, à Donegal, sur la côte atlantique. Il affirme que c'est le plus bel endroit du monde. Sarah lui répond qu'elle aimerait bien s'y rendre un jour et ça le fait réfléchir.

Si seulement George était heureux, elle se considérerait satisfaite de sa vie pour la première fois depuis le naufrage du *Forfarshire* mais il se montre préoccupé dans ses lettres et encore plus en personne. Même s'il tient à Eliza, Sarah sait qu'il ne l'aime pas comme il aime Miss Darling. Il l'a admis dans ses courriers, lui avouant qu'il espérait que l'arrivée du bébé arrangerait la situation. Sarah le met en garde ; un enfant, si précieux qu'il soit, ne peut pas réparer ce qui est brisé et il ne doit pas trop attendre d'un bébé qui n'est pas encore né. Soucieuse, Sarah étale la pâte pour la tarte aux pommes du dîner de Mr Flaherty. Elle souhaiterait pouvoir fabriquer aussi facilement un avenir heureux pour son frère.

42

George

Durham, Angleterre. Septembre 1840.

George voit sa femme s'épanouir et il est bien conscient qu'elle est de plus en plus anxieuse à l'approche de l'accouchement. Il l'apaise et la rassure, lui rappelle qu'elle est jeune et en bonne santé. Mais lorsque le jour du terme approche sans apporter de délivrance, il se sent gagné à son tour par l'agitation et la nervosité. Chaque fois qu'Eliza tousse, qu'elle pose la main au creux de ses reins ou qu'elle se lève brusquement pour soulager sa vessie, il se précipite vers elle, prêt à aller chercher la sage-femme.

Incapable de dormir, il reste assis à son chevalet et travaille à la lueur de la bougie. Ce n'est pas sa meilleure œuvre, et de loin, mais la nuit passe plus rapidement quand il peint des marines. Il travaille d'après de grossières esquisses crayonnées dans la journée qui capturent l'essence de la vie dans les petites villes portuaires : les femmes de pêcheurs qui attendent avec leur casier sur la plage, les ramasseurs de coques dans les eaux peu profondes à l'aube, les hommes en grappe qui hissent le canot de sauvetage sur le rivage, la mer couverte d'écume agitée derrière eux. Il reproduit les reflets dans les flaques que la marée descendante a laissées derrière elle et il imagine Miss Darling en train de scruter l'une d'entre elles, son sourire à jamais prisonnier de l'eau. Il se tourne vers son épouse qui gémit dans son sommeil ; elle se calme et il reporte son attention sur son travail. Il ajoute une autre couche de couleur qui recouvre Miss Darling et efface les souvenirs qu'il a d'elle sous la mer céruléenne et les nuages ocre.

Les nuits passent ainsi, les unes après les autres, jusqu'à ce qu'un cri aigu en provenance du lit le fasse sursauter. Eliza s'assied et se penche en avant pour reprendre son souffle.

Il se rue vers elle et lui prend la main.

— Le moment est venu ?

Elle acquiesce, l'air effrayée.

— Oui, George. Va chercher Nancy. Et dépêche-toi.

Il renverse sa palette en enfilant sa cape et promet à Eliza de faire vite. Il revient le plus rapidement possible en compagnie de Nancy, la sage-femme et, laissant les femmes à leurs affaires, il se rend à la cathédrale et s'assied pour prier.

Lorsque le jour se lève, il rentre chez lui, ignorant du drame qui s'est déroulé aux heures les plus sombres ; le mari inquiet qui a quitté le foyer quelques heures plus tôt est à présent père et veuf.

Nancy l'attend à la porte, blême. Il se cramponne à elle quand elle lui apprend qu'elle a fait de son mieux pour Eliza mais que cette dernière a perdu trop de sang et qu'elle a sombré dans une inconscience dont elle n'a pu la réveiller. Il se précipite vers sa femme, incapable de comprendre comment elle peut être aussi froide et immobile.

Pendant un instant, il oublie l'enfant. Un gémissement lui rappelle son existence.

Il se dirige vers le berceau près de la cheminée, berceau dans lequel sa fille, affaiblie par les complications de son entrée dans le monde, lutte pour s'accrocher au filet de vie qu'elle tient dans ses petits poings roses. Et il l'aime plus qu'il n'a jamais aimé personne.

Il l'aime pendant deux jours parfaits.

Puis il la perd.

43

Grace

Phare de Longstone. Mars 1842.

Le printemps arrive comme un invité penaud en retard à une fête, et Longstone repousse joyeusement les dernières tempêtes de la saison avec un soupir d'aise. C'est un jour à étendre la lessive sur les cordes. Un jour à accomplir les tâches ménagères délaissées. Je respire la chaleur et la lumière en ramant vers Brownsman Island pour retourner la terre afin de la préparer à recevoir de nouveaux semis. Tout est compté au phare et il y a de nombreuses bouches affamées à nourrir à chaque repas.

Ma petite nièce et mon nouveau neveu grossissent comme des petits pains. Leurs glapissements et leurs gloussements me sont familiers à présent, et leurs atroces crises de colère pendant lesquelles leurs visages deviennent rouges comme les fraises d'été ne me surprennent plus. Je me suis habituée à la présence des miens et j'aime leur compagnie, mais parfois – et de plus en plus – j'ai l'impression d'être une spectatrice assise sur le bord de la vie ; j'assiste au raffut qui se déroule autour de moi et je n'en suis plus le centre comme avant. Il y a de nombreux bras à présent pour aider à faire le ménage et à polir les lentilles. Il m'arrive souvent de monter jusqu'à la salle de la lanterne et de trouver les mèches déjà coupées, les réservoirs d'huile remplis et les housses de protection enfilées avec soin. Jane aime particulièrement se rendre utile. Comme elle vient d'entrer dans la famille, je comprends très bien qu'elle veuille aider et pourtant, elle m'étouffe. Sans mari ni enfants pour réclamer mon attention ou mon affection et m'en donner en retour, il m'est difficile de ne pas me raccrocher aux choses que j'ai toujours chéries : le phare et les lampes. Je suis devenue une pièce de rechange, je le reconnais. Et c'est une vérité qui ne me plaît guère.

Le phare étant bondé comme un tonneau de harengs marinés, nous avons fini par décider de construire un nouveau logement pour Brooks, Jane et leur progéniture de plus en plus nombreuse. Des ouvriers ont débarqué sur l'île, et leurs coups de marteau, leurs palans et leurs instructions criées à pleins poumons transforment mon paisible foyer en une petite ville industrielle. Je ne suis plus aussi dynamique qu'avant, je suis obligée de m'arrêter à mi-chemin de l'escalier pour reprendre mon souffle, trop fatiguée pour continuer mon ascension. Je ne dis rien à ma famille mais mon père remarque mon changement d'attitude.

— Tu n'es pas toi-même, Grace. Je te vois te protéger du bruit. J'avais oublié que nous étions aussi nombreux.

Je lui suis reconnaissante de s'inquiéter mais je me sens honteuse de mon incapacité à me montrer plus accueillante.

— Je suis contente que les nôtres soient là, mais parfois ils me réclament trop d'énergie, avoué-je.

Il me prend la main en souriant.

— Tu devrais peut-être faire une pause. Thomasin et toi pourriez rendre visite à votre frère sur Coquet Island.

Je commence par objecter qu'on ne peut pas se passer de moi mais je sais bien que c'est faux.

— Vas-y, Grace. Retrouve le vent qui fait gonfler tes voiles. Ça fait longtemps que tu n'as pas passé du temps avec Thomasin. La compagnie de ta sœur te fera du bien, et William et Ann seront ravis de te voir. On peut se débrouiller sans toi.

Ses dernières paroles achèvent de me convaincre. Les miens peuvent se passer de moi et il est temps que j'apprenne à me passer d'eux à mon tour. J'écris à Thomasin pour la prévenir que j'arriverai à North Sunderland le vendredi suivant, et que de là je prendrai le ferry pour Coquet Island. Mais c'est le cœur lourd que je m'en vais le jour venu et en voyant Longstone disparaître, je ne peux m'empêcher de penser que je ne pars pas juste pour changer d'air ; je suis persuadée qu'une partie de moi ne reviendra jamais.

Coquet Island, située à presque deux kilomètres du port de pêche d'Amble, est un endroit merveilleux et je comprends tout de suite que j'ai bien fait de venir ici. Les lieux ressemblent à Longstone dans les jours tranquilles qui ont précédé la catastrophe du *Forfarshire* et me rappellent qui j'étais. J'espère qu'un court séjour sur ces grèves blanches et ces eaux claires me permettra de redevenir la jeune femme enjouée et insouciante que j'étais jadis.

À marée basse, lorsque les rochers bas sont exposés, Thomasin et moi faisons le tour de l'île pour gagner les ruines d'un monastère bénédictin. Les plages de sable sont incroyablement illuminées par le soleil généreux, et quand les rayons du soleil la frappent, l'eau est presque turquoise. Des lapins détalent entre les dunes. Des macareux et des sternes roses nichent nombreux et j'aimerais rester assez longtemps pour voir les bébés macareux émerger des terriers. Mon frère, William, m'explique que la colonie de phoques qui vivait au nord de l'île s'est amenuisée récemment, effrayée par les touristes que la Tyne charrie tous les étés. On dirait bien que je ne suis pas la seule à avoir été chassée de chez moi par des intrusions inopportunes.

J'écris à mes parents pour décrire à mon père l'impressionnant phare de Mr Walker et pour assurer à ma mère que son cher Laddie – c'est le surnom affectueux qu'elle a toujours donné à William – est en parfaite santé. Je ne leur raconte pas qu'il se pavane comme un paon, fier d'avoir été nommé gardien depuis que le duc de Northumberland a ordonné la construction du nouveau phare.

Le séjour sur cette île paisible avec Thomasin agit comme un remontant. J'avais oublié ce que ça faisait de ne pas craindre l'approche d'une embarcation. C'est une bénédiction et même si la familiarité de Longstone me manque, je suis désolée de devoir rentrer aussi tôt.

Quand le bateau à vapeur s'éloigne du rivage, je me tiens sur le pont pour regarder l'île rapetisser à chaque vague qui nous rapproche d'Alnwick. Thomasin me presse de rentrer parce que la pluie devient plus drue mais je rétorque que je ne crains pas l'humidité. L'eau qui s'infiltre sous mes vêtements me purifie, et je me sens prête à regagner le remue-ménage et le vacarme de Longstone. Je m'enveloppe dans ma cape puis finis par céder au mauvais temps et par rejoindre ma sœur à contrecœur. Malgré la chaleur relative, je ne parviens pas à me débarrasser du froid qui s'est infiltré dans mes os.

Thomasin me réprimande d'être restée au-dehors si longtemps.

— Tu vas attraper la grippe, Grace, et Mam me blâmera.

— Je te promets de ne pas tomber malade, Thomasin. Mais tu peux t'en assurer en allant me quérir une boisson chaude.

Elle feint l'irritation et me laisse pour aller chercher du thé.

Je frissonne tout l'après-midi et me mets au lit dès mon retour à Longstone le soir.

Mais même ce cher vieux phare ne peut me réchauffer.

44

Grace

Phare de Longstone. Juillet 1842.

L'été se traîne sous un ciel gris. La température n'augmente plus après le début du printemps et je ne parviens donc jamais à me réchauffer. Quand je ne suis pas occupée, je me blottis contre l'âtre comme une femme deux fois plus âgée, presque incapable de bouger même lorsque mon père joue du violon et que la joie résonne entre les murs. Les jours plus longs et les nuits agitées sont émaillés d'une toux persistante et d'une douleur dans ma poitrine dont je n'arrive pas à me débarrasser. Elle me coupe le souffle quand je fais des efforts et me dérobe mes forces. Quand je suis à la moitié des marches qui mènent à la salle de la lanterne, je dois m'asseoir et attendre qu'un des membres de la maisonnée me trouve, affalée comme l'une des poupées de chiffon de Georgiann. Je n'ai jamais été souffrante aussi longtemps et être l'objet de l'inquiétude de tout le monde est pour le moins inhabituel.

Je fais de mon mieux pour l'ignorer et travailler comme si de rien n'était. Mam m'abreuve de bouillons et de boissons chaudes, et me prescrit une interminable collection de mixtures et de cataplasmes, tant et si bien que le phare se met à ressembler à la réserve d'un apothicaire. Je balaie les inquiétudes de chacun, plaque un sourire sur mon visage et ignore la fièvre qui enflamme mes joues de manière spontanée.

Un ami de la famille, Mr Shield, ayant eu vent de ma maladie par mon père, nous invite, Thomasin et moi, à séjourner chez lui à Wooler pendant l'été. Il pense que l'air pur des collines m'aidera à me remettre. Nous n'avons pas encore décidé si j'étais assez forte pour m'y rendre.

Chaque fois que je parviens à rassembler un peu d'énergie, j'écris à Thomasin qui a toujours quelque chose d'encourageant ou d'intéressant à me dire. Je recommence à correspondre avec Mr Emmerson. J'ai éprouvé beaucoup de chagrin en apprenant le décès d'Eliza et j'ai été dévastée quand j'ai su que sa chère petite fille s'était étiolée comme une fleur sans eau et était morte quelques jours seulement après sa mère. J'ai d'abord été réticente à lui écrire, mais me suis sentie obligée de lui présenter mes plus sincères condoléances. Je suis contente de l'avoir fait; il a répondu rapidement, m'assurant qu'il était très heureux d'avoir de mes nouvelles, et que savoir que les vieux amis se portaient bien et pensaient à lui en ces jours très sombres lui faisait du bien. Nos échanges sont brefs et courtois, et nous n'évoquons jamais ce qui s'est passé entre nous. Les années et les événements nous ont tellement changés que rien ne peut plus être comme avant.

Cette nouvelle correspondance avec Mr Emmerson me remonte le moral mais n'améliore pas ma santé. Avec l'approbation du médecin, nous arrangeons mon voyage pour Wooler avec Thomasin. Nous resterons chez Mr Shield et sa femme pendant quelques semaines, jusqu'à ce que je me sois rétablie.

— Reviens-nous en bonne santé, chaton, déclare mon père. On aimerait bien retrouver notre ancienne Grace.

— Moi aussi, Père, dis-je, même si je ne suis pas certaine de savoir qui est cette Grace-là.

Peut-être que mon père songe avec nostalgie à la petite fille sur ses genoux qui lui expliquait avec beaucoup de sérieux que les œufs de canards avaient éclos. Ou peut-être qu'il veut parler de la jeune femme heureuse que j'étais avant que la célébrité ne fasse irruption dans ma vie, ou de celle qui a rougi quand Mr Emmerson a débarqué pour peindre son portrait. Mais j'ai bien peur que toutes ces Grace-là ne soient perdues à jamais.

Wooler est un endroit agréable. Tout le monde est d'accord pour constater que l'air marin n'améliore pas mon état alors que celui de Wooler est pur et dégagé. Thomasin affirme que je vais me remettre rapidement. Nous faisons de petites promenades à dos de poney dans les monts Cheviot, où le paysage est époustouflant. Mr Emmerson adorerait le dessiner avec ses fougères d'un bronze poli et le soleil qui ressemble à un lingot d'or dégoulinant à l'horizon. J'imagine son front plissé, ses soupirs et son agitation au moment d'ajuster sa position, le petit toussotement qui indique qu'il a fini. J'ignore si c'est la pureté de l'air ou la tranquillité qui me permet de penser, mais je décide de lui écrire de nouveau une fois rentrée à Longstone pour l'inviter à nous rendre visite. Je suis sûre qu'il aimerait puiser son inspiration dans l'île pour peindre les marines qui l'ont rendu célèbre. Je me confie à Thomasin pendant que nos poneys avancent côte à côte sur la piste tranquille. Elle insiste et je finis par admettre que j'espère raviver la passion que nous avons éteinte par devoir.

Je me sens un peu mieux cet après-midi-là, revigorée par l'air frais et la promenade à poney mais ma toux ne diminue pas, et même le délicieux dîner préparé par Mrs Shield, composé de *singing hinnies*, des gâteaux à la plaque, et de harengs de Craster ne parvient pas à me tenter. Je prends congé et me retire tôt, avec l'intention d'écrire à George mais mes mains tremblent trop pour tenir une plume. Je me couche, et passe une nuit très agitée à tousser et transpirer, à me tourner et me retourner jusqu'à ce que je me réveille au petit matin et que je découvre Thomasin assise à côté de moi, l'air très inquiète.

— Je crois que nous ferions mieux de rentrer, Grace, murmure-t-elle en posant un linge humide sur mon front. Tu as de la fièvre.

Je n'ai aucune envie de protester.

— Nous retournons à Longstone ?

Elle repousse une mèche de cheveux de ma joue en souriant.

—Comme c'est plus près, nous allons d'abord nous arrêter chez nos cousins d'Alnwick. Mais bien sûr, ma chérie. Dès que tu seras remise, Père te ramènera à Longstone.

C'est un maigre réconfort. Savoir que pour revenir à Longstone, je dois combattre cette fièvre de toutes mes forces est le meilleur remède contre ma maladie. *Si je veux rentrer chez moi, je dois guérir.* Mais lorsque Thomasin m'aide à m'habiller, le contact du tissu sur ma peau me fait tressaillir et reculer, et je lis dans les yeux de ma sœur la même question que celle qui brûle dans mon esprit : *Et si je ne me rétablis pas, que se passera-t-il ?*

Dans le sanctuaire du cottage du gardien de phare qui est à présent sa maison, la toute nouvelle Mrs Sarah Flaherty contemple ses nourrissons endormis. Elle peine à croire qu'elle a eu le bonheur d'enfanter de nouveau – de deux bébés qui plus est. Les jumeaux ont constitué une grande surprise pour Eamonn et elle. Son cœur est submergé par la gratitude et l'amour pour les petits Grace Matilda et William James, qu'elle a nommés en hommage à ceux qui l'ont jadis sauvée et ceux dont les vies ont été emportées trop tôt.

Elle se sent chez elle dans cette nouvelle existence sur la rude côte irlandaise. La lumière est différente ici et l'air plus pur que celui, étouffant, des usines de Hull. Elle parvient enfin à repousser la sombre mélancolie qu'elle a portée avec elle pendant toutes ces années. Elle n'oubliera jamais la perte douloureuse de son mari et de ses enfants mais ces nouveaux cadeaux inattendus – son époux aimant, son fils et sa fille, cette maison à la pointe de l'Irlande d'où on pourrait presque deviner l'Amérique – ont donné un nouveau cours à sa vie. Elle se sent à nouveau optimiste.

Elle écrit à Miss Darling pour partager ces nouvelles, consciente que sans le courage dont la jeune femme a fait preuve la nuit du naufrage du *Forfarshire*, elle ne serait pas là du tout et elle n'aurait pas bénéficié de cette seconde chance.

Mais Miss Darling ne répond pas et, comme les semaines passent, Sarah se demande si tout va bien.

45

Matilda

Newport, Rhode Island. Septembre 1938.

Service météorologique des États-Unis
9 septembre 1938
Les navires rapportent la présence d'un cyclone tropical au sud du Cap-Vert dans l'Atlantique est. Surveillance nécessaire.

Alors que la chaleur estivale se dissipe, les touristes ferment leurs cabines de plage et leurs maisons de vacances pour retrouver leurs emplois et leurs appartements en ville. Les shorts et les tennis cèdent la place aux chemises et aux talons hauts, et les mois de vacances insouciants se transforment en une série de souvenirs estompés, capturés sur des photos encadrées posées sur des bureaux dans des gratte-ciel et des services de dactylos. Je les regarde partir, ravie d'être assez chanceuse pour rester ici. Mieux encore, je partage tout ça avec ma magnifique fille, Grace, que j'ai nommée en hommage à la femme qui, de bien des manières, nous a tous sauvés.

Je ne parviens toujours pas à croire qu'elle soit à moi et que j'aie le droit de la garder.

Harriet a accepté de ne pas écrire à ma mère avant un mois.

— Elle n'a pas besoin d'être mise au courant tout de suite, a-t-elle dit. Profite de ce temps pour toi. Cache-toi, si tu veux. Il y aura assez de gens pour t'abreuver de leurs opinions et de leurs conseils.

La découverte de la vérité – à savoir que Harriet est ma mère biologique – aurait dû me bouleverser ; au contraire, elle a tout remis d'aplomb. Comme une maison que l'on débarrasse de son papier peint de mauvais goût et de ses meubles dépareillés, l'espace que j'habite a enfin tout son sens. Quand j'apprends que c'est Harriet qui a transmis le médaillon et le manuel d'instructions, l'énigme posée par la dédicace à Grace Rose est enfin résolue. C'est incroyable que les deux objets me soient revenus.

— Quand je les ai trouvés dans le vieux coffre qu'on avait emporté d'Irlande, je les ai envoyés à Constance avec une lettre, m'a raconté Harriet un soir. J'ai expliqué que c'était une tradition familiale de les transmettre de génération en génération et que c'était important pour moi que tu les aies. Je ne pensais pas qu'elle te les donnerait. Elle a au moins fait une chose bien.

Les révélations de Harriet éclairent la distance que j'ai toujours ressentie de la part de Constance Emmerson.

Je devrais peut-être éprouver de la colère pour toutes ces années de mensonges mais la maternité me permet d'avoir de la compassion pour elle. Elle n'a jamais créé de lien avec moi parce qu'elle n'a jamais senti mes coups de pied dans son ventre, elle ne s'est pas inquiétée pour moi la nuit, elle n'a pas vécu le calvaire de l'accouchement ni l'extase épuisée de tenir son bébé dans les bras. Constance m'a ramenée chez elle comme elle aurait rapporté un nouveau sofa pour le salon. Elle convoitait un enfant, elle en voulait un pour faire aussi bien que les autres et elle croyait qu'il comblerait le sentiment d'éloignement qui la séparait de son mari. Mais je n'étais pas le remède à son mariage chancelant, à sa fragile estime d'elle-même ni à tous les autres échecs qu'elle avait essayé de faire peser sur mes minuscules épaules. Rien de tout ça n'était ma faute.

Comme un bernard-l'ermite qui se débarrasse d'une vieille coquille et en découvre une nouvelle, je m'adapte à mon rôle de mère avec une facilité surprenante. Pour la première fois de mon existence, j'ai trouvé quelque chose que je fais bien. L'instinct maternel dont j'avais peur d'être dépourvue m'envahit en énormes vagues d'affection et d'inquiétude. Quand je tiens la petite Grace dans mes bras, je sens les profonds liens de l'amour que j'ai depuis toujours cherchés. Trouver ma mère et en devenir une en même temps m'a profondément transformée.

Nous fixons notre propre rythme, Harriet, Grace et moi. Harriet est folle du bébé, et je suis ravie de pouvoir bénéficier de son expérience et de ses conseils durant les longues heures de la nuit quand elle prend la relève pour que je puisse me reposer. Je dors bien parce que je sais que ma fille est dans les bras de ma mère et que nous sommes toutes les trois en sécurité entre les murs du phare de Rose Island. Ce sont, sans doute aucun, les jours les plus heureux de ma vie.

Lorsque le temps est plus chaud, je pousse le landau de Grace jusqu'à la petite plage au nord de l'île où je m'assieds pour contempler les brisants et réfléchir au destin, aux gens qui font partie de notre existence et à ceux qui ne sont plus. Je songe beaucoup à Cora, la sœur qui m'a toujours manqué. Nos vies auraient facilement pu être échangées : *Qui serais-je à présent si c'était moi qui étais restée avec Harriet ? Que serais-je devenue si j'avais grandi ici ?* Des questions sans réponse. Tout ce que je sais, c'est que le destin a décidé que je serais celle qui demeurerait en Irlande et que ma fille me ramènerait à ma mère. La rébellion m'a fait venir jusqu'ici mais le courage, la détermination et l'amour m'y ont fait rester.

Grace roucoule et gazouille sur la couverture à côté de moi. Je la prends dans mes bras, et je la berce au rythme du ressac et des soupirs de la mer. Harriet prétend que je vais la gâter à la porter et à la trimballer partout. Je m'en moque. Je la soulève en savourant son poids plume dans mes bras, je me délecte de ses tortillements, de ses reniflements et de son odeur sucrée de noisette. Je me demande qui elle deviendra, cette enfant surprise. Où elle ira. Dans ces moments silencieux, je planifie nos aventures à toutes les deux, bien résolue à être pour Grace tout ce que ma mère n'a pas été pour moi, déterminée à lui montrer que je l'aime et que quelles que soient les tempêtes qui nous attendent, nous les affronterons ensemble.

46

Matilda

Newport, Rhode Island. Septembre 1938.

Service météorologique des États-Unis
16 septembre 1938
Le capitaine d'un cargo brésilien a signalé une tempête en formation au nord-est de Porto Rico. L'alerte radio a été lancée à 3 h 42. L'évolution suggère qu'elle atteindra la côte au niveau du sud de la Floride. Mises à jour à venir.

C'est le début de soirée au phare, et Harriet tricote un bonnet pour Grace. Je souris devant l'harmonie domestique pour le moins incongrue de la scène, assise près de la fenêtre, d'où je regarde Grace dormir, ses minuscules poings roses serrés de part et d'autre de ses petites oreilles parfaites. La radio crépite par intermittence pendant qu'un journaliste évoque d'un ton monotone les tensions croissantes en Tchécoslovaquie.

C'est impossible qu'un conflit éclate alors que ma fille est si pleine d'innocence.

— Hitler, Mussolini et tous ces hommes affreux devraient passer plus de temps avec des bébés, dis-je. Ça les empêcherait peut-être de déclencher des guerres.

Harriet émet un petit « tss ».

— Les hommes sont persuadés d'avoir réponse à tout, réplique-t-elle. Ils pensent qu'ils peuvent envahir tout ce qu'ils veulent : des pays, les corps des femmes… Ils se nourrissent du pouvoir que ça leur donne, mais ils ne sont pas aussi intelligents ni aussi forts qu'ils le croient. Si la guerre est déclarée, les hommes partiront et ce seront les femmes qui feront brûler les lampes, qui travailleront dans les usines et qui feront toutes les besognes qu'ils ne nous croient pas capables de faire en temps de paix. Ça s'est produit comme ça la dernière fois.

À présent que nous discutons de manière plus ouverte, Harriet est moins sur ses gardes et plus patiente quand je lui pose des questions sur le passé familial.

— Tu as toujours voulu être gardienne de phare ?

Elle secoue la tête.

— Je ne voulais rien être du tout. Je n'avais aucune ambition. Je supposais que j'allais devenir épouse et mère. Préparer le dîner. Garder une maison propre.

Je hausse un sourcil.

— Toi ? Vraiment ?

Elle grimace avec bonhomie.

— Tomber enceinte a été une bénédiction, d'une certaine manière. Mon père était très en avance sur son temps. Il m'a élevée seule après que ma mère est morte en couches et m'a soutenue alors que la plupart des parents auraient enfermé leur fille dans une institution pour filles-mères.

J'avais entendu parler de ce qui arrivait aux mères et aux bébés sous l'égide des religieuses qui tenaient ces prétendus foyers. Ce n'était ni pieux ni bon.

—J'ai eu de la chance. Pa m'a emmenée ici avec tout ce qu'on possédait rangé dans le vieux coffre en bois de sa mère. C'était un homme bien, Dieu ait son âme.

Je lui laisse le temps de se signer et de prononcer une courte prière.

—Où tu as appris à t'occuper d'un phare ? demandé-je quand elle reprend ses aiguilles à tricoter. Ça a toujours été dans la famille ?

—Les Flaherty viennent d'une longue lignée de gardiens de phare, explique Harriet. Ton arrière-arrière-grand-mère, Sarah Flaherty–qui s'appelait Dawson avant–, a consacré son existence aux lanternes. Elle avait coutume de dire qu'elle devait sa vie à Grace Darling et à son père. Elle a épousé en secondes noces un Irlandais, Eamonn Flaherty, plusieurs années après le naufrage du *Forfarshire*. Ils sont repartis de zéro à Donegal où il a succédé à son père comme gardien de phare. Après la mort de son mari, Sarah a endossé son rôle et quand elle est morte, son fils a pris la relève. Il a été muté au phare de Ballycotton avec sa jeune femme juste avant la naissance de mon père, Eoin. Ce dernier en a été le gardien jusqu'à la guerre. Même les phares ont cessé de fonctionner à cette époque pour éviter que l'ennemi ne puisse repérer nos ports et nos points de repère. Ensuite il y a eu moi. La dernière de la famille.

Je suis fascinée à l'idée que tout ait commencé avec mon arrière-arrière-grand-mère, Sarah.

Harriet me jette un coup d'œil en coin.

— Tu devrais envisager cette vie-là, toi aussi. J'ai remarqué ton regard quand tu allumes la lanterne. C'est dans tes gènes. J'en suis sûre.

Elle a raison. Pendant l'été, le phare est devenu plus qu'un point de repère, il s'est révélé comme un véritable foyer. Il s'est enroulé autour de mon cœur et me tient étroitement serrée entre ses murs. Bizarrement, il m'a toujours paru familier, comme un rêve dont on se souvient à moitié. La courbe de l'escalier en colimaçon, l'odeur salée qui imprègne les lieux, le lustre marron poli de la rambarde, le cliquetis régulier de la lampe qui tourne. Comme s'il était vivant, je déchiffre ses humeurs sur ses murs de plus en plus étroits : joyeux en fin d'après-midi, plus sérieux à la lueur grisâtre du petit jour, pleinement vivant la nuit quand le ciel obscur permet à la lampe de se camper sur le devant de la scène et que tous les regards se tournent vers elle. Le phare m'a charmée. Inutile de le nier.

— Tu voudrais bien m'apprendre ? À entretenir la lampe ?

Harriet me regarde, un sourire narquois aux lèvres.

— D'après toi, qu'est-ce que j'ai fait ces derniers mois, en t'amenant ici, en te donnant le vieux manuel d'instructions et les coupures de presse, et en te racontant les histoires d'Ida Lewis et de Grace Darling ? Tu n'as pas besoin que je t'apprenne quoi que ce soit, Matilda. Tu sais déjà tout.

La semaine suivante, après avoir traversé la baie pour vérifier que tout va bien dans la maison de Cherry Street et rapporter des bricoles pour le bébé, Harriet revient avec une surprise.

Lorsque j'entends le crissement de ses pas à l'extérieur, je finis de changer ma fille, la soulève dans mes bras et descends l'escalier. Un parfum familier et floral me chatouille les narines. Du muguet ?

— Mrs O'Driscoll ! Mais… comment ?

Je suis tellement stupéfaite et ravie de la voir que j'éclate en sanglots tout en me précipitant vers elle. Elle ouvre grands les bras pour nous serrer contre elle, Grace et moi, dans son odeur de tourbe.

— Que faites-vous ici ? (Je ris à travers mes larmes.) C'est incroyable !

— Je me rappelais la date de ton terme et j'ai écrit à Harriet à l'adresse que tu m'avais indiquée. Elle a gentiment répondu pour me donner des nouvelles et me voilà ! Mais je vois que quelqu'un m'a devancée. (Elle écarte le lange pour admirer le visage de Grace.) Oh ! là, là ! Quelle beauté ! Elle est magnifique.

— Asseyez-vous, dis-je en la conduisant vers un fauteuil et en plaçant Grace dans ses bras. Je suis tellement contente de vous voir. J'ai souvent pensé à vous depuis notre séparation.

Elle me tapote affectueusement la main.

— Ça m'étonnerait. Pourquoi songerais-tu à moi ?

Si seulement elle savait combien de fois j'ai relu le mot qu'elle avait écrit sous son adresse : « courage ».

— Je voulais vous écrire pour vous annoncer la naissance mais je n'en ai pas eu le temps.

— C'est bien normal. Tu dois être débordée.

Harriet prépare du thé pendant que nous échangeons des nouvelles, et je confie à Mrs O'Driscoll que j'ai décidé de demeurer ici avec ma fille et de ne pas rentrer en Irlande. Elle n'est pas surprise du tout.

— Je suis bien contente, déclare-t-elle en roucoulant avec le bébé. Un enfant doit rester avec sa mère. Tu es une jeune femme très courageuse, Matilda Emmerson. N'avais-je pas dit que tu trouverais un sens à ta vie ?

— Si. Mais vous avez omis de m'avertir que le travail était atroce.

Elle sourit.

— Bien sûr que non. Je ne voulais pas te terrifier. Ah, au fait, poursuit-elle en baissant la voix jusqu'à murmurer tandis que Grace s'endort dans ses bras. Je ne suis pas ici à la demande de ta mère, aussi, ne te fais aucun souci. Elle ignore que je suis venue te rendre visite et je ne le lui dirai pas. Ce sont tes affaires. Ce ne sont pas les miennes.

Je lui prends la main.

— J'ai quelque chose à vous révéler, Mrs O'Driscoll.

Mrs O'Driscoll accepte notre invitation à déjeuner, puis à prendre le thé, puis à dormir chez nous. Harriet n'aime pas l'aspect de la mer, et elle sait que la combinaison de l'équinoxe d'automne et de la pleine lune crée une marée particulièrement haute. Je suis ravie de pouvoir passer plus de temps avec Mrs O'Driscoll et nous bavardons jusqu'à tard dans la nuit.

Une lune rouge plane au ras de la baie de Narragansett. Assise à la fenêtre, je regarde les étoiles s'allumer : je n'ai jamais vu un ciel plus beau. Je ferme les yeux, la joue contre les cheveux soyeux de Grace que je berce au rythme de la chanson du vent contre le carreau. Je lui chante la berceuse sur les lavandes bleues et les lavandes vertes, et malgré la menace de la guerre, ici dans ma tour de lumière avec la mer qui soupire en contrebas et le vent qui encercle le phare, le monde ne m'a jamais paru plus sûr ni la vie plus parfaite ou paisible.

47

Grace

Alnwick, Angleterre. Septembre 1842.

Nous demeurons une semaine chez nos cousins, les MacFarlane, à Narrowgate, mais leur maison est sombre et j'ai l'impression de m'étioler comme une plante privée de soleil. La duchesse de Northumberland, ayant appris ma maladie, s'arrange pour que je puisse résider dans un logement de Prudhoe Street, qui est beaucoup plus ensoleillé et plus aéré. Elle m'offre aussi l'expertise du médecin du duc, le docteur Barnfather. Ce gentleman dégingandé à lunettes me tapote avec divers instruments tandis que Thomasin et la duchesse restent à mes côtés, impatientes d'apprendre que je vais mieux. Mais malgré leurs prières et leurs espoirs, il confirme dans un murmure que mes symptômes ne lui laissent aucun doute et que je souffre de phtisie.

Le mot demeure suspendu entre nous comme un épais brouillard, et le silence plane sur la pièce assombrie, seulement troublé par le « tic-tac » de la pendulette d'officier posée sur le manteau de la cheminée qui nous rappelle que de précieuses minutes sont en train de s'écouler. Je leur demande de me laisser seule un instant, parce que leur désespoir évident ne fait qu'accentuer le mien.

D'interminables heures et jours s'écoulent ainsi. Je suis reconnaissante qu'on s'occupe aussi bien de moi, mais je brûle de rentrer à Longstone.

— Je suis certaine que je me sentirais bien mieux si je pouvais regagner le phare, docteur, expliqué-je.

Mais il craint que le voyage ne soit trop long et que mon corps ne le supporte pas.

— Je suis désolé, Grace, mais je ne peux pas vous donner l'autorisation. C'est un trop grand risque à courir.

Comment puis-je faire comprendre à un médecin, un homme de science pragmatique, que loin de Longstone, je me sens comme un poisson échoué, privée de ce dont j'ai besoin pour m'épanouir, survivre, respirer ? Comment un homme du continent pourrait-il comprendre ma profonde affection pour les rochers déchiquetés et les vagues qui s'y fracassent ? Jadis, j'aurais fait le trajet en ramant avec facilité entre Longstone et North Sunderland. J'aurais peut-être davantage apprécié les plaisirs simples de la vie si j'avais su qu'il m'en restait si peu. J'aurais fait bien des choses différemment si j'avais su ce que l'automne m'apporterait.

J'écris quelques lignes à Sarah Dawson en Irlande, ou plutôt Sarah Flaherty, comme je dois à présent penser à elle. Ainsi que je me l'étais promis, le temps est venu pour moi de montrer le même courage qu'elle, lorsqu'elle était blottie, désespérée, près de l'âtre de Lonsgtone.

Comme j'ai pu le constater à de trop nombreuses reprises, la vie peut changer aussi vite que la marée et malgré les soins du meilleur médecin du pays, malgré les prières que formule la duchesse, agenouillée près de mon lit, je décline davantage avec chaque coucher du soleil, et on ne peut strictement rien y faire.

48

Matilda

Newport, Rhode Island. Septembre 1938.

Service météorologique des États-Unis
21 septembre 1938
Des bourrasques dignes d'un ouragan ont été signalées à Bellport, Long Island, avec des vents soutenus de plus de 190 km/h. Tous les instruments de mesure et toutes les informations reçues confirment qu'un ouragan de catégorie 3 s'abattra directement sur Rhode Island. Nous n'avons pas le temps de prévenir les populations.

Quand je me réveille de ma sieste, je découvre que le ciel bleu de l'après-midi a pris une curieuse teinte violette, comme celle d'un hématome. Les pêcheurs dans la baie remarquent à leur tour le temps menaçant et font demi-tour pour regagner le port, leurs bateaux malmenés par une houle aussi soudaine que violente. Sur les plages, les visiteurs remballent en toute hâte leurs paniers de pique-nique ; le vent arrache leurs chapeaux et les parasols s'envolent. Quant aux oiseaux, ils trouvent refuge sur le rivage.

Je pose doucement Grace dans son berceau où elle dort tranquillement et j'attrape les jumelles qui traînent sur la table. Je scrute les flots à la recherche d'un signe de Harriet ou de Joseph, qui devraient revenir de la ville. Le vent hurle au-dehors. La pluie cingle les vitres. Les arbres qui bordent la côte sont tordus comme de la pâte à pain. Mrs O'Driscoll me rejoint à la fenêtre ; nous avons toutes les deux peur de formuler nos craintes à haute voix.

Pendant l'heure qui suit, le ciel passe du violet au noir et j'entends le tonnerre gronder au loin. Je m'empare de la longue-vue pour balayer l'horizon du regard et je me rends compte que ce n'est pas le tonnerre. C'est l'océan. Une lame gigantesque se précipite vers le rivage, un mur d'eau implacable qui se fracasse sur les plages et se précipite vers les constructions les plus basses, vague après vague d'eau grise furieuse qui monte de plus en plus haut jusqu'à finir par engloutir les maisons de bardeaux sur le quai. Je pense à Joseph et à Harriet qui sont au-dehors quelque part et je sais avec une certitude absolue que le seul endroit sûr en ce moment, c'est ici, dans le phare.

Au rez-de-chaussée, j'entends un aboiement frénétique et un grattement contre la porte.

— Captain !

Je me rue en bas et ouvre la porte. Le hurlement du vent est assourdissant. Je prends la petite chienne dans mes bras sans me préoccuper du fait qu'elle est trempée. Je repousse la porte du pied, cours vers la fenêtre et frotte le carreau embué avec ma manche, à la recherche de Joseph. Je ne l'aperçois nulle part.

— Où est-il, Captain ?

Des pensées sombres m'envahissent et mon instinct me dit de grimper le plus haut possible. Je presse Mrs O'Driscoll de me suivre dans la salle de la lanterne, Grace serrée contre moi, Captain trottinant fidèlement sur mes talons. Lorsque nous atteignons le haut du phare, je me tourne vers les fenêtres et vois que les rouleaux qui s'élèvent, hauts de deux étages, sont presque sur nous ; au même moment, toutes les lumières des maisons sur le rivage vacillent une fois avant de s'éteindre, plongeant tout dans l'obscurité.

49

Harriet

Au moment où je verrouille la porte de la maison de Cherry Street, le comportement des oiseaux m'avertit d'un danger. Des nuées viennent de la mer, masse sombre qui vole au-dessus de nos têtes. Les gens autour de moi lèvent les yeux en disant que c'est étrange mais je remarque la couleur du ciel qui a pris la teinte caractéristique de la tempête. Je me précipite vers la barque, obnubilée par l'idée de rejoindre Matilda et le bébé au phare. Je n'aime pas l'aspect de l'eau mais je dois essayer.

La pluie tombe en un rideau oblique qui me transperce la peau comme des aiguilles. De grosses lames s'abattent sur le mur du port, agitant les bateaux à l'ancre comme des chevaux sauvages. Je cours le long des arbres qui bordent le boulevard et qui sont follement penchés, leurs branches se brisant comme des riens, comme une brindille qu'on casserait sur son genou. Les lignes électriques abattues sont affaissées comme des spaghettis mous entre les poteaux télégraphiques qui se balancent, et les panneaux de circulation s'entrechoquent en bas de la rue. Des papiers et des ordures échappés des poubelles retournées tourbillonnent autour de mes pieds trempés. L'eau monte. Je regarde l'heure. *Quatorze heures.*

J'atteins la barque, à la fois soulagée et préoccupée par ce qui m'attend, je l'éloigne du ponton et me prépare à lutter. *C'est ma tempête, ma chance d'arranger les choses.* Toutes les années de deuil et de colère hurlent dans le vent qui souffle par bourrasques et fait tanguer violemment le bateau. Je m'enjoins de ne pas avoir peur mais plutôt de l'accueillir et je tire fort sur les rames. Chaque flexion de mes muscles me rapproche de Rose Island. *Une dernière bataille*, me dis-je. *Une dernière chance de rédemption.*

Je revois Cora et son petit chien, emportés dans une mer calme, pris dans un courant trop rapide pour que je puisse réagir. Je me concentre sur mon cap et sur ma tâche.

— Tu ne me battras pas, hurlé-je, aveuglée par la pluie tandis qu'une vague me fait pivoter sous le vent violent. Pas cette fois-ci.

Alors que la tempête et moi poursuivons notre duel et que j'approche lentement du phare, les lampes s'allument brusquement et mon cœur s'emballe, envahi par une bouffée d'énergie parce que je sais que Matilda est là pour me guider vers la maison.

Je lutte et je suis presque parvenue au débarcadère quand elle surgit sur le seuil du phare.

— Harriet ! s'écrie-t-elle. Dieu merci. Dépêche-toi ! Ça empire.

— Retourne à l'intérieur, crié-je tout en bataillant pour maîtriser la barque. C'est dangereux.

Voyant que je suis en difficulté, elle court vers le ponton.

— Harriet ! hurle-t-elle par-dessus le grincement strident du vent. J'ai peur. Qu'est-ce que je peux faire pour t'aider ?

Un mur d'eau approche derrière elle mais elle ne le voit pas.

— Rentre ! m'égosillé-je à pleins poumons. Rentre !

Mais mes hurlements sont couverts par le rugissement de la vague qui s'abat sur nous dans un atroce fracas. La lame gigantesque vomit mon canot tandis que Matilda est renversée et entraînée sous l'eau.

50

Grace

Bamburgh, Angleterre. Octobre 1842.

Octobre, et le soleil de la fin d'après-midi peint les vagues en doré autour de Longstone. Ses rayons projettent un halo ambré sur le phare et illuminent la salle de la lanterne où Père se prépare à allumer la lampe. Au rez-de-chaussée, Mam, assise devant son rouet, frotte son dos douloureux. Elle aimerait bien se plaindre mais il n'y a personne pour l'écouter. Derrière la fenêtre, mon frère dirige la construction des cottages où sa famille et lui s'installeront bientôt tandis que ma sœur en deuil, Mary-Ann, détend le linge. Son mari lui manque beaucoup mais elle dissimule son chagrin, comme une coque dans sa coquille.

Le tourbillon d'images fiévreuses me tient compagnie dans la maison de ma sœur, à Bamburgh, mon père ayant insisté pour que je quitte Alnwick. Je puise un peu de réconfort à l'idée d'être plus près de chez moi, entre les murs de grès du joli village où je suis née, mais j'aimerais plus que tout rentrer à Longstone où les allées et venues sont tellement familières que je peux les imaginer en mon absence.

Les respirations régulières de la marée me manquent, de même que le chuchotement apaisant de la mer, et les cris joyeux des sternes et des mouettes. Quand on est à l'extrémité de la terre depuis toute petite, comme moi, on devine à quel point elle est vaste, et ça me manque aussi.

Je garde le lit, délirante, et je dors par intermittence. Je distingue parfois un petit coup frappé à la porte, un autre visiteur ou un reporter venu s'enquérir de ma santé et transmettre ses prières pour mon rétablissement. Ils sont animés de bonnes intentions mais c'est fatigant pour Thomasin qui doit répéter en boucle que je ne vais pas mieux. Je l'entends pleurer et j'aimerais avoir la force de la consoler.

La duchesse vient souvent me voir ; elle reste assise près de mon lit nuit et jour. Elle apporte des bouquets de violettes pour égayer la petite chambre triste. Elle essaie d'être courageuse mais je sais que ça la bouleverse de me voir m'étioler et me faner.

Dans l'après-midi, j'entends ma sœur converser avec un autre visiteur au rez-de-chaussée. Des pas légers dans l'escalier derrière la porte de ma chambre font craquer les lames du parquet comme de vieux os fatigués puis Thomasin entrouvre la porte et scrute la pénombre.

— Grace, chaton ? Tu es réveillée ?

Sa voix est légère comme une plume. Tous s'adressent à moi en chuchotant depuis quelques semaines, comme s'ils craignaient de m'endommager en faisant trop de bruit.

Mes paupières tremblotent faiblement face au rayon de lumière qui joue au ras de la fenêtre au volet baissé. Il projette un éclat seyant sur le visage de Thomasin. J'ai envie de lui dire qu'elle est jolie dans son nouveau bonnet aux rubans de la couleur d'un œuf de canard mais je ne parviens pas à rassembler suffisamment d'énergie.

Elle presse un paquet rectangulaire contre sa poitrine.

— J'ai quelque chose pour toi, dit-elle d'un air mystérieux en se dirigeant vers le lit. (Elle se penche pour me murmurer à l'oreille après un silence qui accélère les battements de mon cœur sous l'effet de l'anticipation.) Un cadeau de George.

La joie court vers mes lèvres quand j'entends son prénom mais j'ai du mal à sourire.

— Un livre, je suppose, ajoute-t-elle en posant le paquet contre le broc sur la coiffeuse avant de déboutonner ses gants. Mais un gros livre, on dirait.

Elle m'aide à m'asseoir brièvement afin de pouvoir retaper mes oreillers.

— Il est ici ?

Ma voix ne parvient pas à s'élever au-dessus du murmure.

Elle hoche la tête et me presse doucement la main.

— Il est en bas mais il ne veut pas te déranger si tu dors.

Un sourire danse dans ses yeux. Ma sœur connaît l'étendue de ma dévotion pour George Emmerson. Elle lui a écrit pour lui donner de mes nouvelles au cours des dernières semaines. Elle sait que le voir fera fleurir mon cœur comme une rose d'été.

— Est-ce que je lui dis de monter ?

J'acquiesce.

J'entends des voix assourdies derrière la porte puis des pas hésitants et le voilà.

— Chère Miss Darling. (Il s'assied sur une chaise près du lit, son chapeau dans les mains, incapable de me regarder, de contempler la pâle imitation de moi-même que je suis devenue.) Je ne resterai pas longtemps. Je voulais juste vous voir un peu.

J'essaie de sourire.

— Je suis contente.

Il me dévisage avec une profonde tristesse.

— Je n'aurais pas dû attendre aussi longtemps.

— Vous êtes ici à présent.

J'aimerais avoir la force que j'ai ressentie la nuit de la tempête, quand nous étions au-dehors, sur la galerie de la salle de la lanterne. *Que dirais-je si je pouvais revivre ces instants-là ?*

Ses yeux se posent sur le médaillon suspendu à mon cou.

— Vous le portez toujours, constate-t-il.

Je tends les mains vers le fermoir mais je suis trop faible pour l'ouvrir. S'apercevant que je lutte, George se penche et l'ouvre pour moi, ses doigts effleurant brièvement ma peau. Il sourit en voyant ses miniatures à l'abri dans le bijou.

— Elles y entrent parfaitement, murmure-t-il.

Il reste assis longtemps, et je sommeille par intermittence. Chaque fois que j'ouvre les paupières, je le vois là, à me regarder, à m'aimer.

— Êtes-vous en train de me peindre, Mr Emmerson ? demandé-je alors que le jour faiblit derrière la fenêtre.

— Oui, Miss Darling.

Il y a tant de choses à dire et pourtant il n'y a rien à ajouter.

Lorsque je rouvre les yeux, la pièce est plongée dans l'obscurité, éclairée seulement par la douce flamme d'une bougie. Mr Emmerson est parti.

Thomasin effleure mon front du bout des doigts et fronce les sourcils en sentant l'intense chaleur de ma peau.

— Tu es trop chaude, Grace. Qu'est-ce que je peux t'apporter ? De l'eau ? Une compresse froide ?

Je fais un geste en direction de la fenêtre.

Comprenant que je veux la conque posée sur le rebord, elle me la tend avec un sourire tendre.

— Toi et tes coquillages, dit-elle d'un ton affectueux. Tu as toujours aimé les collectionner, n'est-ce pas ?

Sa voix se brise, trahissant son émotion. Je souris faiblement pendant qu'elle s'affaire avec la courtepointe, comme si elle pouvait me guérir en la lissant.

— Essaie de te reposer, chaton. Le docteur Barnfather doit passer un peu plus tard.

Je soupire à cette perspective. *C'est un homme bon et c'est très gentil de la part du duc de m'envoyer son médecin personnel mais j'en ai assez de ses soins. J'en ai assez de demeurer allongée là, dans ce lit, dans cette chambre, si loin de chez moi.*

Thomasin remarque ma grimace.

— Voyons, Grace. Inutile de râler. Laisse-le s'occuper de toi et tu te retrouveras à chanter dans ta cabane de marin avant la fin de la semaine. Et on te ramènera à Longstone, là où est ta place.

Elle sourit comme une mère qui rassure son enfant anxieux et referme la porte en silence derrière elle, m'abandonnant à mes pensées et au brouhaha mélodieux du marché ordinaire qui se tient dans la rue ce jour-là. *Sauf que plus rien n'est ordinaire. Tout est frappé d'une étrange intensité. Est-ce la dernière fois que j'entends les bruits du marché derrière le carreau ? Est-ce la dernière fois que je vois le joli visage de ma sœur dans l'entrebâillement de la porte ?*

Je tourne lentement la tête vers la droite, et mon regard se pose sur le paquet rectangulaire enveloppé dans du papier brun et attaché par de la ficelle. « Un livre, je suppose… »

Ce n'est pas un livre. Je n'ai pas besoin de l'ouvrir pour deviner que c'est mon portrait.

Je vois encore la vivacité de ses mains sur la toile, le froncement léger de ses sourcils, sa façon de se lécher les lèvres dans sa concentration et les coups d'œil timides que nous avons échangés pendant qu'il travaillait. Personne ne m'avait jamais regardée comme ça auparavant et plus jamais ensuite. J'osais à peine respirer tant son regard était intense. Je me souviens de la brise qui agitait les rubans de mon bonnet quand nous nous promenions, de ma jupe gonflée comme une cloche d'église se balançant au plafond, ce qui m'avait fait penser à son mariage imminent et aux cloches qui sonneraient pour célébrer l'heureuse union.

Je me rappelle avec netteté son expression quand il m'observait et sa remarque sur le fait que je prenais vie quand je me trouvais au-dehors. Que je devenais quelque chose de plus.

Derrière l'étroite fenêtre, les bidons de lait s'entre-choquent les uns contre les autres tandis que le chariot cahote sur les pavés. Des colporteurs vendent à la criée. Les femmes de pêcheurs commèrent au coin des rues, leurs casiers pleins de harengs frais. Des enfants rient en écoutant un amuseur public. Je ferme les yeux, trop épuisée pour faire autre chose que presser la conque contre mon oreille afin d'écouter le bruit de la mer et toute une vie de souvenirs prisonniers de la coquille.

51

Matilda

Newport, Rhode Island. Septembre 1938.

La dernière chose que j'aperçois, c'est le visage de Harriet au moment où le gigantesque rouleau me renverse et m'aspire sous l'eau.

Je crève la surface, la bouche grande ouverte pour respirer, et je cherche des pieds les rochers qui encerclent l'île.

— Harriet ! hurlé-je. Harriet !

Mais je ne la vois pas.

Ma robe d'intérieur rose devient lourde et s'enroule autour de mes jambes ; malgré tous mes efforts désespérés pour nager vers les marches du ponton, je n'avance pas d'un pouce. Je bascule sur le dos en me rappelant la voix rassurante de mon père quand il m'a appris à nager. « Continue à battre des jambes. Je suis là. Je ne te lâcherai pas. » Mais je ne suis pas dans une baie tranquille et ensoleillée ; je suis entièrement à la merci de l'océan.

Une vague énorme m'aveugle et me repousse sous la surface avant de me soulever. Je crachote et m'efforce de reprendre mon souffle, mais la lame suivante, encore plus grosse, déferle aussitôt. Elle s'empare de moi, me fait rouler et m'aspire dans le contre-courant où ma figure heurte les rochers. Elle me roule dans tous les sens ; je suis incapable de distinguer le haut du bas. Sous l'eau, je donne des coups de pied et me débats, mon instinct me poussant à lutter pour respirer.

J'émerge de nouveau et Harriet est devant moi. Nos regards se croisent et nos mains se tendent l'une vers l'autre mais le mouvement des flots nous sépare et je coule derechef.

J'ouvre les yeux. Le faisceau lumineux transperce la surface au-dessus de moi et je tente de remonter dans sa direction, le regard rivé sur les éclats de lumière et d'obscurité qui alternent, bien résolue à retourner auprès de mon bébé et soudain, un air que me chantait ma grand-mère surgit de nulle part : « C'était sur le phare de Longstone, Habitait une bonne anglaise, Aussi pure que l'air qu'elle respirait, Elle n'avait jamais peur du danger… »

Lorsque je parviens à regagner la surface, je me suis éloignée du phare. J'ai le souffle court, mes bras et mes jambes sont épuisés par l'effort. Je renverse la tête et ouvre grande la bouche pour avaler de l'air, mais une autre vague m'entraîne sous l'eau et je suis trop faible pour continuer à me débattre.

Au-dessus de moi, la lumière tourne et éclaire une fois de plus avant de plonger l'océan dans l'obscurité. Je sens ma propre lumière vaciller et commencer à diminuer…

52

Harriet

Je bondis hors de la barque pour attraper Matilda mais mes doigts manquent le tissu de sa robe ; je suis repoussée sous la surface, et elle me dépasse, emportée par la vague, et disparaît.

J'ouvre les yeux sous l'eau et je la cherche frénétiquement, sur moi et sous moi, mais la mer est gorgée de vase et de débris, et je n'y vois rien. Le silence assourdi trahit le chaos qui se déroule au-dessus. Mes poumons brûlent du désir de respirer et je donne un coup de pied pour regagner la surface : lorsque je crève l'eau, Matilda est juste devant moi.

Une vague m'entraîne vers elle et pendant un instant, nos regards se croisent et toutes les années perdues, le chagrin et le désespoir se distillent dans cette ultime seconde éperdue. Lorsque nous nous retrouvons face au choix suprême, vivre ou mourir, nous nous connaissons mieux que jamais. Je tente désespérément d'attraper sa main mais elle est de nouveau aspirée sous l'eau.

Avec mon dernier souffle, je plonge et l'atteins. Je referme les doigts sur son poignet et la tire derrière moi jusqu'à ce que nous nous libérions de l'étreinte de l'eau. Je bascule sur le dos et bats des pieds de toutes mes forces, déterminée à la sauver, résolue à ne pas la perdre une seconde fois. Une vague nous propulse en avant et nous échoue violemment sur la plage en forme de fer à cheval. Je saisis ma chance et trébuche sur les rochers, indifférente aux coupures, en traînant Matilda derrière moi.

Je bataille pour arracher son poids mort à l'océan. Les dents serrées, j'utilise toute ma force, reconnaissante envers la houle qui m'aide à la hisser sur le rivage. Elle m'échappe et s'avachit sur les rochers, sa tête heurtant les cailloux avec un bruit affreux.

Je m'agenouille, repousse ses cheveux de son visage et appuie sur sa poitrine avant de souffler dans sa bouche. *Un, deux, trois, quatre, respire, respire… Un, deux, trois, quatre, respire, respire…* Ses lèvres sont mauve pâle. Sa peau est grise comme la poussière. Ses cheveux sont emmêlés et parsemés de grains de sable qui brillent chaque fois que le rayon du phare se pose sur nous.

Je me redresse sur les talons et me prends la tête dans les mains. Mes doigts sont des étaux.

—Respire, Matilda ! Tu dois respirer ! Respire ! hurlé-je avant de me pencher de nouveau en avant pour recommencer.

Un, deux, trois, quatre, respire, respire.

Un, deux, trois, quatre, respire, respire.

J'appuie sur sa poitrine aussi violemment que je l'ose tandis que le vent siffle au-dessus de moi, puis je presse mon visage sur le sien et j'ordonne à ma fille de respirer, de rester avec moi, je suis à bout de souffle, lui donnant tout ce que je peux, me moquant que ce soit mon dernier souffle tant qu'elle se réveille. Et soudain, elle sursaute brusquement et se convulse en crachant de l'eau. Je la fais aussitôt basculer sur le côté et lui tiens la tête afin qu'elle puisse vomir l'eau de mer qui s'est infiltrée dans ses poumons. Elle ne cesse pas de haleter et de tousser.

— C'est bien, Matilda. Respire. Tu es sauvée. Tout va bien.

Elle tousse de nouveau et je l'apaise, tandis qu'elle est blottie contre ma poitrine. Elle cherche son souffle et se cramponne à la vie qui a bien failli la quitter. Sa respiration redevient progressivement normale, et ses joues et ses lèvres reprennent des couleurs. Ce n'est qu'alors qu'elle me regarde, ses yeux d'un bleu sombre plongent dans les miens et sans un mot ni une explication, nous nous raccrochons l'une à l'autre pour toutes les années perdues et tout ce dont nous avions besoin est juste là, dans nos bras.

Nous nous relevons et gagnons en trébuchant le phare aussi vite que possible, toutes les deux grelottantes de froid, en état de choc, mais au moment où Matilda atteint la porte du phare, je trébuche sur un rocher. J'essaie de me relever mais une vague gigantesque m'entraîne de nouveau dans l'océan déchaîné.

L'eau me submerge et m'attire dans les profondeurs. Je lutte un instant mais je n'ai plus aucune énergie. Je ne songe à rien d'autre qu'au fait que Matilda et Grace sont en sécurité dans le phare.

J'accepte mon sort en silence.

Je ferme les paupières et tout devient étrangement calme. Je sais que malgré mes défauts et mes imperfections, j'ai aimé mes enfants avec la passion d'une tempête et qu'au bout du compte, c'est peut-être tout ce qu'on peut espérer. Avoir aimé et avoir été aimé en retour.

Lorsque je rouvre les yeux, Cora est là. Elle me prend par la main et ensemble, nous devenons ces fragments de lumière capturés sur la surface de l'eau et que les marées emportent pour l'éternité.

53

Matilda

Newport, Rhode Island. Septembre 1938.

Pendant deux heures, la formidable tempête déchire la ville qui m'a offert un foyer et un sanctuaire au moment où j'en avais le plus besoin. Durant deux heures impitoyables, elle déverse sa fureur, puis tout s'arrête. L'ouragan cesse aussi brutalement qu'il a commencé, et les cieux tourmentés sont lavés par un soleil chaud et généreux. Newport est dévasté et mon cœur avec.

Joseph est là, ainsi que Mrs O'Driscoll. Ma petite Grace et Captain. Quand je me réveille, ils sont tous à mes côtés, accompagnés par le silence. La tempête a dit tout ce qu'elle avait à dire.

— Salut, toi.

Joseph est assis sur le bord du lit, et un sourire timide éclaire son visage quand nos regards se croisent.

— C'est fini ? demandé-je.

Il acquiesce.

— C'est fini.

Il m'explique qu'il est arrivé sur l'île juste au moment où la tempête s'est déchaînée.

— Captain a sauté du canot. J'avais vu Harriet partir sur mes talons, alors j'ai voulu la rejoindre pour l'aider. L'océan était comme fou. J'ai été pris dans un courant et entraîné de l'autre côté de l'île. Le bateau s'est fracassé sur les rochers et je me suis réfugié dans la vieille tour de signalisation de brouillard jusqu'à ce que le pire soit passé.

Je tente de lever la tête, ce qui me fait grimacer.

— Harriet ?

Il me regarde droit dans les yeux et me prend la main en secouant légèrement la tête, confirmant ce que je savais déjà.

— Je suis vraiment désolé, Matilda.

Les larmes coulent sur mes joues.

— Elle m'a sauvée, murmuré-je et mes paroles sont étouffées par mes sanglots. Elle m'a sauvé la vie.

Joseph me prend dans ses bras.

— C'est ce que fait une gardienne de phare, Matilda. Elle a consacré toute son existence à ça.

Dans les histoires que je m'inventais enfant, mes personnages avaient toujours une mère aimante. J'ai peut-être imaginé Harriet avec tant d'intensité qu'elle a fini par devenir réelle. Elle m'a donné un foyer en sachant qu'elle laissait entrer dans sa vie beaucoup plus qu'une jeune femme enceinte. Elle s'est occupée de moi sans m'étouffer, et elle a mis ma fille au monde saine et sauve quand tout le monde voulait me l'arracher. Harriet Flaherty m'a sauvée de plus de façons que je ne l'aurais cru possible.

Je m'abandonne au profond puits d'émotions que je transporte depuis si longtemps et je pleure jusqu'à ce que mes os deviennent douloureux, que la tempête de mon chagrin finisse par diminuer et que je trouve refuge dans le havre du sommeil, en sécurité dans les bras du phare. Lorsque je me réveille, la petite Grace me regarde et je sais que tout ira bien. En donnant sa vie pour moi, Harriet a offert une mère à cette petite fille. C'est le sacrifice ultime, et j'espère que j'aurai le courage d'agir de la même manière si un jour je me trouve dans la même situation.

Je suis tellement contente que Joseph soit en vie et je me réjouis de la présence de Mrs O'Driscoll, qui s'occupe de tout, berce le bébé quand je dors, prépare les repas et soigne la vilaine coupure que j'ai à l'arrière du crâne. Nous passons de longs jours et de longues nuits ensemble, protégés par le phare. Joseph traverse la baie quand il peut le faire sans danger, et revient porteur de récits choquants de mort et de dévastation.

— La tempête a commencé comme un cyclone tropical au large du Cap-Vert il y a quelques semaines, explique-t-il. Quand il a atteint les côtes de la Nouvelle-Angleterre, c'était devenu un ouragan de catégorie 3. L'onde de tempête a été si violente qu'elle n'a rien épargné sur son passage.

Tout le long de la côte, de Providence au Connecticut, en passant par Martha's Vineyard et Long Island, des communautés entières ont été anéanties, et l'ouragan a laissé dans son sillage une traînée de désolation et de chagrin.

Newport souffre, lui aussi. Lorsque je suis suffisamment rétablie pour ramer jusqu'au continent, je peine à croire ce que je vois. Les maisons sur Cherry Street n'existent plus, rasées jusqu'aux fondations comme de la terre grattée sur un pantalon boueux. À la place des habitations chaleureuses qui se tenaient là quelques jours plus tôt, il n'y a plus rien que des amas de bois et de décombres. Comme des os de poulet abandonnés après un festin. L'océan s'est empiffré.

Le nombre de victimes ne cesse de croître. Trois cents morts. Cinq cents. Plus de six cents finalement. Mais il y a peu de corps à enterrer. Nous cherchons Harriet pendant des jours mais en vain. Je me plais à penser qu'elle a rejoint Cora et j'espère qu'en me sauvant, elle a pu, dans ses derniers instants, trouver la paix.

Et c'est ainsi, entre les rues inondées, les maisons anéanties et les bateaux renversés que je trouve mon avenir. On ne peut guère connaître de plus grand tournant dans sa vie qu'une catastrophe de cette ampleur. Je peux choisir ce que je veux faire de mon existence. On m'a donné une seconde chance pour tout arranger, pour rectifier le tir et vivre du mieux que je le peux. Lorsque je plonge les yeux dans ceux de Grace, je sais que c'est pour elle que j'ai été épargnée – et je ne gâcherai pas cette chance.

J'écris à Constance Emmerson pour tout lui raconter et lui annoncer que je n'abandonnerai pas mon enfant ni ne rentrerai en Irlande. Je lui dis que je ne m'attends pas à ce qu'elle comprenne mais que – pour ce que ça vaut – je lui souhaite le meilleur. J'explique à mon père que je suis désolée de l'avoir déçu mais que je n'éprouve ni remords ni regret en voyant mon magnifique bébé. J'espère qu'il comprendra un jour.

Mrs O'Driscoll reste pendant un mois pour nous aider à tout arranger. Joseph récupère des bricoles chez lui et emménage temporairement dans le phare, le temps que la ville soit reconstruite. Nous avons l'impression d'être une espèce de famille, tout inhabituelle qu'elle est. J'aime à croire que Harriet serait heureuse d'entendre les rires et l'amour résonner de nouveau entre ces murs. Elle n'a jamais été du genre à suivre les convenances. Je pense qu'elle aimerait nous voir nous débrouiller tous les quatre. Quand j'en ai le temps, je réfléchis à tout le chemin que j'ai parcouru depuis que j'ai embarqué sur la jetée des Cœurs-Brisés, si incertaine et si peu assurée. Je suis contente que les fils lâches de mon passé soient enfin reliés à mon présent. Comme la pièce recouvrée d'un puzzle ou un bouton recousu, je suis de retour à ma place.

Le médaillon a été épargné par l'eau mais je suis infiniment triste d'avoir perdu les miniatures de George Emmerson et de Grace Darling. Je les remplace par une mèche de cheveux de Grace et les vagues de l'histoire familiale continuent de se propager.

Une fois que les choses ont repris leur cours normal, je sors la lettre cachée derrière le portrait de Grace Darling et j'ouvre de nouveau l'enveloppe. Assise au soleil, je déplie les vieux feuillets froissés et lis les mots que George a écrits il y a si longtemps à la femme qu'il aimait mais avec qui il ne pouvait être.

Dundee, octobre 1838,

Ma chère Miss Darling,

Je sais que vous avez eu votre content de courrier récemment mais celui-ci ne nécessite aucune réponse, aussi, je vous demande d'être indulgente tandis que je tente de saisir le paysage de mon cœur avec des mots plutôt que des pinceaux.
Le fait est, Miss Darling, que vous avez touché mon âme ces derniers mois, surtout pendant ces jours récents où la tempête a fait rage au-delà des murs du phare. Je n'étais en rien désolé d'être coincé chez vous. J'en étais ravi, bien au contraire. Tandis que je capturais votre portrait sur la toile, vous avez capturé mon cœur.
De la même manière que votre amour de l'île vous attache à Longstone, mes fiançailles me lient à une autre. Vous m'avez dit que vous ne vous marieriez jamais par devoir envers vos parents et le phare. Savoir que vous êtes prête à vous sacrifier ainsi pour vos parents ne fait que renforcer l'affection que je vous porte.
Même si les circonstances nous obligent à nous séparer, sachez que je n'ai pas quitté Longstone de gaieté de cœur. Mon retour à Dundee a peut-être été le voyage le plus

difficile qu'il m'ait été donné d'accomplir. Chaque tour de roue alimentait mes doutes et je me demandais si je n'aurais pas dû vous en dire davantage et avoir le courage de vous avouer, Miss Darling, que je vous aime. Mais comme la tempête qui nous a réunis, le moment a passé et il ne peut plus y avoir que le silence. De la même façon que nous ne connaîtrons peut-être jamais la véritable profondeur de l'océan, vous ne saurez jamais à quel point je vous aime.
Je me souviendrai de vous en écoutant le soupir de la mer contenu dans la conque et j'espère que vous vous souviendrez parfois de moi en contemplant les portraits cachés dans votre médaillon. Si je ne peux être avec vous, je puiserai un peu de réconfort à l'idée qu'un petit morceau de moi repose près de votre cœur.
Peut-être Mr Dickens a-t-il tout exprimé quand il a écrit : « Je veux que vous sachiez que vous avez été le dernier rêve de mon âme. » Je ne peux rien dire de plus, Miss Darling. J'espère juste que maintenant que je suis loin de vous, je vous retrouverai de nouveau dans mes rêves.

Vôtre, à jamais,
George Emmerson

Les paroles de George se nichent au creux de mon cœur comme un signe et je range la lettre derrière le portrait de Grace. J'espère qu'elle a su à quel point il l'a aimée.

J'installe ma fille dans son landau, m'empare d'un balai et commence à nettoyer les pièces du rez-de-chaussée du phare, sous le regard d'Ida Lewis et de Grace Darling. Lorsque le soleil se couche ce soir-là, j'allume une vieille lampe et gravis les marches jusqu'à la salle de la lanterne.

Il y a beaucoup à faire.

54

Grace

Bamburgh, Angleterre. Octobre 1842.

Une personne peut être sauvée de bien des manières.

Parfois au milieu d'une mer déchaînée et de vents violents. Parfois par un pinceau et un sourire tendre au milieu des rayons du soleil hivernal. J'ai connu les deux.

Sur la dizaine d'artistes qui ont débarqué à Longstone dans les mois qui ont suivi le naufrage du *Forfarshire*, seul George Emmerson a su me capturer de toutes les manières possibles avant de me rendre ma liberté pour que je puisse rester à l'endroit que j'aime plus que tout. Je pose le regard sur le portrait qu'il a fait de moi. Quand je contemple mes yeux si parfaitement représentés sur la toile, je vois une jeune femme pleine de vigueur et de passion, et je suis reconnaissante d'avoir vécu aussi pleinement ma vie. Et, de la même manière que le tableau est inachevé, ainsi est la longue existence heureuse que j'espérais mener.

Thomasin m'apprend que George m'a de nouveau rendu visite alors qu'il s'apprêtait à rentrer à Durham la semaine dernière mais je dormais, et il a refusé de me déranger. Il est demeuré assis pendant plus d'une heure à me regarder en silence.

Je sais que je ne le reverrai jamais.

J'écoute le vent sur les corniches et les joyeux bruits de la vie derrière le carreau, et mes pensées reviennent sur mes vingt-six ans d'existence. Je cherche les souvenirs des gens et des endroits que j'ai le plus aimés. Ces jours inattendus au phare avec George ont été peut-être les plus charmants, emplis de moments si tendres et si précieux qu'en les évoquant, je sens mon cœur se transformer en rubis.

On dit que je suis une héroïne mais je ne mérite pas pareil éloge. Je ne suis qu'une jeune femme qui a accompli son devoir ; une jeune femme qui avait beaucoup plus à perdre qu'à gagner à devenir célèbre. Je ne comprends toujours pas pourquoi on consacre des poèmes, des ballades et des pièces de théâtre à Grace Darling – Héroïne des îles Farne.

Durant les semaines et les mois qui ont suivi le sauvetage, bien des mots et des opinions concernant mon courage ont été imprimés. Qu'une femme prenne la mer alors que la tempête fait rage, c'est l'essence même de l'héroïsme. À présent, durant ces jours silencieux dans la maison de ma sœur, je comprends qu'il ne s'agit pas seulement d'un acte de bravoure. Le nom de Grace Darling est devenu un synonyme de courage et c'est ça – et non les babioles et la vaisselle qui portent mon nom – dont je peux être fière.

Ma sœur déclare que je suis fiévreuse et que je bredouille de drôles de choses dans mon sommeil. Je l'entends dire à la duchesse que je suis comme la neige qui fond au printemps. Rien ne me sauvera de cette maladie qui m'enflamme la peau et me vole le souffle contenu dans mes poumons aussi facilement qu'un pickpocket dérobe le sac d'une dame à une barrière de péage.

Il n'y aura plus de sauvetage.

La lumière décline derrière la vitre, et moi avec.

J'ai prié ma famille de venir à mon chevet. Ceux qui le peuvent arrivent rapidement parce qu'ils savent que le temps m'est compté. Mam est là, et mon cher père. Mon frère, Brooks. Mes sœurs, Thomasin et Mary-Ann, sont auprès de moi. J'ai un colifichet à offrir à chacun d'eux, un petit quelque chose que j'ai chéri et qui leur rappellera mon souvenir dans les années à venir : ma médaille en or pour mon père, ma montre en argent pour ma mère, un mouchoir en soie pour Thomasin, mon châle à carreaux pour Mary-Ann, ma collection de trésors de la mer pour Brooks. Je laisse à Mr Emmerson ma collection de fossiles et demande qu'il donne mon portrait à sa sœur. Je souhaite aussi que le médaillon que Sarah m'a si gentiment offert lui soit rendu afin que sa fille puisse le porter quand elle sera plus grande : et ainsi, la boucle sera bouclée. Lorsque je le tends à Thomasin pour qu'elle s'en charge, je songe à l'inscription gravée au dos : « Même les plus courageux ont eu peur un jour. »

J'ai besoin de plus de courage que jamais.

Le soir tombe, et un autre jour doré meurt avec le soleil. Mon père me prend la main et m'ordonne de me reposer. Je sens ses doigts tièdes et parcheminés s'enrouler autour des miens comme un cordage que l'on remet soigneusement à sa place. Je me cramponne à lui et je ferme les yeux en attendant que l'obscurité tombe, et que les lampes de Longstone s'allument et projettent leur signal lumineux pour me ramener à la maison.

The Berwick Advertiser
29 octobre 1842

L'enterrement de Grace Horsley Darling, décédée le 20 octobre à 20 h 15, entourée de sa famille, a eu lieu le 24 octobre. En début d'après-midi, des gentlemen de plusieurs kilomètres à la ronde ont commencé à arriver et à l'heure prévue, c'est-à-dire 15 heures, le village était plein à craquer d'étrangers, riches et pauvres, dont la plupart avaient parcouru un long chemin pour présenter un dernier hommage à la mémoire de la défunte. Un immense cortège de gens de toute classe sociale a suivi le cercueil jusqu'à sa tombe, la majorité en larmes. La scène était très impressionnante et émouvante. Le cercueil a été transporté par quatre jeunes gens de Bamburgh

et suivi par quatre porteurs, William Barnfather, son médecin à Alnwick, Robert Smeddle, venu au nom du château de Bamburgh et de ses gouverneurs, le révérend Mr Taylor de North Sunderland et le docteur Fender, le médecin de Bamburgh.

Un jeune homme de Durham qui portait l'emblème de deuil des amis intimes de la famille était aussi présent.

55

George

Bamburgh, Angleterre. Octobre 1842.

George Emmerson reste assis dans l'église longtemps, à contempler les rayons du soleil qui traversent les vitraux. Il joue avec un morceau de verre de mer indigo. Il aimerait de tout son cœur pouvoir tenir la main qui le lui a donné. « Un trésor de la mer, avait-elle dit. J'ai toujours trouvé fascinant que quelque chose d'aussi ordinaire qu'une fiole de médicament vide puisse devenir aussi beau avec le temps. N'êtes-vous pas d'accord, Mr Emmerson ? » Il se rappelle sa réponse. « Je suppose qu'avec le temps, tout peut devenir un trésor pour quelqu'un, Miss Darling. »

Il se remémore son visage gracieux, le léger pli de sa bouche, ses boucles d'un châtain lumineux rassemblées en tresse sur sa tête et son expression intriguée, comme si elle ne parvenait pas vraiment à prendre la mesure de George et qu'elle avait besoin de se concentrer pour y parvenir.

Grace Darling. Son nom le fait toujours sourire malgré la douleur de son cœur.

Alors que le généreux soleil d'automne projette un arc-en-ciel à ses pieds, il songe aux courtes années durant lesquelles il a eu la joie de connaître Miss Darling. Il se pose bien des questions pendant ces heures silencieuses mais se demande surtout si la situation aurait été différente s'il lui avait dit tout ce qu'il voulait dire, s'il avait prononcé les mots qu'il a écrits dans sa lettre. S'il avait eu le courage de suivre son cœur, serait-elle assise à ses côtés à présent ?

Dès leur première rencontre dans les dunes de Dunstanburgh, il avait deviné que Miss Darling n'était pas du genre à se plier aux conventions. C'était une femme de tête et après la mort d'Eliza, il savait que cela n'aurait pas été juste de la demander en mariage. Il l'aurait placée dans une situation impossible et l'aurait contrainte à prendre une décision également impossible. C'était déjà bien d'avoir pu passer du temps avec elle, et d'être tombé amoureux d'elle en silence, sans aucune promesse. Comme l'écume sur le sable, les promesses se dissipent aisément. Ses sentiments pour Miss Darling, eux, transcendent une chose aussi fugace.

Ce qu'il ressent pour elle est dans le portrait qu'il a esquissé d'elle ce jour venteux au milieu des rochers où elle aimait tant se promener. Il est imparfait et inachevé mais c'est le portrait le plus fidèle d'elle qu'il ait jamais vu. *Les questions dans ses yeux. Les rubans de son bonnet qui volettent, comme si elle pouvait s'envoler si elle le décidait.*

Comme les oiseaux marins qui pourchassent le vent, elle ne pouvait être ni capturée ni immobilisée. Et il ne serait pas celui qui essaierait.

L'obscurité tombe sur l'église, et la seule lueur finit par être celle d'un croissant de lune et la lumière lointaine qui émane de Longstone : un fanal commémorant une jeune femme qui a tant accompli pour tant de gens et qui ne s'est jamais prise pour autre chose que l'humble fille du gardien de phare. C'est pour cela que George l'admire tant. Non pour le courage qu'elle a montré en sauvant sa sœur et les autres mais pour celui dont elle a fait preuve durant les mois et les années qui ont suivi ; celui de rester fidèle à elle-même et à tout ce qui avait de la valeur à ses yeux. Quand il quitte l'église, il s'arrête devant sa tombe en sachant que son existence sera plus sombre maintenant qu'elle n'en fait plus partie.

Il se met à marcher. Il doit aller quelque part. N'importe où. Il sort la conque couleur crème de la poche de son manteau et la presse contre son oreille. Il entend le doux soupir de la mer et les murmures d'une femme qu'il a aimée de tout son cœur. En sa mémoire, il mènera la vie la plus courageuse possible. Une vie faite non pas de brises douces mais de tempêtes déchaînées.

C'est la dernière promesse qu'il lui fait.

56

Matilda

Newport, Rhode Island. Septembre 1939.

Au nord, le ciel éclot en teintes pêche et rose pour célébrer glorieusement le premier anniversaire de Grace. Elle se tortille sur mes genoux, impatiente de rentrer dans l'eau, ma petite sirène. Je l'attire dans les replis de ma jupe pour que nous contemplions le lever de soleil ensemble.

L'année précédente s'est déroulée dans un éclair de berceuses et de jeux, d'inquiétude et d'amour. J'ai du mal à croire que ma fille ait grandi aussi vite : elle se tient déjà debout et tente de faire quelques pas hésitants. On dirait qu'elle est pressée d'en découdre avec la vie. Son enthousiasme est contagieux.

Je ramasse des coquillages sur le rivage et les lui passe. Je contemple ses doigts minuscules qui tâtonnent jusqu'à ce qu'elle se rappelle comment les attraper. Elle les étudie un instant, essaie de les manger puis me les rend : elle tire bien plus de plaisir de sa capacité à donner qu'à recevoir. Elle se penche pour attraper le médaillon suspendu autour de mon cou, fascinée par la façon dont la lumière se reflète dessus et dont il tourne quand je me penche. Lorsqu'elle sera assez grande, je lui confierai le manuel des gardiens de phare et le médaillon, et je lui parlerai de son arrière-arrière-arrière-grand-mère Sarah et de la manière dont elle a été sauvée par Grace Darling. Je lui raconterai aussi l'histoire d'un artiste appelé George qui aimait Grace de tout son cœur et le lui a avoué dans une lettre. Et je lui donnerai une photo, prise un matin tranquille de septembre avant la tempête. L'image d'une femme forte et courageuse qui a sacrifié sa vie pour que je puisse vivre la mienne. Je lui parlerai de sa valeureuse grand-mère, Harriet Flaherty et de toutes les femmes braves qui l'ont précédée.

Je suis à la fois la mère et le père de Grace mais je ne suis pas seule. Joseph est là quand j'ai besoin de lui et Mrs O'Driscoll aussi. Elle s'est installée à Long Island après l'ouragan et elle vient souvent me rendre visite. Elle me distille ses conseils avec subtilité et m'aide sans jamais essayer de me changer ni de me diriger. La vie sera toujours un peu biscornue mais je sens les femmes de mon passé marcher à mes côtés et me donner la force d'avancer, quelles que soient les difficultés qui m'attendent. Je suis épaulée par l'idée qu'elles sont là et par les minuscules empreintes de pied dessinées dans le sable à côté des miennes.

Je prends la main de Grace et nous marchons jusqu'à l'extrémité du rivage pour regarder les vagues caresser la plage. Grace agrippe mon pouce et couine quand l'eau éclabousse ses genoux. *Ma petite fille chérie. Mon fanal lumineux.*

Lorsqu'elle se lasse de jouer, je la prends dans mes bras, et regagne le phare en lui chantant la comptine sur les lavandes bleues et les lavandes vertes. Elle lève vers moi ses yeux qui ont la couleur de la mer en hiver et j'y lis une grande sagesse, comme si elle comprenait qu'elle n'est pas uniquement ma fille mais qu'elle est la somme des générations de femmes fortes qui l'ont précédée et dont l'écho résonne dans son âme.

Épilogue

Phare de Longstone.

L'AUBE ARRIVE PRUDEMMENT SUR LES ÎLES FARNE, accompagnée de traînées de nuages roses. La lumière matinale éclaire les ondulations du sable. Sur le continent, les femmes de pêcheurs attendent le retour de leurs maris, leurs casiers à harengs à leurs côtés. À leurs pieds, leurs filles chassent leurs ombres, que la brise légère fait s'envoler.

Je tourne les yeux vers le phare qui s'élance vers le ciel et dont les murs étreignent ma famille. Je vois mon père éteindre les lampes et gagner la fenêtre pour traquer, longue-vue en main, une nuée de sternes qui s'élèvent, leurs ventres blancs dorés par le soleil. Je me précipite en avant, je vole et je tombe dans les courants chauds avec eux, je pique vers le sol et tournoie, aussi libre que les vagues ondoyantes en contrebas et le vent vif qui m'entoure.

Le visage de mon père est empreint de tristesse. Il ressent le vide de mon absence.

— Mais je suis là, Père, m'écrié-je, en volant en cercles avec les mouettes. Je suis là ! Regarde !

Je suis la brise légère qui soulève l'ourlet de la jupe de Mam quand elle se tient sur le seuil du phare. Je suis les fragments de verre de mer qui attendent que les petites mains impatientes de mes neveux et de mes nièces les découvrent entre les rochers et les galets à marée basse. Je suis l'éclat du soleil qui se réverbère sur la surface de la mer, et le souffle doux du vent sur les mains et les joues. Je suis les jours tempérés d'été et les violentes tempêtes d'hiver. Je suis la lumière qui brille pour mettre en garde ceux qui sont en mer et pour rendre hommage à ceux qu'on n'a pas pu sauver.

Je suis une fille, une sœur, un nom, un souvenir.

Je suis Longstone.

Je suis chez moi.

Remerciements

Aucun romancier n'écrit seul, et je suis redevable à la sagacité, aux conseils et au soutien d'une armée d'éditeurs talentueux chez HarperCollins : William Morrow à New York, et HarperFiction à Londres et Dublin. Tous mes remerciements à Liate Stehlik et Kate Elton, et à mes éditrices Lucia Macro et Kate Bradley, qui ont gouverné ce vaisseau avec patience, enthousiasme et générosité. Merci aussi aux équipes suivantes : à New York – Jennifer Hart, Molly Waxman, Libby Collins, Diahann Sturge et Carolyn Coons ; à Londres – Kimberly Young, Emilie Chambeyron, Charlotte Brabbin, Eloisa Clegg, Louis Patel et l'inimitable Charlie Redmayne ; et à Dublin – Eoin McHugh, Tony Purdue, Mary Byrne et Ciara Swift. Merci aussi à la famille HarperCollins qui publie mon roman dans le monde entier. Comme toujours, toute ma reconnaissance à mon fabuleux agent, Michelle Brower, pour ses conseils avisés, ses encouragements et les photos du chiot Jonathan. Merci aussi à Chelsey Heller et l'équipe qui se charge des droits étrangers, Aevitas Creative.

Merci à ma chère amie Heather Webb pour ta contribution au début et pour toutes les séances de réflexion pendant notre épique tournée de dédicaces aux États-Unis, et pour m'avoir permis de tenir le cap grâce à nos conversations par écran interposé. Merci aussi à Catherine Ryan Howard, Carmel Harrington et Sheena Lambert qui en savent plus sur mes préoccupations et mes états d'âme qu'il ne le faudrait probablement et qui me font rire, me dissuadent et m'abreuvent de bon gin dès que possible. Je n'aurais jamais terminé ce roman sans votre soutien. Vous êtes ma famille ! Merci, Max, Sam, Catherine et Helen pour avoir supporté mon enthousiasme excessif durant notre voyage à Longstone et à Bamburgh. Et merci, Damien, de m'avoir donné le temps et l'espace dont j'avais besoin. Je te promets que ça en vaudra le coup quand on se retirera dans notre maison en bord de mer. Merci à mes amis, à mes voisins et à ma famille qui m'ont permis de garder les pieds sur terre et la tête dans les nuages, et à la communauté d'écrivains en Irlande et aux États-Unis qui m'inspirent et me soutiennent.

Mon infinie reconnaissance va aux libraires, bibliothécaires, blogueurs et instagrameurs du monde entier dont l'enthousiasme et la passion pour les livres sont infinis et contagieux. Merci de nous soutenir. Mes remerciements tout particuliers vont à *Woodbine Books* à Kilcullen pour avoir ouvert la meilleure librairie d'Irlande, au bord d'une route qui plus est.

Et enfin, merci à vous, mes incroyables lecteurs, pour votre soutien indéfectible. Vous êtes la raison pour laquelle j'écris, et je vous suis plus reconnaissante que je ne saurais l'exprimer. Si vous avez aimé ce roman, dites-le-moi. Ça m'aidera à écrire le suivant !

Aubin
IMPRIMEUR

Achevé d'imprimer en mai 2019
par Aubin Imprimeur à Ligugé
N° d'impression 201903.0372
Dépôt légal, juin 2019
Imprimé en France
81122817-1